GRE词汇
逆序记忆
——小词典

俞敏洪 黄颀 编著

樊昀

群言出版社

图书在版编目(CIP)数据

GRE 词汇逆序记忆小词典 / 俞敏洪，黄颀编著. —北京：群言出版社，2005（2009.2 重印）
ISBN 978-7-80080-543-1

Ⅰ. G... Ⅱ. ①俞...②黄... Ⅲ. 英语—词汇—研究生—入学考试—美国—自学参考资料 Ⅳ. H313

中国版本图书馆 CIP 数据核字(2005)第 095686 号

GRE 词汇逆序记忆小词典

出 版 人	范 芳	
责任编辑	孙春红	
封面设计	王 琳	
出版发行	群言出版社（Qunyan Press）	
地 址	北京东城区东厂胡同北巷 1 号	
邮政编码	100006	
网 站	www.qypublish.com	
电子信箱	qunyancbs@126.com	
总 编 办	010—65265404	65138815
编 辑 部	010—65276609	65262436
发 行 部	010—65263345	65220236

经 销	新华书店		
读者服务	010—65220236	65265404	65263345
法律顾问	中济律师事务所		
印 刷	北京画中画印刷有限公司		

版 次	2005 年 9 月第 1 版 2009 年 2 月第 10 次印刷
开 本	787×1092 1/32
印 张	11.75
字 数	180 千字
书 号	ISBN 978-7-80080-543-1
定 价	15.00 元

序

　　GRE词汇的背诵是艰难而耗时的工作，经常使人对自己的记忆能力产生怀疑。其实我们在现实生活中也是很健忘的。我们经常忘记自己在社会中所处的地位，我们经常忘记自己今天应该做什么，我们经常忘记我们的未来和理想，我们经常忘记为朋友们的成功感到高兴，我们甚至经常忘记关心我们的父母和爱人；而这一切使我们在生活中已经失去了很多珍贵的东西。因此，我们必须努力学会记忆，否则我们会失去得太多太多。背GRE单词是枯燥的，就像我们的日常生活很平凡一样。但正是这些枯燥的单词铺平了你走向世界名牌大学的道路，铺平了你走向未来的高速公路。任何平凡的日子，只要你赋予它生活的意义，就立刻变得不平凡起来。我们的生活就是由无数平凡的日子最后质变为不平凡的人生的过程。

　　就像对你的爱人从各方面表示关心一样，背GRE单词也需要你采取各种方法去背。从正序背诵到逆序背诵，到光盘背诵，到边做练习边背。总之，背的方法越多越好。人们做事情总是有范围的。有的同学背词典，这是没有必要的。GRE的单词反复重考的多，考新词少，只要把限定范围的单词背出来就可以了。

这本《GRE 词汇逆序记忆小词典》有以下几个特点：

(1) 这本小词典是《GRE 词汇精选》(最新版)的姊妹篇，要记忆 GRE 单词最好与《GRE 词汇精选》(最新版)结合使用。

(2) 本书采用了逆序编排体例，把一些词形相近的单词列到了一起，便于更快地记忆。

(3) 对常考词汇和还未考过的词汇做了区分，带 * 号的属于 GRE 类比、反义词常考单词，大家必须先背熟练。

(4) 本次改版，对原来的一些意义不精确的单词做了校正，并添加了近年考试的新词。

征服 GRE 是一个体力活，征服 GRE 词汇尤甚。只要大家树立必胜的信念，踏踏实实认真准备和复习，就一定能突破 GRE 词汇关，进而顺利通过 GRE 考试。

祝大家学习顺利，事业成功！

新东方教育科技集团董事长兼总裁

本书使用方法

所谓逆序词汇，就是将词汇根据字母顺序倒过来排列。通常大家背单词都是按照正序方式背诵，但正序背诵有一个缺点，就是容易形成上下单词的提示记忆。比如说背penitent（后悔的）和penitentiary（监狱），放在一起背就特别容易互相猜到单词的意义，但一旦把这两个单词分开放在不同的地方，你就可能想不起单词的意义来了。

逆序记忆词汇的好处是：

(1) 上一个单词和下一个单词之间在意义上没有任何相同之处，因此打破了提示记忆的缺点。

(2) 查找某一个单词仍然非常方便，如查incisive（一针见血的）这个单词，从正序看属于"i"范围，从逆序看则属于"e"的范围，你只要从最后一个"e"查起，很快就能在以"e"结尾的单词中找到"incisive"。

(3) 把同一词性的单词放在了一起，把同一词根的单词放在了一起，把词形相同的单词放在了一起，这样的排列对增加记忆单词的速度有极大的好处。如：以"a"结尾的单词几乎都是名词：insignia（袖章），insomnia（失眠症）；再如同词根单词的排列：pyromania（纵火狂），kleptomania（盗窃癖），都是以mania（疯狂者）词根结尾。词形相同的单词放在一起便于对照记忆，如flagrant（臭的）和fragrant（香的），就一个字母"l"和"r"之差，想一想这两个单词怎样记住呢？一想就通了，"r"的开头像一朵花，自然是"香的"，"l"像一根捣大粪的棍子，自然是"臭的"。

背单词一定要分段进行。本书每一页大约有30个单词，刚好作为背诵的一个单元，先把中英文对照看一遍，然后把中文盖上，看着英文单词想中文意思，如果30个单词都能想起中文意思，再把英文单词盖上，看着中文把英文拼写在纸上，通过拼写可以加深记忆。一页完成后再进入另一页单词，每天记10页约300个单词，记到50页约1500个单词时，全面总复习3～5遍以加深记忆，这样下来一个月的时间就可以把全部GRE词汇记得比较熟练了。

目　　录

GRE 考试核心词汇

A ……………………………………………… 1
B ……………………………………………… 4
C ……………………………………………… 5
D ……………………………………………… 10
E ……………………………………………… 22
F ……………………………………………… 84
G ……………………………………………… 85
H ……………………………………………… 90
I ……………………………………………… 96
K ……………………………………………… 96
L ……………………………………………… 99
M ……………………………………………… 111
N ……………………………………………… 117
O ……………………………………………… 134
P ……………………………………………… 136
R ……………………………………………… 138
S ……………………………………………… 149
T ……………………………………………… 163
U ……………………………………………… 189
W ……………………………………………… 189
X ……………………………………………… 190
Y ……………………………………………… 191
Z ……………………………………………… 212

GRE 考试最新词汇 …………………………… 213
GRE 考试预测词汇 …………………………… 262
附录：正序词汇索引 ………………………… 280

GRE 考试核心词汇

A

*armada	[ɑːˈmɑːdə]	n. 舰队
*agenda	[əˈdʒendə]	n. 议程
*coda	[ˈkəudə]	n. 乐曲的尾声
panacea	[ˌpænəˈsiə]	n. 万灵药
nausea	[ˈnɔːsjə]	n. 作呕，恶心
*apocrypha	[əˈpɔkrifə]	n. 伪经，伪书
acrophobia	[ˌækrəuˈfəubjə]	n. 恐高症
*encyclopedia	[enˌsaikləuˈpiːdiə]	n. 百科全书
*nostalgia	[nɔsˈtældʒiə]	n. 怀旧之情；思乡病
*hemophilia	[ˌhiːməˈfiliə]	n. 血友病，出血不止
*anemia	[əˈniːmiə]	n. 贫血，贫血症
*mania	[ˈmeiniə]	n. 癫狂；狂热
monomania	[ˌmɔnəuˈmeinjə]	n. 偏狂症，狂热病
gardenia	[gɑːˈdiːni]	n. 栀子花
*insignia	[inˈsigniə]	n. 徽章，袖章
*insomnia	[inˈsɔmniə]	n. 失眠症
*paranoia	[ˌpærəˈnɔiə]	n. 偏执狂；多疑症
*cornucopia	[ˌkɔːnjuˈkəupjə]	n. 象征丰收的羊角（羊角装饰器内装满花、果、谷物等以示富饶）
*utopia	[juːˈtəupjə]	n. 理想国，理想的完美境界
*myopia	[maiˈəupiə]	n. 近视；缺乏远见
*aria	[ˈɑːriə]	n. 独唱曲，咏叹调
criteria	[kraiˈtiəriə]	n. 评判标准

1

*hysteria	[his'tiəriə]	n. 歇斯底里症；过度兴奋
*euphoria	[juː'fɔːriə]	n. 幸福愉快感
*analgesia	[ˌænæl'dʒiːzjə]	n. 无痛觉，痛觉丧失
*amnesia	[æm'niːzjə]	n. 健忘症
*militia	[mi'liʃə]	n. 民兵
*inertia	[i'nəːʃjə]	n. 惰性；懒惰
*minutia	[mai'njuːʃiə]	n. 细枝末节，细节
*effluvia	[i'fluːvjə]	n. 气味，恶臭；废料
dyslexia	[dis'leksiə]	n. 阅读障碍
*anorexia	[ˌænə(u)'reksiə]	n. 厌食症
parka	['pɑːkə]	n. 派克大衣(毛皮风雪大衣)
*vanilla	[və'nilə]	n. 香草，香子兰
*gorilla	[gə'rilə]	n. 大猩猩
*parabola	[pə'ræbələ]	n. 抛物线
*formula	['fɔːmjulə]	n. [化]分子式；[数]公式；套语，惯用语
*peninsula	[pi'ninsjulə]	n. 半岛
*spatula	['spætjulə]	n. (调拌等用的)抹刀
*melodrama	['melədrɑːmə]	n. 情节剧；音乐戏剧
*panorama	[ˌpænə'rɑːmə]	n. 概观，全景
*anathema	[ə'næθimə]	n. 被诅咒的人；宗教意义的诅咒
*stigma	['stigmə]	n. 耻辱的标志，污点
*dogma	['dɔgmə]	n. 教条，信条
*asthma	['æsmə]	n. 哮喘症
*dilemma	[di'lemə]	n. 困境，左右为难
*comma	['kɔmə]	n. 逗号
*coma	['kəumə]	n. 昏迷状态
*aroma	[ə'rəumə]	n. 芳香，香气
*charisma	[kə'rizmə]	n. (大众爱戴的)领袖气质；魅力
phenomena	[fə'nɔminə]	n. [复数]现象；科学研究的现象

*subpoena	[səb'pi:nə]	n. (法律)传票；v. 传讯
*arena	[ə'ri:nə]	n. (角斗的)竞技场
ballerina	[ˌbælə'ri:nə]	n. 芭蕾舞女演员
*patina	['pætinə]	n. 绿锈，光亮的外表
*antenna	[æn'tenə]	n. 触角；天线
*chimera	[kai'miərə]	n. 神话怪物；梦幻
*plethora	['pleθərə]	n. 过量，过剩
*flora	['flɔːrə]	n. (某地区或时代的)植物群
*orchestra	['ɔːkistrə]	n. 管弦乐队
*bravura	[brə'vjuərə]	n. 华美乐段；adj. 华美的；显示技巧的
mesa	['meisə]	n. 高台地，平顶山
*sonata	[sə'nɑːtə]	n. 奏鸣曲
*delta	['deltə]	n. 三角洲
*magenta	[mə'dʒentə]	n. /adj. 紫红色(的)；n. 紫红色的染料
*iota	[ai'əutə]	n. 极小量，极少
*quota	['kwəutə]	n. 定额，配额
*aorta	[ei'ɔːtə]	n. 主动脉
*vista	['vistə]	n. 远景；展望
*vendetta	[ven'detə]	n. 世仇，宿怨
*operetta	[ˌɔpə'retə]	n. 小歌剧
*lava	['lɑːvə]	n. 熔岩
diva	['diːvə]	n. 歌剧中的女主角
*saliva	[sə'laivə]	n. 唾液，口水
nova	['nəuvə]	n. 新星
supernova	[ˌsjuːpə'nəuvə]	n. 超新星
larva	['lɑːvə]	n. (昆虫的)幼虫
*stanza	['stænzə]	n. (诗)节，段

核心词汇

B

核心词汇

*slab	[slæb]	n. 厚板,厚块
*crab	[kræb]	n. 蟹,螃蟹;v. 抱怨,发脾气
*drab	[dræb]	adj. 黄褐色的;无聊的
*ebb	[eb]	v. 退潮;衰退
*glib	[glib]	adj. 流利圆滑的;善辩的
*nib	[nib]	n. 钢笔尖
*rib	[rib]	n. 肋骨;伞骨
*bulb	[bʌlb]	n. 植物的球茎;灯泡
*jamb	[dʒæm]	n. 门窗的侧柱
*limb	[lim]	n. 肢(手或脚),翼
*aplomb	[ˈæplɔːm]	n. 沉着,镇静
succumb	[səˈkʌm]	v. 屈从,因…死亡
*plumb	[plʌm]	adv. 精确地;v. 深入了解;测水深
*numb	[nʌm]	adj. 麻木的
*crumb	[krʌm]	n. 饼屑,面包屑;碎裂的东西
*cob	[kɔb]	n. 玉米棒子;雄天鹅
barb	[bɑːb]	n. (鱼或的)倒钩;严厉的批评
*rhubarb	[ˈruːbɑːb]	n. (植物)大黄;v./n. 喧闹争吵
superb	[sjuːˈpəːb]	adj. 上乘的,出色的
*absorb	[əbˈsɔːb]	v. 吸收;同化;吸引…的注意
*curb	[kəːb]	n. 路缘,(街道的)镶边石;马勒;v. 控制
blurb	[bləːb]	n. 简介;印在书籍封套上的推荐广告
*cub	[kʌb]	n. 幼兽;年轻无经验的人
*hub	[hʌb]	n. 轴心;中心
*snub	[snʌb]	v. 冷落,不理睬

scrub	[skrʌb] n. 矮树丛；身体矮小的人；v. 用力擦洗
*shrub	[ʃrʌb] n. 灌木

C

*mosaic	[mɔ'zeiik] n. 马赛克；镶嵌细工（把小块玻璃石头等镶嵌成图画）
*prosaic	[prəu'zeiik] adj. 单调的,无趣的
anaerobic	[ˌæneiə'rəubik] adj. 厌氧的；n. 厌氧微生物
*acerbic	[ə'sə:bik] adj. 苦涩的；刻薄的
*cherubic	[tʃe'ru:bik] adj. （尤指孩子）胖乎乎而天真无邪的
*nomadic	[nəu'mædik] adj. 游牧的
*sporadic	[spə'rædik] adj. 不定时发生的
*episodic	[epi'sɔdik] adj. 偶然发生的,分散性的
*prolific	[prə'lifik] adj. 多产的,多结果的
*soporific	[ˌsəupə'rifik] adj. 催眠的；n. 安眠药
*horrific	[hɔ'rifik] adj. 可怕的
*lethargic	[le'θɑ:dʒik] adj. 昏睡的
*allergic	[ə'lə:dʒik] a. 过敏的；对…极其反感的
*synergic	[si'nə:dʒik] adj. 协同作用的
*graphic	['græfik] adj. 图表的；生动的
*hieroglyphic	[ˌhaiərə'glifik] n. 象形文字
paleolithic	[ˌpæliəu'liθik] adj. 旧石器时代的
neolithic	[ni:əu'liθik] adj. 新石器时代的
*monolithic	[ˌmɔnə'liθik] adj. 巨石的,巨大的
*relic	['relik] n. 遗物,遗迹
*bucolic	[bju:'kɔlik] adj. 乡村的；牧羊的
*catholic	['kæθəlik] adj. 普遍的；广泛的；(人)宽厚的
vitriolic	[ˌvitri'ɔlik] adj. 刻薄的,强烈的

5

核
心
词
汇

dynamic	[dai'næmik] *adj.* 动态的；有活力的
*ceramic	[si'ræmik] *n.* 陶瓷制品；*adj.* 陶器的
academic	[ˌækə'demik] *adj.* 学院的，学术的；理论的
*epidemic	[ˌepi'demik] *adj.* 传染性的，流行性的
*pandemic	[pæn'demik] *adj.* （病）大范围流行的
*endemic	[en'demik] *adj.* 地方性的
*polemic	[pɔ'lemik] *n.* 争论，论战
*rhythmic	['riðmik] *adj.* 有节奏的
*arrhythmic	[ə'riðmik] *adj.* 无节奏的；不规则的
*mimic	['mimik] *v.* 模仿，戏弄；*n.* 模仿他人言行的人
*comic	['kɔmik] *adj.* 可笑的；喜剧的；*n.* 喜剧演员
seismic	['saizmik] *adj.* 地震的
*cosmic	['kɔzmik] *adj.* 宇宙的
*panic	['pænik] *adj.* 恐慌的；*n.* 恐慌，惊惶
titanic	[tai'tænik] *adj.* 巨人的，力大无比的
*cryogenic	[ˌkraiəu'dʒenik] *adj.* 低温的，制冷的；低温学的
ethnic	['eθnik] *adj.* 种族的
*laconic	[lə'kɔnik] *adj.* 简洁的
*histrionic	[ˌhistri'ɔnik] *adj.* 演戏的；剧院的
*chronic	['krɔnik] *adj.* 慢性的，长期的
*ironic	[aiə'rɔnik] *adj.* 挖苦的；出乎意料的
*tonic	['tɔnik] *n.* 增进健康之物，补品；*adj.* 滋补的
*platonic	[plə'tɔnik] *adj.* 理论的；纯精神上的，没有感官欲望的
*runic	['ru:nik] *adj.* 北欧古代文字的；神秘的
*cynic	['sinik] *n.* 犬儒主义者，愤世嫉俗者
*stoic	['stəuik] *n.* 坚忍克己之人

*epic	['epik]	n. 叙事诗,史诗;adj. 英雄的;大规模的
*microscopic	[maikrə'skɔpik]	adj. 极小的;显微镜的
*philanthropic	[filən'θrɔpik]	adj. 博爱的
myopic	[mai'ɔpik]	adj. 近视眼的;缺乏辨别力的
*fabric	['fæbrik]	n. 纺织品;结构
choleric	['kɔlərik]	adj. 易怒的,暴躁的
*generic	[dʒi'nerik]	adj. 种类的,类属的
*esoteric	[,esəu'terik]	adj. 秘传的;神秘的
*meteoric	[,mi:ti'ɔrik]	adj. 流星的;昙花一现的
*rhetoric	['retərik]	n. 修辞学,浮夸的言语
prehistoric	[,pri:his'tɔrik]	adj. 史前的
*asymmetric	[æsi'metrik]	adj. 不对称的
*eccentric	[ik'sentrik]	adj. 古怪的,反常的;n. 古怪的人
egocentric	[i:gəu'sentrik]	adj. 利己的
*panegyric	[,pæni'dʒirik]	n. 颂词,颂扬
*lyric	['lirik]	adj. 抒情的;n. 抒情诗;歌词
*analgesic	[ænæl'dʒi:sik]	n. 镇痛剂;adj. 止痛的
*emphatic	[im'fætik]	adj. 重视的,强调的
schematic	[ski'mætik]	adj. 纲要的,图解的
thematic	[θi:'mætik]	adj. 主题的
emblematic	[,embli'mætik]	adj. 作为象征的
*pragmatic	[præg'mætik]	adj. 实际的,实用主义的
*phlegmatic	[fleg'mætik]	adj. 冷静的,冷淡的
diplomatic	[,diplə'mætik]	adj. 外交的;圆滑的
*aromatic	[,ærəu'mætik]	adj. 芬芳的,芳香的
chromatic	[krə'mætik]	adj. 彩色的,五彩的
monochromatic	[,mɔnəukrəu'mætik]	adj. 单色的
*somatic	[səu'mætik]	adj. 肉体的
*fanatic	[fə'nætik]	n. 狂热者
lunatic	['lju:nətik]	n. 疯子;adj. 极蠢的

核
心
词
汇

*erratic	[i'rætik] *adj.* 反复无常的;古怪的
*static	['stætik] *adj.* 静态的,呆板的
ecstatic	[eks'tætik] *adj.* 狂喜的,心花怒放的
*aquatic	[ə'kwætik] *adj.* 水生的,水中的
*didactic	[di'dæktik] *adj.* 教诲的;说教的
lactic	['læktik] *adj.* 乳汁的
*tactic	['tæktik] *n.* (达到目的的)手段;战术
hectic	['hektik] *adj.* 兴奋的;繁忙的
*eclectic	[ek'lektik] *adj.* 折中的,综合性的
apoplectic	[ˌæpəu'plektik] *adj.* 中风的;愤怒的
arctic	['ɑ:ktik] *adj.* 北极的;极寒的
Antarctic	[æn'tɑ:ktik] *adj.* 南极的
*ascetic	[ə'setik] *adj.* 禁欲的;*n.* 苦行者
prophetic	[prə'fetik] *adj.* 先知的,预言的,预示的
bathetic	[bə'θetik] *adj.* 假作悲伤的;陈腐的
*aesthetic	[i:s'θetik] *adj.* 美学的,有审美感的
*anesthetic	[ˌænis'θetik] *n.* 麻醉剂;*adj.* 麻醉的
*hermetic	[hə:'metik] *adj.* 密封的;深奥的
genetic	[dʒi'netik] *adj.* 遗传的;起源的
*frenetic	[fri'netik] *adj.* 狂乱的,发狂的
*kinetic	[kai'netik] *adj.* 运动的
*phonetic	[fəu'netik] *adj.* 语音的
*heretic	['herətik] *n.* 异教徒
*peripatetic	[ˌperipə'tetik] *adj.* 巡游的
impolitic	[im'pɔlitik] *adj.* 不智的,失策的
sybaritic	[ˌsibə'ritik] *adj.* 放纵的
*critic	['kritik] *n.* 批评者
*antic	['æntik] *adj.* 古怪的
frantic	['fræntik] *adj.* 疯狂的,狂乱的
*authentic	[ɔ:'θentik] *adj.* 真正的;法律证实的
*narcotic	[nɑ:'kɔtik] *n.* 催眠药;*adj.* 催眠的
*antibiotic	[ˌæntibai'ɔtik] *n.* 抗生素;*adj.* 抗菌的

demotic	[di(:)ˈmɔtik] *adj.* 民众的，通俗的
hypnotic	[hipˈnɔtik] *adj.* 催眠的；*n.* 催眠药
*despotic	[desˈpɔtik] *adj.* 专横的，暴虐的
*exotic	[igˈzɔtik] *adj.* 珍奇的；来自异国的
*quixotic	[kwikˈsɔtik] *adj.* 不切实际的，空想的
*dyspeptic	[disˈpeptik] *adj.* 消化不良的；不高兴的
*septic	[ˈseptik] *adj.* 受感染的，腐败的
*aseptic	[æˈseptik] *adj.* 洁净的；无菌的
*antiseptic	[ˌæntiˈseptik] *n.* 杀菌剂；*adj.* 防腐的
synoptic	[siˈnɔptik] *adj.* 摘要的
apocalyptic	[əpɔkəˈliptik] *adj.* 预示世界末日的；启示的
*cryptic	[ˈkriptik] *adj.* 秘密的，神秘的
*bombastic	[bɔmˈbæstik] *adj.* 夸夸其谈的
*sarcastic	[sɑːˈkæstik] *adj.* 讽刺的
iconoclastic	[aiˌkɔnəˈklæstik] *adj.* 对传统观念（或惯例）进行攻击的
drastic	[ˈdræstik] *adj.* 猛烈的，激烈的
majestic	[məˈdʒestik] *adj.* 雄伟的，庄严的
eulogistic	[ˌjuːləˈdʒistik] *adj.* 颂扬的，歌功颂德的
*moralistic	[mɔrəˈlistik] *adj.* 道学气的
*chauvinistic	[ˌʃəuviˈnistik] *adj.* 沙文主义的，过分爱国主义的
*anachronistic	[əˌnækrəˈnistik] *adj.* 年代出错的
*characteristic	[ˌkæriktəˈristik] *adj.* 有特色的；典型性的；*n.* 与众不同的特征
linguistic	[liŋˈgwistik] *adj.* 语言的
altruistic	[ˌæltruˈistik] *adj.* 无私的，为他人着想的
*agnostic	[ægˈnɔstik] *adj.* 不可知论的
*caustic	[ˈkɔːstik] *adj.* 腐蚀性的；刻薄的；*n.* 腐蚀剂
acoustic	[əˈkuːstik] *adj.* 听觉的，有关声音的
rustic	[ˈrʌstik] *adj.* 乡村的，乡土气的

核心词汇

mystic	['mistik] adj. 神秘的，不可思议的；n. 神秘主义者
*attic	['ætik] n. 阁楼，顶楼
*therapeutic	[,θerə'pju:tik] adj. 治病的
*toxic	['tɔksik] adj. 有毒的，中毒的
*havoc	['hævək] n. 大破坏，混乱

D

*scad	[skæd] n. 许多，大量
figurehead	['figəhed] n. 名义领袖；傀儡
*plead	[pli:d] v. 恳求，提出…为理由
knead	[ni:d] v. 揉制，捏制
thread	[θred] n. 螺纹
fad	[fæd] n. （流行一时的）狂热，时尚
myriad	['miriəd] adj. 许多的，无数的
ironclad	[aiən'klæd] adj. 装铁甲的；坚固的
*ballad	['bæləd] n. 歌谣，小曲
*nomad	['nəumæd] n. 流浪者；游牧部落的人
*goad	[gəud] n. 赶牛棒；v./n. 刺激，激励
inroad	['inrəud] n. 突袭；消耗
crabbed	['kræbid] adj. 暴躁的
*embed	[im'bed] v. 牢牢插入，嵌于
barefaced	[beə'feist] adj. 厚颜无耻的，公然的
*jaundiced	['dʒɔ:ndist] adj. 有偏见的
*unnoticed	[ʌn'nəutist] adj. 不引人注意的
*pronounced	[prə'naunst] adj. （观点等）强硬的，明显的
hardheaded	[hɑ:d'hedid] adj. （商业上）现实的，精明的
levelheaded	['levəl'hedid] adj. 头脑冷静的，稳健的
jaded	['dʒeidid] adj. 疲惫的；厌倦的

lopsided	[ˌlɔpˈsaidid] adj. 倾向一方的,不平衡的
backhanded	[bækˈhændid] adj. 间接的;反手击球的
evenhanded	[ˌivənˈhændid] adj. 公平的,不偏不倚的
underhanded	[ˈʌndəhændid] adj. 不光明的,卑鄙的
stranded	[ˈstrændid] adj. 搁浅的,进退两难的
*long-winded	[ˌlɔŋˈwindid] adj. 冗长的
*unfounded	[ˌʌnˈfaundid] adj. 无事实根据的
*grounded	[ˈgraundid] adj. 有理由的; adv. 地面上
*outmoded	[autˈməudid] adj. 不再流行的
*cold-blooded	[ˈkəuldˈblʌdid] adj. [生]冷血的;残酷的
exceed	[ikˈsiːd] v. 超过;超出
*deed	[diːd] n. 行为;(土地或建筑物的)转让契约、证书
*heed	[hiːd] v. 注意,留心; n. 关心
*reed	[riːd] n. 芦苇;簧片
breed	[briːd] v. 繁殖;教养; n. 品种,种类
*weed	[wiːd] n. 杂草,野草; v. 除草
*engaged	[inˈgeidʒd] adj. 忙碌的,使用中的
full-fledged	[ˈfulˈfledʒd] adj. 羽毛丰满的;成熟的
*jagged	[ˈdʒægid] adj. 锯齿状的,不整齐的
ragged	[ˈrægid] adj. 破烂的
dogged	[ˈdɔgid] adj. 顽强的
*deranged	[diˈreindʒd] adj. 精神错乱的,有精神病的
estranged	[iˈstreindʒd] adj. 疏远的,分开的,分离的
*detached	[diˈtætʃt] adj. 分开的;超然的
*drenched	[drentʃt] adj. 湿透的
wretched	[ˈretʃid] adj. 可怜的
*shed	[ʃed] v. 流出(眼泪等);脱落(叶子)
accomplished	[əˈkɔmpliʃt] adj. 完成了的;有技巧的,有造诣的
*distinguished	[disˈtiŋgwiʃt] adj. 著名的,卓越的

核心词汇

11

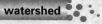

核心词汇

watershed	[ˈwɔːtəʃed] *n.* 分水岭,转折点
unscathed	[ʌnˈskeiðd] *adj.* 未受损伤的,未遭伤害的
*full-bodied	[ˈfulˈbɔdid] *adj.* (味道等)浓郁而强烈的
disembodied	[disimˈbɔdid] *adj.* 无实体的,空洞的
*studied	[ˈstʌdid] *adj.* 慎重的;认真习得的
*qualified	[ˈkwɔlifaid] *adj.* 有资格的;有限制的
unqualified	[ʌnˈkwɔlifaid] *adj.* 无资格的;无限制的;绝对的
*verified	[ˈverifaid] *adj.* 检验的,核实的
unjustified	[ʌnˈdʒʌstifaid] *adj.* 未被证明为正当的,无法解释的
*pied	[paid] *adj.* 杂色的
*serried	[ˈserid] *adj.* 密集的
packed	[pækt] *adj.* 充满人的,拥挤的
*wicked	[ˈwikid] *adj.* 极坏的;淘气的
landlocked	[ˈlændlɔkt] *adj.* 被陆地包围的
*unprovoked	[ˌʌnprəˈvəukt] *adj.* (生气等)无缘无故的
marked	[maːkt] *adj.* 明显的;被监视的
*garbled	[ˈgɑːbld] *adj.* 引起误解的;窜改的
*muffled	[ˈmʌfld] *adj.* (声音)压低的
*unspoiled	[ʌnˈspɔild] *adj.* 未损坏的,未宠坏的
*unprincipled	[ʌnˈprinsəpld] *adj.* 肆无忌惮的
dappled	[ˈdæpl(ə)d] *adj.* 有斑点的,斑驳的
gnarled	[nɑːld] *adj.* (树木)多节的;粗糙的
*settled	[ˈsetld] *adj.* 固定的
mottled	[ˈmɔtld] *adj.* 有杂色的,斑驳的
inflamed	[inˈfleimd] *adj.* 发炎的
*well-groomed	[ˌwelˈgruːmd] *adj.* 非常整洁的
*informed	[inˈfɔːmd] *adj.* 见多识广的;消息灵通的

unenlightened	[ˌʌninˈlaitnd] adj. 愚昧无知的;不文明的
wizened	[ˈwiznd] adj. 干皱的,干巴巴的
feigned	[feind] adj. 假装的;不真诚的
*unfeigned	[ʌnˈfeind] adj. 真实的;不作假的
*resigned	[riˈzaind] adj. 逆来顺受的,顺从的
*ingrained	[inˈgreind] adj. 根深蒂固的
constrained	[kənˈstreind] adj. 束缚的,节制的
*sustained	[səsˈteind] adj. 持久的,经久不衰的
*defined	[diˈfaind] adj. 定义的;清晰的
*tined	[taind] adj. 尖端的
*impassioned	[imˈpæʃ(ə)nd] adj. 慷慨激昂的
*unimpassioned	[ˈʌnimˈpæʃənd] adj. 没有激情的
seasoned	[ˈsiːznd] adj. 有经验的,训练有素的
*biped	[ˈbaiped] n. 二足动物
*damped	[dæmpt] adj. 减振的;压低(声音)的
untapped	[ʌnˈtæpt] adj. 未开发的,未利用的
*sacred	[ˈseikrid] adj. 神圣的,庄严的
kindred	[ˈkindrid] adj. 同类的,同族的
*mannered	[ˈmænəd] adj. 做作的
*flustered	[ˈflʌstəd] adj. 慌张的
*shattered	[ˈʃætəd] adj. 粉碎的;破坏的
*inspired	[inˈspaiəd] adj. 有创见的,有灵感的
*acquired	[əˈkwaiəd] adj. 后天习得的
*labored	[ˈleibəd] adj. 吃力的;(文体等)不自然的
enamored	[iˈnæməd] adj. 珍爱的,喜爱的
*restored	[risˈtɔːd] adj. 恢复的,复修的
untutored	[ˈʌnˈtjuːtəd] adj. 未经教育的
marred	[mɑːd] adj. 受伤的;毁坏变形的
*inured	[iˈnjuəd] adj. 习惯的
measured	[ˈmeʒəd] adj. 精确的;慎重的

核心词汇

核心词汇

*assured	[ə'ʃuəd] *adj.* 自信的;确定的
*improvised	['imprəvaizd] *adj.* 临时准备的,即席而作的
*composed	[kəm'pəuzd] *adj.* 镇定的,沉着的
*disposed	[di'spəuzd] *adj.* 愿意的,想干的
*depressed	[di'prest] *adj.* 消沉的;凹陷的
*repressed	[ri'prest] *adj.* 被压制的,被压抑的
*impressed	[im'prest] *adj.* 被打动的;被感动的
*obsessed	[əb'sest] *adj.* 心神不宁的
*possessed	[pə'zest] *adj.* 着迷的;疯狂的
*sophisticated	[sə'fistikeitid] *adj.* 老于世故的;(仪器)精密的
*dilapidated	[di'læpideitid] *adj.* 破旧的,倒塌的
unmitigated	[ʌn'mitigeitid] *adj.* 未缓和的,未减轻的;全然的
*corrugated	['kɔrəgeitid] *adj.* 起皱纹的
*striated	['straieitid] *adj.* 有条纹的
*satiated	['seiʃieitid] *adj.* 充分满足的;厌倦的,生腻的
uninitiated	[ʌni'niʃieitid] *adj.* 外行的,缺乏经验的
*unsubstantiated	['ʌnsəb'stænʃieitid] *adj.* 未经证实的,无事实根据的
*elated	[i'leitid] *adj.* 得意洋洋的,振奋的
belated	[bi'leitid] *adj.* 来得太迟的
*deflated	[di'fleitid] *adj.* 灰心丧气的
*discombobulated	[ˌdiskʌm'bɔbjuleitid] *adj.* 扰乱的,打乱的
*maculated	['mækjuleitid] *adj.* 有斑点的
*calculated	['kælkjuleitid] *adj.* 蓄意的;适合的
*unregulated	[ʌn'regjuleitid] *adj.* 未受管理的,未受约束的
*animated	['ænimeitid] *adj.* 活泼的,生动的
underestimated	['ʌndər'estimeitid] *adj.* 低估的

*opinionated	[ə'pinjəneitid] *adj.* 固执己见的	
celebrated	['selibreitid] *adj.* 有名的,知名的	
*serrated	[se'reitid] *adj.* 呈锯齿状的	
*saturated	['sætʃəreitid] *adj.* 渗透的;饱和的;深颜色的	
*premeditated	[pri(:)'mediteitid] *adj.* 预谋的,事先计划的	
unpremeditated	['ʌnpri'mediteitid] *adj.* 非预谋的	
*agitated	['ædʒiteitid] *adj.* 被鼓动的;不安的	
*understated	[,ʌndə'steitid] *adj.* 不完全陈述的,轻描淡写的	
graduated	['grædʒueitid] *adj.* 按等级(高度、困难等)分的	
*antiquated	['æntikweitid] *adj.* 陈旧的,过时的	
*cultivated	['kʌltiveitid] *adj.* 耕种的,栽植的;有修养的	
*indebted	[in'detid] *adj.* 负债的;感恩的	
distracted	[dis'træktid] *adj.* 心烦意乱的;精神不集中的	
*affected	[ə'fektid] *adj.* 不自然的;假装的	
*unaffected	[,ʌnə'fektid] *adj.* 自然的,不矫揉造作的	
dejected	[di'dʒektid] *adj.* 沮丧的,失望的	
collected	[kə'lektid] *adj.* 泰然自若的	
*undirected	[,ʌndi'rektid] *adj.* 未受指导的	
*other-directed	['ʌðədi'rektid] *adj.* 受人支配的	
blighted	[blaitid] *adj.* 枯萎的;衰老的	
*discomfited	[dis'kʌmfitid] *adj.* 困惑的;尴尬的	
*limited	['limitid] *adj.* 有限的	
merited	['meritid] *adj.* 该得的,理所当然的	
unrequited	[,ʌnri'kwaitid] *adj.* 无报答的	
stilted	['stiltid] *adj.* (文章、谈话)不自然的;夸张的	
*warranted	['wɔrəntid] *adj.* 保证的;凭正当理由的	
unwarranted	['ʌn'wɔrəntid] *adj.* 没有根据的	

核心词汇

15

*unscented	[ˌʌnˈsentid]	adj. 无气味的
unprecedented	[ʌnˈpresidəntid]	adj. 前所未有的
*contented	[kənˈtentid]	adj. 心满意足的
*acquainted	[əˈkweintid]	adj. 对某事物熟悉的;熟知的
unwonted	[ʌnˈwəuntid]	adj. 不寻常的;不习惯的
*devoted	[diˈvəutid]	adj. 投入的,热爱的
halfhearted	[ˈhɑːfˈhɑːtid]	adj. 不认真的,不热心的
*deserted	[diˈzəːtid]	adj. 荒芜的,无人的
purported	[pəːˈpɔːtid]	adj. 谣传的;声张的,号称的
assorted	[əˈsɔːtid]	adj. 混杂的
*disinterested	[disˈintristid]	adj. 公正的,客观的
tightfisted	[ˈtaitfistid]	adj. 吝啬的
*committed	[kəˈmitid]	adj. 受托付的,承担义务的
uncommitted	[ˌʌnkəˈmitid]	adj. 不受约束的,不承担责任的
*unspotted	[ˌʌnˈspɔtid]	adj. 清白的,无污点的
*convoluted	[ˈkɔnvəljuːtid]	adj. 盘绕的;费解的
*muted	[ˈmjuːtid]	adj. (声音)减弱的,变得轻柔的
*subdued	[sʌbˈdjuːd]	adj. (光和声)柔和的,缓和的;(人)温和的
depraved	[diˈpreivd]	adj. 堕落的,腐化的
relieved	[riˈliːvd]	adj. 宽慰的,如释重负的
contrived	[kənˈtraivd]	adj. 不自然的,做作的
*unmoved	[ˌʌnˈmuːvd]	adj. 无动于衷的,冷漠的;镇定的
*undeserved	[ʌndiˈzəːvd]	adj. 不应得的
*unreserved	[ˈʌnriˈzəːvd]	adj. 无限制的;未被预定的
hallowed	[ˈhæləud]	adj. 神圣的
*hackneyed	[ˈhæknid]	adj. 陈腐的,平常的
specialized	[ˈspeʃəlaizd]	adj. 专门的

16

institutionalized	[insti'tju:ʃənəlaizd] *adj.* 制度化的，有组织的
underutilized	[ˌʌndə'ju:tilaizd] *adj.* 未充分利用的
raid	[reid] *n.* 突然袭击
*braid	[breid] *n.* 穗子；发辫；*v.* 编成辫子
*upbraid	[ʌp'breid] *v.* 斥责，责骂
*staid	[steid] *adj.* 稳重的，沉着的
bid	[bid] *v.* 命令；出价，投标
*rabid	['ræbid] *adj.* 患狂犬病的；失去理性的
*underbid	['ʌndə'bid] *v.* 要价过低
*forbid	[fə'bid] *v.* 不许，禁止；妨碍，阻止
*morbid	['mɔ:bid] *adj.* 病态的，不正常的
*placid	['plæsid] *adj.* 安静的，平和的
flaccid	['flæksid] *adj.* 松弛的；软弱的
*rancid	['rænsid] *adj.* 不新鲜的，变味的
*viscid	['visid] *adj.* 粘的
*lucid	['lu:sid] *adj.* 表达清楚的，明白易懂的
*pellucid	[pə'lju:sid] *adj.* 清晰的，清澈的
*candid	['kændid] *adj.* 率直的
*sordid	['sɔ:did] *adj.* 卑鄙的；肮脏的
*rigid	['ridʒid] *adj.* 硬性的，刚硬的
frigid	['fridʒid] *adj.* 寒冷的；死板的
*turgid	['tə:dʒid] *adj.* 浮肿的，肿胀的；浮夸的
*squalid	['skwɔlid] *adj.* 污秽的，肮脏的
*pallid	['pælid] *adj.* 苍白的，没血色的
*stolid	['stɔlid] *adj.* 无动于衷的
*timid	['timid] *adj.* 胆怯的
*humid	['hju:mid] *adj.* 湿润的
*paranoid	['pærənoid] *adj.* 偏执狂的；过分怀疑的
asteroid	['æstəroid] *n.* 小行星
*void	[vɔid] *adj.* 空的，缺乏的；*n.* 空隙，空白；空虚感

核心词汇

17

*avoid	[ə'vɔid] v. 避开，躲避
devoid	[di'vɔid] adj. 空的，缺少的
*vapid	['væpid] adj. 索然无味的
*intrepid	[in'trepid] adj. 无畏的，刚毅的
*tepid	['tepid] adj. 微温的
*insipid	[in'sipid] adj. 乏味的，枯燥的
*limpid	['limpid] adj. 清澈的；透明的
*torpid	['tɔ:pid] adj. 懒散的，死气沉沉的
*arid	['ærid] adj. 干旱的；枯燥的
*hybrid	['haibrid] n. 杂种；混血人
acrid	['ækrid] adj. 辛辣的，刻薄的
florid	['flɔrid] adj. 华丽的；(脸)红润的
lurid	['ljuərid] adj. 耀眼的；骇人听闻的
*fetid	['fetid] adj. 有恶臭的
*languid	['læŋgwid] adj. 没精打采的，倦怠的
*liquid	['likwid] adj. 清澈的
*avid	['ævid] adj. 渴望的；热心的
*vivid	['vivid] adj. 清晰的；鲜艳的；大胆的；活泼的；逼真的
*fervid	['fə:vid] adj. 炽热的；热情的
perfervid	[pə'fə:vid] adj. 非常热心的
*ribald	['ribəld] adj. 下流的，粗鄙的
*shield	[ʃi:ld] n. 盾；v. 掩护，遮挡
*wield	[wi:ld] v. 支配，掌权
meld	[meld] v. (使)混合，(使)合并
*weld	[weld] v. 焊接，熔接；结合
*gild	[gild] v. 镀金；装饰
*fold	[fəuld] n. 羊栏，畜栏；v. 折叠
*scaffold	['skæfəuld] n. 脚手架(造房时搭的架子)
manifold	['mænifəuld] adj. 繁多的；多种的
*unfold	[,ʌn'fəuld] v. 展开，打开；逐渐呈现
*hold	[həuld] n. (船)货舱

*withhold	[wið'həuld] v. 扣留,保留
*uphold	[ʌp'həuld] v. 维护,支持
*mold	[məuld] n. 模子;＜美＞霉;v. 塑造
untold	[ˌʌn'təuld] adj. 无数的,数不清的
*band	[bænd] n. 带子;收音机波段
contraband	['kɔntrəˌbænd] n. 违禁品;走私货
*husband	['hʌzbənd] v. 妥善而又节约地管理
*offhand	['ɔːf'hænd] adv./adj. 事先无准备地(的);随便地(的)
*bland	[blænd] adj. (人)情绪平稳的;(食物)无味的
*demand	[di'mɑːnd] v. 要求,苛求
*reprimand	['reprimɑːnd] n. 训诫,谴责;v. 训诫,谴责
countermand	[ˌkauntə'mɑːnd] v. 撤回(命令),取消(订货)
*gourmand	['guəmənd] n. 嗜食者
*expand	[iks'pænd] v. 扩大,膨胀
*brand	[brænd] n. 商标;烙印;v. 在某事物上打烙印
errand	['erənd] n. 任务,差事
*strand	[strænd] n. 绳线的一股;v. 搁浅
*grandstand	['grændstænd] n. 大看台;v. 哗众取宠
withstand	[wið'stænd] v. 顶住;经受住
*bend	[bend] v. 弯曲;屈服
*unbend	[ˌʌn'bend] v. 弄直;放松
*descend	[di'send] v. 下来,下降
*condescend	[kɔndi'send] v. 屈尊,俯就
*transcend	[træn'send] v. 超越,胜过
*offend	[ə'fend] v. 得罪,冒犯
*legend	['ledʒənd] n. 地图里的说明文字或图例
reprehend	[repri'hend] v. 谴责,责难
*comprehend	[ˌkɔmpri'hend] v. 理解;包括

*apprehend	[ˌæpriˈhend] v.	逮捕；恐惧
mend	[mend] v.	修改，改进
*amend	[əˈmend] v.	修正；改进
emend	[i(:)ˈmend] v.	订正，校订
*suspend	[səsˈpend] v.	暂缓，中止；吊，悬
*expend	[iksˈpend] v.	花费；用光
*rend	[rend] v.	撕裂；猛拉
*trend	[trend] v./n.	趋势，倾向
*tend	[tend] v.	照料，看顾
*pretend	[priˈtend] v.	假装；装扮
*superintend	[ˌsjuːpə(r)inˈtend] v.	监督
*contend	[kənˈtend] v.	与对手竞争；据理力争
*distend	[disˈtend] v.	(使)膨胀，胀大
*extend	[iksˈtend] v.	延展，延长；舒展(肢体)
*rescind	[riˈsind] v.	废除，取消
*rind	[raind] n.	(西瓜等)外皮
*grind	[graind] n.	枯燥乏味的工作；v. 磨碎，碾碎
*abscond	[əbˈskɔnd] v.	潜逃，逃亡
*frond	[frɔnd] n.	羊齿、棕榈等的叶子
*moribund	[ˈmɔ(:)ribʌnd] adj.	即将结束的；垂死的
rubicund	[ˈruːbikənd] adj.	(脸色)红润的
*jocund	[ˈdʒɔkənd] adj.	快乐的，高兴的
hidebound	[ˈhaidbaund] adj.	顽固的，心胸狭窄的
*confound	[kənˈfaund] v.	使迷惑，搞混
*profound	[prəˈfaund] adj.	深的，深刻的；渊博的，深奥的
*compound	[ˈkɔmpaund] n.	复合物；v. 搀和
expound	[iksˈpaund] v.	解释；阐述
*resound	[riˈzaund] v.	回荡着声音；鸣响
*unsound	[ˌʌnˈsaund] adj.	不结实的，不坚固的；无根据的

核心词汇

20

*astound	[əs'taund]	v. 使震惊
*slipshod	['slipʃɔd]	adj. 马虎的,草率的
*plod	[plɔd]	v. 重步走;吃力地干
*falsehood	['fɔːlshud]	n. 谎言
*brood	[bruːd]	n. 一窝幼鸟;v. 孵蛋;冥想
*pod	[pɔd]	n. 豆荚;v. 剥掉(豆荚)
*tripod	['traipɔd]	n. 画架,三脚架
*prod	[prɔd]	v. 刺,捅;激励
*sod	[sɔd]	n. 草地,草坪
bard	[baːd]	n. 吟游诗人
*scabbard	['skæbəd]	n. (刀剑)鞘
discard	[dis'kaːd]	v. 扔掉,抛弃
*disregard	[ˌdisri'gaːd]	v./n. 疏忽,漠视
*sluggard	['slʌgəd]	n. 懒鬼
*orchard	['ɔːtʃəd]	n. 果园
diehard	['daihaːd]	n. 顽固分子
*shard	[ʃaːd]	n. (陶器等)碎片
*blowhard	['bləuhaːd]	n. 自吹自擂者
*aboveboard	[ə'bʌvˌbɔːd]	adj./adv. 光明正大的(地)
*hoard	[hɔːd]	v./n. 贮藏,秘藏
*retard	[ri'taːd]	v. 妨碍;减速
safeguard	['seifˌgaːd]	n. 防范措施
*bodyguard	['bɔdigaːd]	n. 保镖,侍卫
*reward	[ri'wɔːd]	n. 酬报,奖赏;v. 酬谢,奖赏
*awkward	['ɔːkwəd]	adj. 笨拙的;难用的;不便的
*coward	['kauəd]	n. 胆小鬼
*untoward	[ʌn'təuəd]	adj. 不幸的;(坏事)没料到的
*forward	['fɔːwəd]	adj. 过激的,莽撞的
straightforward	[ˌstreit'fɔːwəd]	adj. 正直的;易懂的;直截了当的
hazard	['hæzəd]	n. 危险
*haphazard	['hæp'hæzəd]	adj. 任意的

核心词汇

21

*blizzard	['blizəd] n. 暴风雪	
*herd	[hə:d] n. 兽群；v. 聚集	
*undergird	['ʌndə'gə:d] v. 加强	
*cord	[kɔ:d] n. 考得(木材堆的体积单位,等于 128 立方英尺,3.6246 立方米)；绳索	
accord	[ə'kɔ:d] v./n. 同意；一致	
*concord	['kɔŋkɔ:d] n. 和睦；公约	
*discord	['diskɔ:d] n. 不和,纷争	
ford	[fɔ:d] n. 浅滩,水浅可涉处；v. 涉水	
*chord	[kɔ:d] n. 和弦,和音	
harpsichord	['hɑ:psikɔ:d] n. 键琴(钢琴前身)	
*absurd	[əb'sə:d] adj. 荒谬的,可笑的	
*laud	[lɔ:d] v. 称赞	
*applaud	[ə'plɔ:d] v. 鼓掌表示欢迎或赞赏	
*fraud	[frɔ:d] n. 欺诈,欺骗；骗子	
*defraud	[di'frɔ:d] v. 欺骗某人	
*bud	[bʌd] n. 芽；花蕾	
*feud	[fju:d] n. 宿怨,不和	
*shroud	[ʃraud] n. 寿衣,遮蔽物；v. 覆盖	
*shrewd	[ʃru:d] adj. 判断敏捷的,精明的	

E

*astrolabe	['æstrəleib] n. 星盘(古代星位观测仪)	
imbibe	[im'baib] v. 饮；吸入	
gibe	[dʒaib] n./v. 嘲弄,讥笑	
*jibe	[dʒaib] v. 与…一致,符合	
bribe	[braib] v. 贿赂	
*ascribe	[əs'kraib] v. 归功于；归咎于	
*prescribe	[pris'kraib] v. 开处方；规定	
circumscribe	['sə:kəmskraib] v. 限制	
*transcribe	[træns'kraib] v. 抄写,转录	

*inscribe	[in'skraib] v.	在某物上写,题
*proscribe	[prəu'skraib] v.	禁止
*diatribe	['daiətraib] n.	(口头或书面猛烈的)抨击
adobe	[ə'dəubi] n.	泥砖,土坯
xenophobe	['zenəfəub] n.	惧外者;排外者
lobe	[ləub] n.	耳垂;(肺、肝等的)叶
robe	[rəub] n.	长袍,礼服
*microbe	['maikrəub] n.	微生物
*wardrobe	['wɔ:drəub] n.	衣橱;全部服装
*probe	[prəub] v.	探索,探测
*deface	[di'feis] v.	损坏
*preface	['prefis] n.	序言
efface	[i'feis] v.	擦掉,抹去
*lace	[leis] n.	鞋带,系带;网眼花边,透孔织品
*solace	['sɔləs] n.	安慰,慰藉
*commonplace	['kɔmənpleis] adj.	平常的
*displace	[dis'pleis] v.	换置;使某人某物离开原位
populace	['pɔpjuləs] n.	民众,老百姓
grimace	[gri'meis] v./n.	做鬼脸,面部歪扭
*menace	['menəs] v./n.	威胁,危险
*furnace	['fə:nis] n.	锅炉
*carapace	['kærəpeis] n.	(蟹或龟等的)甲壳
*brace	[breis] v.	使稳固,架稳;n. 支撑物
*embrace	[im'breis] v.	拥抱;包含
*grace	[greis] n.	优美
*terrace	['terəs] n.	一层梯田;阳台
retrace	[ri'treis] v.	回顾,追想
jaundice	['dʒɔ:ndis] n.	偏见;黄疸
*prejudice	['predʒudis] n.	偏见,成见;v. 使产生偏见
*suffice	[sə'fais] v.	足够,(食物)满足
edifice	['edifis] n.	宏伟的建筑(如宫殿、教堂)

23

核心词汇

*sacrifice	['sækrifais]	n. 牺牲；v. 宰牲祭神
*artifice	['ɑːtifis]	n. 技巧；诡计
chalice	['tʃælis]	n. 大酒杯；圣餐杯
*accomplice	[ə'kɔmplis]	n. 同谋者，帮凶
*splice	[splais]	v. 接合，衔接
*slice	[slais]	v. 切成片；n. 薄片
nice	[nais]	adj. 精密的
*choice	[tʃɔis]	adj. 上等的；精选的
*rejoice	[ri'dʒɔis]	v. 喜欢，高兴
precipice	['presipis]	n. 悬崖
avarice	['ævəris]	n. 贪财，贪婪
*caprice	[kə'priːs]	n. 奇思怪想；变化无常；任性
malpractice	[ˌmæl'præktis]	n. 玩忽职守，渎职
*entice	[in'tais]	v. 怂恿，引诱
*apprentice	[ə'prentis]	n. 学徒
armistice	['ɑːmistis]	n. 休战，停战
*lattice	['lætis]	n. (做篱笆或爬藤架等的)格子架
sluice	[sluːs]	n. 水门，水闸；v. 冲洗
*novice	['nɔvis]	n. 生手，新手
*abundance	[ə'bʌndəns]	n. 充裕，多量
vengeance	['vendʒəns]	n. 报仇，报复
*extravagance	[ik'strævəgəns]	n. 奢侈，挥霍
*arrogance	['ærəgəns]	n. 傲慢，自大
*enhance	[in'hɑːns]	v. 提高，增加，改善
*defiance	[di'faiəns]	n. 挑战，违抗，反抗
*allegiance	[ə'liːdʒəns]	n. 忠诚，拥护
reliance	[ri'laiəns]	n. 信赖，信任
*compliance	[kəm'plaiəns]	n. 顺从，遵从
*variance	['vɛəriəns]	n. 矛盾；不同
lance	[lɑːns]	n. 长矛；鱼叉
counterbalance	[ˌkauntə'bæləns]	v. 起平衡作用
nonchalance	['nɔnʃələns]	n. 冷漠，缺少关怀；沉着

24

* semblance ['semblens] *n.* 外貌；相似

*glance [glɑ:ns] *v.* /*n.* 一瞥

parlance ['pɑ:lens] *n.* 说法，用语，词汇

*petulance ['petjulens] *n.* 发脾气，性急，暴躁

ordnance ['ɔ:dnens] *n.* 大炮；军械

*penance ['penens] *n.* 自我惩罚

maintenance ['meintinens] *n.* 维持，维护

countenance ['kauntinens] *v.* 支持，赞成；容忍；
n. 表情

*sustenance ['sʌstinens] *n.* 食物，粮食；生计

provenance ['provinens] *n.* （艺术等的）出处，起源

repugnance [ri'pʌgnens] *n.* 嫌恶，反感

ordinance ['ɔ:dinens] *n.* 法令，条例

*forbearance [fɔ:'bɛerens] *n.* 自制，忍耐

*protuberance [pre'tju:berens] *n.* 凸出，隆起

*exuberance [ig'zju:berens] *n.* 愉快；茁壮

*tolerance ['tɔlerens] *n.* 容许量；[机]公差；容忍，
忍受

*fragrance ['freigrens] *n.* 香料；香味

trance [trɑ:ns] *n.* 恍惚，昏睡状态

*entrance [in'trɑ:ns] *v.* 使出神，使入迷

malfeasance [mæl'fi:zens] *n.* 不法行为，渎职

*complaisance [kem'pleizens] *n.* 彬彬有礼；殷勤；柔顺

*obeisance [eu'beisns] *n.* 鞠躬，敬礼

reconnaissance [ri'kɔnisens] *n.* 侦察，预先探索

*puissance ['pju(:)isns] *n.* 权力

*impuissance [im'pju(:)isns] *n.* 无力，虚弱

*acquaintance [e'kweintens] *n.* 熟知；熟人

stance [stæns] *n.* 站姿；立场

*substance ['sʌbstens] *n.* 大意，根据；实质，物质

pittance ['pitens] *n.* 微薄的薪俸，少量的收入

*nuance [nju:'ɑ:ns] *n.* 细微的差异

*grievance ['gri:vens] *n.* 委屈，抱怨

25

核心词汇

*relevance	['reləvəns] *n.* 相关
allowance	[ə'lauəns] *n.* 津贴,补助;承认,允许
*abeyance	[ə'beiəns] *n.* 中止,搁置
*clairvoyance	[klɛə'vɔiəns] *n.* 超人的洞察力
cognizance	['kɔgnizəns] *n.* 认识,察识,知识
*munificence	[mjuː'nifisəns] *n.* 慷慨,宽宏大量
*innocence	['inəsns] *n.* 无辜,清白
*incandescence	[,inkæn'desəns] *n.* 白炽,炽热发光
*opalescence	[,əupə'lesəns] *n.* (不透明的)乳白光
*decadence	['dekədəns] *n.* 衰落,颓废
antecedence	[æntiˈsiːdəns] *n.* 居先,优先
*credence	['kriːdəns] *n.* 相信,信任
incidence	['insidəns] *n.* 事情发生;发生率
*confidence	['kɔnfidəns] *n.* 信任,自信,信心
*prudence	['pruːdəns] *n.* 谨慎,小心
offence(offense)	[ə'fens] *n.* 得罪;错事
*indigence	['indidʒəns] *n.* 贫穷
*negligence	['neglidʒəns] *n.* 粗心,疏忽
*diligence	['dilidʒəns] *n.* 勤勉,勤奋
resurgence	[ri'səːdʒəns] *n.* 再起,复活,再现
*prescience	[,pre'saiəns] *n.* 预知,先见
conscience	['kɔnʃəns] *n.* 良心,是非感
*audience	['ɔːdjəns] *n.* 听众,观众;读者
*resilience	[ri'ziliəns] *n.* 弹性,弹力
*ebullience	[i'bʌljəns] *n.* 兴冲冲,亢奋
*convenience	[kən'viːnjəns] *n.* 便利,有益;方便(的用具、机械等)
*transience	['trænziəns] *n.* 短暂
*ambivalence	[æm'bivələns] *n.* 矛盾心理
*insolence	['insələns] *n.* 傲慢,无礼
*commence	[kə'mens] *v.* 开始,倡导
*permanence	['pəːmənəns] *n.* 永久,持久

eminence	['eminəns]	n. 卓越，杰出
*impertinence	[im'pə:tinəns]	n. 无礼，粗鲁
*deference	['defərəns]	n. 敬意，尊重
*circumference	[sə'kʌmfərəns]	n. 周围；圆周；周长
conference	['kɔnfərəns]	n. 讨论会，协商会
*interference	[,intə'fiərəns]	n. 干涉，妨碍
*belligerence	[bi'lidʒərəns]	n. 交战；好战性，斗争性
*occurrence	[ə'kʌrəns]	n. 事件；发生
*competence	['kɔmpətəns]	n. 胜任，能力
*inadvertence	[,inəd'və:təns]	n. 漫不经心
subsistence	[sʌb'sistəns]	n. 生存，生计；存在
*persistence	[pə'sistəns]	n. 坚持不懈，持续
*affluence	['æfluəns]	n. 充裕，富足
*consequence	['kɔnsikwəns]	n. 结果；重要性；价值
*eloquence	['eləkwəns]	n. 雄辩，精彩演讲
*mince	[mins]	v. 切碎；小步走路
*evince	[i'vins]	v. 表明，表示
*convince	[kən'vins]	v. 使某人确信；说服
wince	[wins]	v. 避开，畏缩
*ensconce	[in'skɔns]	v. 安置，安坐
*denounce	[di'nauns]	v. 指责
*renounce	[ri'nauns]	v. （正式）放弃
*announce	[ə'nauns]	v. 宣布，发表；通报…的到来
*farce	[fɑ:s]	n. 闹剧；荒谬，胡闹
*pierce	[piəs]	v. 刺透；穿过
*coerce	[kəu'ə:s]	v. 强迫；压制
*reinforce	[,ri:in'fɔ:s]	v. 加强，增援
*acquiesce	[,ækwi'es]	v. 勉强同意，默许
*coalesce	[,kəuə'les]	v. 联合，合并
convalesce	[,kɔnvə'les]	v. （病）康复，复原
effervesce	[,efə'ves]	v. 冒泡；热情洋溢
*reminisce	[,remi'nis]	v. 追忆，怀旧

核心词汇

27

核心词汇

*deduce	[di'dju:s]	v. 演绎,推断
*induce	[in'dju:s]	v. 诱导;引起
*produce	['prɔdju:s]	n. 产品;农产品
spruce	[spru:s]	n. 云杉;adj. 整洁的
*truce	[tru:s]	n. 停战,休战(协定)
*facade	[fə'sɑ:d]	n. 建筑物的正面;(虚伪)外表
*barricade	[ˌbæri'keid]	v. 设栅阻挡;n. 栅栏
fade	[feid]	v. 褪色;消失;凋谢
*renegade	['renigeid]	n. 叛教者,叛徒
jade	[dʒeid]	n. 疲惫的老马;玉,翡翠
*blockade	[blɔ'keid]	v./n. 封锁
*stockade	[stɔ'keid]	n. 栅栏,围栏
*blade	[bleid]	n. 刀锋,刀口
*glade	[gleid]	n. 林中的空地
*fusillade	['fju:ziˌleid]	n./v. (枪炮)齐射,连发
*accolade	['ækəleid]	n. 推崇,赞扬
promenade	[ˌprɔmi'nɑ:d]	v./n. 散步;开车兜风
*grenade	[gri'neid]	n. 手榴弹
colonnade	[ˌkɔlə'neid]	n. 柱廊
*charade	[ʃə'rɑ:d]	n. 字谜游戏;易识破的伪装
*abrade	[ə'breid]	v. 磨损,磨小
masquerade	[ˌmæskə'reid]	n. 化装舞会;v. 伪装
centigrade	['sentigreid]	adj. 百分度的,摄氏温度计的
upgrade	['ʌpgreid]	v. 提升,给…升级
*tirade	[tai'reid]	n. 长篇的攻击性讲话
*crusade	[kru:'seid]	n. 十字军,(改革积弊、清除公害等的)运动
*dissuade	[di'sweid]	v. 劝阻,阻止
*evade	[i'veid]	v. 逃避;规避
*invade	[in'veid]	v. 侵犯,侵入
*pervade	[pə(:)'veid]	v. 弥漫,普及

28

cede	[si:d] *v.* 割让(土地权利),放弃
*accede	[æk'si:d] *v.* 同意
*recede	[ri'si:d] *v.* 后退;收回(诺言)
*precede	[pri(:)'si:d] *v.* 在…之前,早于
*secede	[si'si:d] *v.* 正式脱离或退出(组织)
*concede	[kən'si:d] *v.* 承认(为正确);让步
*intercede	[,intə(:)'si:d] *v.* 说好话,代为求情
*impede	[im'pi:d] *v.* 妨碍
*supersede	[,sju:pə'si:d] *v.* 淘汰,取代
abide	[ə'baid] *v.* 容忍,忍受
*herbicide	['hə:bisaid] *n.* 除草剂
*fungicide	['fʌndʒisaid] *n.* 杀真菌剂
*germicide	['dʒə:misaid] *n.* 杀菌剂
insecticide	[in'sektisaid] *n.* 杀虫剂
*pesticide	['pestisaid] *n.* 杀虫剂
*coincide	[,kəuin'said] *v.* 巧合;一致
*confide	[kən'faid] *v.* 信赖;倾诉
*hide	[haid] *n.* 兽皮
chide	[tʃaid] *v.* 叱责,指责
*glide	[glaid] *v.* 滑行,滑动
*landslide	['lændslaid] *n.* 山崩;压倒性胜利
*bromide	['brəumaid] *n.* 平庸的人或话;溴化物
*snide	[snaid] *adj.* 讽刺的,含沙射影的
*deride	[di'raid] *v.* 嘲弄,愚弄
override	[,əuvə'raid] *v.* 不理会;蹂躏,践踏
*stride	[straid] *v.* 大步行走
*subside	[səb'said] *v.* (建筑物等)下陷;(天气等)平息
*reside	[ri'zaid] *v.* 居住
*preside	[pri'zaid] *v.* 担任主席;负责,指挥
*ode	[əud] *n.* 长诗,颂歌
forebode	[fɔ:'bəud] *v.* 预感,凶兆

核心词汇

*code	[kəud]	n. 密码;法典;v. 将某事物编写成密码
*decode	[ˌdiːˈkəud]	v. 译解(密码)
lode	[ləud]	n. 矿脉
*implode	[imˈpləud]	v. 内爆;剧减
mode	[məud]	n. 样式;时尚;模式
*corrode	[kəˈrəud]	v. 腐蚀,侵蚀
avant-garde	[ˌævəŋˈɡɑːd]	n. (艺术)先锋派
*occlude	[ɔˈkluːd]	v. 使闭塞
preclude	[priˈkluːd]	v. 避免;排除
exclude	[iksˈkluːd]	v. 排斥;排除
*elude	[iˈljuːd]	v. 逃避;搞不清
*delude	[diˈluːd]	v. 欺骗,哄骗
*prelude	[ˈpreljuːd]	n. 序幕,前奏
*allude	[əˈljuːd]	v. 间接提到,暗指
collude	[kəˈluːd]	v. 串通,共谋
*interlude	[ˈintə(ː)ˌluːd]	n. (活动间的)暂时休息
*denude	[diˈnjuːd]	v. 脱去;剥蚀;剥夺
*prude	[pruːd]	n. 过分守礼的人
*intrude	[inˈtruːd]	v. 把(思想等)强加于,闯入
*solicitude	[səˈlisitjuːd]	n. 关怀,牵挂
*solitude	[ˈsɔlitjuːd]	n. 孤独
amplitude	[ˈæmplitjuːd]	n. 广大,广阔
*plenitude	[ˈplenitjuːd]	n. 完全;大量
magnitude	[ˈmæɡnitjuːd]	n. 重要;星球的光亮度
*turpitude	[ˈtəːpitjuːd]	n. 邪恶,卑鄙(行为)
pulchritude	[ˈpʌlkritjuːd]	n. 美丽
*lassitude	[ˈlæsitjuːd]	n. 无力;没精打采
latitude	[ˈlætitjuːd]	n. 言行自由;纬度
*platitude	[ˈplætitjuːd]	n. 陈词滥调
*gratitude	[ˈɡrætitjuːd]	n. 感激

*exactitude	[ig'zæktitju:d] *n.* 极端的正确性或精确性
*rectitude	['rektitju:d] *n.* 诚实，正直
aptitude	['æptitju:d] *n.* 适宜；才能，资质
*ineptitude	[i'neptitju:d] *n.* 无能，不称职
certitude	['sə:titju:d] *n.* 确定无疑
*fortitude	['fɔ:titju:d] *n.* 坚毅，坚韧不拔
servitude	['sə:vitju:d] *n.* 奴役，劳役
*exude	[ig'zju:d] *v.* 使慢慢流出；四溢
apogee	['æpəudʒi:] *n.* 远地点（太阳等距离地球最远的点）
refugee	[ˌrefju(:)'dʒi:] *n.* 难民，流亡者
*toupee	['tu:pei] *n.* 男用假发
*referee	[ˌrefə'ri:] *n.* 裁判员；仲裁者
*filigree	['filəgri:] *n.* 金银丝做的工艺品
entrée	['ɔntrei] *n.* 正餐前的开胃菜；获准进入的权利
*oversee	[ˌəuvə'si:] *v.* 监督
*guarantee	[ˌgærən'ti:] *v.* 保证，担保
*devotee	[ˌdevəu'ti:] *n.* 爱好者
repartee	[ˌrepɑ:'ti:] *n.* 机灵的回答
*levee	['levi] *n.* 防洪堤，堤岸
chafe	[tʃeif] *v.* 摩擦生热；擦痛；激怒
carafe	[kə'rɑ:f] *n.* 玻璃瓶
*gaffe	[gæf] *n.* （社交上令人不快的）失言，失态
*rife	[raif] *adj.* 流行的，普遍的
strife	[straif] *n.* 纷争，冲突
adage	['ædidʒ] *n.* 格言，古训
*bandage	['bændidʒ] *n.* 绷带；*v.* 用绷带包扎
*bondage	['bɔndidʒ] *n.* 奴役，束缚
lineage	['liniidʒ] *n.* 宗系，血统
*disengage	[ˌdisin'geidʒ] *v.* 脱离，解开

核心词汇

*mortgage	['mɔ:gidʒ] n. 抵押贷款;抵押证书;v. 用…作抵押
*hemorrhage	['heməridʒ] n. 出血(尤指大出血)
*verbiage	['və:biidʒ] n. 啰嗦,冗长
foliage	['fəuliidʒ] n. [总称]叶子
*leakage	['li:kidʒ] n. 渗漏,漏出
*blockage	['blɔkidʒ] n. 障碍物
persiflage	[,pɛəsi'flɑ:ʒ] n. 挖苦,嘲弄
*camouflage	['kæmuflɑ:ʒ] n./v. 掩饰,伪装
*collage	[kə'lɑ:ʒ] n. 拼贴画
homage	['hɔmidʒ] n. 效忠;崇敬
*drainage	['dreinidʒ] n. 排水;污水
*badinage	['bædinɑ:ʒ] n. 开玩笑,打趣
*espionage	['espiənidʒ] n. 间谍活动
patronage	['pætrənidʒ] n. 赞助,惠顾
*rampage	['ræmpeidʒ] v. 狂暴地乱冲;n. 暴怒
*slippage	['slipidʒ] n. 滑动,下降
*rage	[reidʒ] n. 盛怒;v. 激怒
*disparage	[dis'pæridʒ] v. 贬抑,轻蔑
umbrage	['ʌmbridʒ] n. 不快,愤怒
beverage	['bevəridʒ] n. 饮料
suffrage	['sʌfridʒ] n. 选举权,投票权
*mirage	['mirɑ:ʒ] n. 幻影,海市蜃楼
*enrage	[in'reidʒ] v. 激怒,触怒
forage	['fɔridʒ] n. (牛马的)饲料,粮草;v. 搜寻,翻寻
*barrage	['bærɑ:ʒ] n. 弹幕;
*outrage	['autreidʒ] n. 暴行
*sage	[seidʒ] adj. 智慧的;n. 智者
presage	['presidʒ] n. 预感;v. 预示
vantage	['vɑ:ntidʒ] n. 优势,有利地位
montage	[mɔn'tɑ:ʒ] n. 蒙太奇;拼集画

核心词汇

32

sabotage	['sæbətɑːʒ]	n. 阴谋破坏,颠覆活动
offstage	['ɔːf'steidʒ]	adv./adj. 台后(的),幕后(的)
*upstage	['ʌp'steidʒ]	adj. 骄傲的,高傲的
*assuage	[ə'sweidʒ]	v. 缓和,减轻
*cleavage	['kliːvidʒ]	n. 裂缝;分裂
ravage	['rævidʒ]	v. 摧毁,使荒废
savage	['sævidʒ]	adj. 凶猛的,野蛮的
*salvage	['sælvidʒ]	n./v. (从灾难中)抢救,海上救助
wage	[weidʒ]	v. 开始,进行(战争、运动)
*badge	[bædʒ]	n. 徽章(如校徽等)
*cadge	[kædʒ]	v. 乞讨;占便宜
*hedge	[hedʒ]	n. 树篱;限制
*fledge	[fledʒ]	v. 小鸟长飞羽,变得羽毛丰满
*pledge	[pledʒ]	n. 誓言,保证; v. 发誓
*acknowledge	[ək'nɔlidʒ]	v. 承认;致谢
foreknowledge	[fɔː'nɔlidʒ]	n. 预知
*ridge	[ridʒ]	n. 脊(如屋脊、山脊等);隆起物
*abridge	[ə'bridʒ]	v. 删减,缩短
*drawbridge	['drɔːbridʒ]	n. 吊桥
*dodge	[dɔdʒ]	v. 闪开,躲避
dislodge	[dis'lɔdʒ]	v. 逐出,取出
hodgepodge	['hɔdʒpɔdʒ]	n. 混淆;杂菜
*budge	[bʌdʒ]	v. 移动一点儿;改变立场
*smudge	[smʌdʒ]	n. 渍痕; v. 弄脏
nudge	[nʌdʒ]	v. (用肘)轻触,轻推
*begrudge	[bi'grʌdʒ]	v. 吝啬,勉强给
*trudge	[trʌdʒ]	v. 跋涉
siege	[siːdʒ]	n. 包围,围攻
*besiege	[bi'siːdʒ]	v. 围攻,困扰
sacrilege	['sækrilidʒ]	n. 亵渎,冒犯神灵

核心词汇

33

privilege	['privilidʒ]	n. 特权,特别利益
*allege	[ə'ledʒ]	v. (无证据)陈述,宣称
*renege	[ri'ni:g]	v. 背信,违约
*oblige	[ə'blaidʒ]	v. 束缚;恩惠于…
*prestige	[pres'ti:ʒ]	n. 威信,威望,声望
*vestige	['vestidʒ]	n. 痕迹,遗迹
*bulge	[bʌldʒ]	n./v. 膨胀,鼓起
*indulge	[in'dʌldʒ]	v. 放纵;满足
*divulge	[dai'vʌldʒ]	v. 泄露,透露
*flange	[flændʒ]	n. (火车车轮的)凸缘,轮缘
*avenge	[ə'vendʒ]	v. 为…复仇,为…报仇
*revenge	[ri'vendʒ]	n. 报复,报仇
*hinge	[hindʒ]	n. 铰链;关键
impinge	[im'pindʒ]	v. 侵犯;撞击
*cringe	[krindʒ]	v. 畏缩;谄媚
*fringe	['frindʒ]	n. (窗帘等)须边;边缘
infringe	[in'frindʒ]	v. 违反,侵害
*syringe	['sirindʒ]	n. 注射器
*singe	[sindʒ]	v. (轻微地)烧焦,烫焦
twinge	[twindʒ]	n. (生理,心理上的)剧痛
*plunge	[plʌndʒ]	v. 投入;俯冲
*lounge	[laundʒ]	v. 懒散地斜靠;n. 休息室
*expunge	[eks'pʌndʒ]	v. 删除
*barge	[bɑ:dʒ]	n. 平底货船,驳船
*surcharge	[sə:'tʃɑ:dʒ]	v. 对…收取额外费用;n. 附加费
*discharge	[dis'tʃɑ:dʒ]	v. 流出;释放;解雇;履行义务
*diverge	[dai'və:dʒ]	v. 分歧,分开
*converge	[kən'və:dʒ]	v. 会聚,集中于一点
*dirge	['də:dʒ]	n. 哀歌
*forge	[fɔ:dʒ]	n. 铁匠铺;v. 锤炼;伪造

核心词汇

*gorge	[gɔːdʒ] *n.* 峡谷
*disgorge	[disˈgɔːdʒ] *v.* 呕出；(水)流走
splurge	[spləːdʒ] *n.* 炫耀，摆阔
scourge	[skəːdʒ] *n.* 鞭笞，磨难；*v.* 鞭笞，磨难
*purge	[pəːdʒ] *v.* 清洗，洗涤
surge	[səːdʒ] *v.* 波涛汹涌，波动
gauge	[geidʒ] *n.* 标准规格；测量仪；*v.* 测量
subterfuge	[ˈsʌbtəfjuːdʒ] *n.* 诡计，托辞
*deluge	[ˈdeljuːdʒ] *n.* 大洪水；暴雨
*gouge	[gaudʒ] *n.* 半圆凿；*v.* 挖出；敲竹杠
cache	[kæʃ] *n.* 贮藏处；*v.* 将…藏于
panache	[pəˈnæʃ] *n.* 羽饰；炫耀
*pastiche	[pæsˈtiːʃ] *n.* 混合拼凑的作品
*avalanche	[ˈævəlɑːnʃ] *n.* 雪崩
psyche	[ˈsaiki] *n.* 心智，精神
*catastrophe	[kəˈtæstrəfi] *n.* 突如其来的大灾难
*apostrophe	[əˈpɔstrəfi] *n.* 撇号(')(表示省略或所有格)
sheathe	[ʃiːð] *v.* 将(刀、剑等)插入鞘
*lathe	[leið] *n.* 车床
loathe	[ləuð] *v.* 憎恨，厌恶
*seethe	[siːð] *v.* 沸腾，汹涌
lithe	[laið] *adj.* 柔软的，易弯曲的；敏捷的，轻快的
*blithe	[blaið] *adj.* 快乐的，无忧无虑的
*soothe	[suːð] *v.* 抚慰；减轻
*scythe	[saið] *n.* 大镰刀
*die	[dai] *n.* 金属模子，印模
hie	[hai] *v.* 疾走，催促
*rookie	[ˈruki] *n.* 新兵，新手
*belie	[biˈlai] *v.* 掩饰；证明为假
*stymie	[ˈstaimi] *v.* 妨碍，阻挠

核心词汇

magpie	['mægpai]	n. 鹊;饶舌的人
*gaucherie	[gəuʃə'ri:]	n. 笨拙
*coterie	['kəutəri]	n. (有共同兴趣的)小团体
*reverie	['revəri]	n. 幻想,梦幻曲
*calorie	['kæləri]	n. 卡路里;卡(热量单位)
vie	[vai]	v. 竞争
*slake	[sleik]	v. 解渴,消渴
*brake	[breik]	n. 刹车;v. 减速,阻止
*forsake	[fə'seik]	v. 遗弃,放弃
*stake	[steik]	n. 柱桩;赌注
hike	[haik]	v. 高涨,上升;n. 徒步旅行
spike	[spaik]	n. 长钉,大钉
*choke	[tʃəuk]	v. (使)窒息,阻塞
*poke	[pəuk]	v. 刺,戳
*spoke	[spəuk]	n. (车轮上)辐条
*stroke	[strəuk]	v. 抚摸;n. 击,打;一笔
*stoke	[stəuk]	v. 给…添加燃料
*evoke	[i'vəuk]	v. 引起;唤起
*invoke	[in'vəuk]	v. 祈求;恳求;(法律的)实施生效
*convoke	[kən'vəuk]	v. 召集
yoke	[jəuk]	n. 牛轭;v. 控制,束缚
*rebuke	[ri'bju:k]	v. 指责,谴责
*fluke	[flu:k]	n. 侥幸;意想不到的事
*bale	[beil]	n. 大包裹;灾祸,不幸
locale	[ləu'ka:l]	n. (事件发生的)现场,地点
*scale	[skeil]	n. 鱼鳞;(音乐)音阶
*regale	[ri'geil]	v. 款待;使…享受
*hale	[heil]	adj. 健壮的,矍铄的
*inhale	[in'heil]	v. 吸气
*shale	[ʃeil]	n. 页岩(一种由似泥土细粒的沉淀物层组成的易分裂的岩石)

核
心
词
汇

36

*exhale	[eks'heil] *v.* 呼出(气)
finale	[fi'nɑ:li] *n.* 最后,最终;乐曲的最后部分
impale	[im'peil] *v.* 刺入,刺中
morale	[mɔ'rɑ:l] *n.* 士气,精神力量
stale	[steil] *adj.* 不新鲜的,陈腐的
*imperturbable	[,impə(:)'tə:bəbl] *adj.* 冷静的,沉着的
*impeccable	[im'pekəbl] *adj.* 无瑕疵的
irradicable	[i'rædikəbl] *adj.* 不能根除的
*applicable	['æplikəbl] *adj.* 生效的,适合的
*inexplicable	[in'eksplikəbl] *adj.* 无法解释的
*amicable	['æmikəbl] *adj.* 友好的
*despicable	['despikəbl] *adj.* 可鄙的,卑劣的
*extricable	['ekstrikəbl] *adj.* 可解救的,能脱险的
*irrevocable	[i'revəkəbl] *adj.* 无法取消的
*formidable	['fɔ:midəbl] *adj.* 可怕的;困难的
affordable	[ə'fɔ:dəbl] *adj.* 能够支付的
traceable	['treisəbl] *adj.* 可追踪的
*serviceable	['sə:visəbl] *adj.* 可用的,耐用的
*agreeable	[ə'griəbl] *adj.* 令人喜悦的;欣然同意的
disagreeable	[,disə'griəbl] *adj.* 讨厌的;乖戾的
*interchangeable	[intə'tʃeindʒəb(ə)l] *adj.* 可互换的
*malleable	['mæliəbl] *adj.* 可塑的,易改变的
*permeable	['pə:miəbl] *adj.* 可渗透的
*impermeable	[im'pə:mjəbl] *adj.* 不可渗透的,透不过的
*affable	['æfəbl] *adj.* 易于交谈的;和蔼的
*ineffable	[in'efəbl] *adj.* 妙不可言的
*indefatigable	[,indi'fætigəbl] *adj.* 不知疲倦的
*unimpeachable	[,ʌnim'pi:tʃəbl] *adj.* 无可指责的,无可置疑的
*appreciable	[ə'pri:ʃiəbl] *adj.* 明显的
inappreciable	[,inə'pri:ʃəbl] *adj.* 微不足道的

核心词汇

37

irremediable	[ˌiriˈmiːdiəbl] *adj.* 无法治愈的，无法纠正的	
justifiable	[ˌdʒʌstiˈfaiəbl] *adj.* 有理由的，无可非议的	
*pliable	[ˈplaiəbl] *adj.* 易弯的，柔软的	
*amiable	[ˈeimjəbl] *adj.* 和蔼的，亲切的	
*friable	[ˈfraiəbl] *adj.* 易碎的	
*insatiable	[inˈseiʃəbl] *adj.* 不能满足的，贪心的	
negotiable	[niˈgəuʃjəbl] *adj.* 可商量的	
viable	[ˈvaiəbl] *adj.* 可行的；能活下去的	
nonviable	[ˈnɔnˈvaiəbl] *adj.* 无法生存的	
*available	[əˈveiləbl] *adj.* 可用的，可得到的	
*irreconcilable	[irekənˈsailəbl] *adj.* 不能协调的，矛盾的	
inviolable	[inˈvaiələbl] *adj.* 不可侵犯的；不可亵渎的	
*irredeemable	[ˌiriˈdiːməbl] *adj.* 无法挽回的	
*estimable	[ˈestiməbl] *adj.* 值得尊敬的；可估计的	
*flammable	[ˈflæməbl] *adj.* 易燃的	
*nonflammable	[ˈnɔnˈflæməbl] *adj.* 不易燃的	
inalienable	[inˈeiljənəbl] *adj.* 不可剥夺的	
*amenable	[əˈmiːnəbl] *adj.* 愿服从的，通情达理的	
*tenable	[ˈtenəbl] *adj.* 站得住脚的，无懈可击的	
*impregnable	[imˈgregnəbl] *adj.* 攻不破的，征服不了的	
*obtainable	[əbˈteinəb(ə)l] *adj.* 能得到的	
*interminable	[inˈtəːminəbl] *adj.* 无尽头的	
unconscionable	[ʌnˈkɔnʃənəbl] *adj.* 无节制的，过度的	
impressionable	[imˈpreʃənəb(ə)l] *adj.* 易受影响的	
unexceptionable	[ˌʌnikˈsepʃənəbl] *adj.* 无可非议的	
*personable	[ˈpəːsənəbl] *adj.* 英俊的，风度好的	
*palpable	[ˈpælpəbl] *adj.* 可触知的，明显的	

核心词汇

* impalpable	[im'pælpəbl] adj. 无法触及的；不易理解的
* culpable	['kʌlpəbl] adj. 有罪的，该受谴责的
* unflappable	[ˌʌn'flæpəbl] adj. 不惊慌的，镇定的
arable	['ærəbl] adj. 可耕的，适合种植的
* parable	['pærəbl] n. 寓言，比喻
* reparable	['repərəbl] adj. 能补救的，可挽回的
execrable	['eksikrəbl] adj. 极坏的
considerable	[kən'sidərəbl] adj. 相当多的；值得考虑的
ponderable	['pɔndərəbl] adj. 可估量的
imponderable	[im'pɔndərəbl] adj. （重量等）无法衡量的
* indecipherable	[ˌindi'saifərəbl] adj. 无法破译的
* vulnerable	['vʌlnərəbl] adj. 易受攻击的
* invulnerable	[in'vʌlnərəbl] adj. 无法伤害的
* desirable	[di'zaiərəbl] adj. 值得要的
undesirable	['ʌndi'zaiərəbl] adj. 令人不悦的，讨厌的
* factorable	[fæk'tɔrəbl] adj. 能分解成因子的
* favorable	['feivərəbl] adj. 有利的；赞成的
* inexorable	[in'eksərəbl] adj. 不为所动的；坚决不变的
* impenetrable	[im'penitrəbl] adj. 不能穿透的；不可理解的
advisable	[əd'vaizəbl] adj. 适当的，可行的
* dispensable	[dis'pensəbl] adj. 不必要的，可有可无的
* disposable	[dis'pəuzəbl] adj. 一次性使用的；可动用的
table	['teibl] v. 搁置，不加考虑
* unpalatable	[ʌn'pælətəbl] adj. 令人讨厌的
* redoubtable	[ri'dautəbl] adj. 可敬畏的
* tractable	['træktəbl] adj. 易于驾驭的，温顺的
* intractable	[in'træktəbl] adj. 倔强的；难管的

核
心
词
汇

39

delectable	[di'lektəbl] *adj.* 赏心悦目的
ineluctable	[ˌini'lʌktəbl] *adj.* 不能逃避的
*indubitable	[in'dju:bitəbl] *adj.* 不容置疑的
*inimitable	[i'nimitəbl] *adj.* 无法仿效的,不可比拟的
*hospitable	['hɔspitəbl] *adj.* 豁达的
*charitable	['tʃæritəbl] *adj.* 仁慈的,宽厚的
*veritable	['veritəbl] *adj.* 确实的,名副其实的
*irritable	['iritəbl] *adj.* 易怒的;易受刺激的
*notable	['nəutəbl] *adj.* 明显的;出众的;重要的
*potable	['pəutəbl] *adj.* 适于饮用的
adaptable	[ə'dæptəbl] *adj.* 有适应能力的;可改编的
scrutable	['skru:təbl] *adj.* 可以理解的
*inscrutable	[in'skru:təbl] *adj.* 高深莫测的,神秘的
*equable	['ekwəbl] *adj.* 稳定的,不变的;(脾气)温和的
*babble	['bæbl] *v.* 胡言乱语;牙牙学语;喋喋不休
dabble	['dæbl] *v.* 涉足浅尝
rabble	['ræbl] *n.* 乌合之众;下等人
squabble	['skwɔbl] *n.* 争吵
*nibble	['nibl] *v.* 一点点地咬,慢慢啃
*scribble	['skribl] *v.* 乱写,乱涂
*quibble	['kwibl] *n.* 遁词;吹毛求疵的反对意见
*gobble	['gɔbl] *v.* 贪婪地吃,吞没
wobble	['wɔbl] *v.* 动摇;犹豫
*feeble	['fi:bl] *adj.* 虚弱的
enfeeble	[in'fi:bl] *v.* 使衰弱
*irascible	[i'ræsibl] *adj.* 易发怒的
*irreducible	[ˌiri'dju:səbl] *adj.* [数]不能约的
*credible	['kredəbl] *adj.* 可信的,可靠的
*audible	['ɔ:dəbl] *adj.* 听得见的

eligible	['elidʒəbl] adj. 合格的	
*intelligible	[in'telidʒəbl] adj. 可了解的,清晰的	
*incorrigible	[in'kɔridʒəbl] adj. 积习难改的,不可救药的	
*tangible	['tændʒəbl] adj. 可触摸的	
*intangible	[in'tændʒəbl] adj. 不可触摸的	
*indelible	[in'delibl] adj. 擦拭不掉的,不可磨灭的	
*fallible	['fæləbl] adj. 会犯错的,易犯错的	
*gullible	['gʌlib(ə)l] adj. 易受骗的	
*discernible	[di'sə:nəbl] adj. 可识别的,依稀可辨的	
*foible	['fɔibl] n. 小缺点,小毛病	
feasible	['fi:zibl] adj. 可行的,可能的	
reprehensible	[,repri'hensəbl] adj. 应受谴责的	
*comprehensible	[,kɔmpri'hensəbl] adj. 能充分理解的	
*sensible	['sensəbl] adj. 明智的;可感觉到的	
*ostensible	[ɔs'tensəbl] adj. 表面上的	
*accessible	[ək'sesəbl] adj. 易达到的;易受影响的	
*irrepressible	[,iri'presəbl] adj. 无法约束或阻止的	
*plausible	['plɔ:zəbl] adj. 似是而非的,似乎合理的;嘴巧的	
*implausible	[im'plɔ:zəbl] adj. 难以置信的	
*compatible	[kəm'pætəbl] adj. 和谐共处的,相容的	
incompatible	[,inkəm'pætəbl] adj. 不能和谐共存的	
susceptible	[sə'septəbl] adj. 易受影响的,脆弱的	
*contemptible	[kən'temptəbl] adj. 令人轻视的	
*incorruptible	[,inkə'rʌptəbl] adj. (道德上)不受腐蚀的	
*convertible	[kən'və:təbl] adj. 可转换的; n. 敞篷车	
incontrovertible	[,inkɔntrə'və:təbl] adj. 无可辩驳的	
inexhaustible	[,inig'zɔ:stəbl] adj. 用不完的,取之不竭的	
*combustible	[kəm'bʌstəbl] adj. 易燃的;易激动的	
*flexible	['fleksəbl] adj. 易弯曲的,灵活的	

核心词汇

41

* amble	[ˈæmbl] n./v. 漫步，缓行
* preamble	[priˈæmbl] n. 前言，序言；先兆
* gamble	[ˈgæmbl] v./n. 赌博；孤注一掷
* ramble	[ˈræmbl] n. 漫步；v. 漫步
* ensemble	[əːnˈsɑːmbl] n. 全体；大合唱
assemble	[əˈsembl] v. 集合，聚集；装配，安装
* dissemble	[diˈsembl] v. 隐藏，掩饰（感受、意图）
* fumble	[ˈfʌmbl] v. 摸索，笨拙搜寻；弄乱，搞糟
* humble	[ˈhʌmbl] adj. 卑微的；v. 使谦卑
* jumble	[ˈdʒʌmbl] v. 混杂，掺杂；n. 混杂，掺杂
* mumble	[ˈmʌmbl] v. 咕哝，含糊不清地说
* crumble	[ˈkrʌmbl] v. 弄碎；崩毁
* grumble	[ˈgrʌmbl] v. 喃喃诉苦，发怨言
ignoble	[igˈnəubl] adj. 卑鄙的
* garble	[ˈgɑːbl] v. 曲解，窜改
* marble	[ˈmɑːbl] n. 大理石
* soluble	[ˈsɔljubl] adj. 可溶的；可以解决的
* insoluble	[inˈsɔljubl] adj. 不溶解的；不能解决的
* voluble	[ˈvɔljub(ə)l] adj. 健谈的；易旋转的
* debacle	[deiˈbɑːkl] n. 解冻；崩溃
pinnacle	[ˈpinəkl] n. 尖塔；山峰，顶峰
* miracle	[ˈmirəkl] n. 奇事，奇迹
* oracle	[ˈɔrəkl] n. 代神发布神谕的人
* receptacle	[riˈseptəkl] n. 容器
* obstacle	[ˈɔbstəkl] n. 障碍，干扰
* cubicle	[ˈkjuːbikl] n. 大房间中隔出的小室
* icicle	[ˈaisikl] n. 冰柱，冰垂
* vehicle	[ˈviːikl] n. 交通工具；传播媒介
cuticle	[ˈkjuːtikl] n. 表皮
* monocle	[ˈmɔnɔkl] n. 单片眼镜
* muscle	[ˈmʌsl] n. 肌肉；肌肉的力量
corpuscle	[ˈkɔːpʌs(ə)l] n. 血球，细胞

*saddle	['sædl] n. 鞍,马鞍
*waddle	['wɔdl] v. （鸭子等）摇摇摆摆地走
*meddle	['medl] v. 干涉,干预
*riddle	['ridl] n. 谜语
*coddle	['kɔdl] v. 溺爱;悉心照料
*mollycoddle	['mɔlikɔdl] v. 过分爱惜,娇惯；n. 娇生惯养的人
*puddle	['pʌdl] n. 水坑,洼
*wheedle	['(h)wi:dl] v. （用花言巧语）哄骗
*needle	['ni:dl] n. 针;针叶
*idle	['aidl] adj. （指人）无所事事的;无效的; v. 懒散,无所事事
*bridle	['braidl] n. 马笼头; v. 抑制,控制
*handle	['hændl] n. 柄,把手; v. 处理
kindle	['kindl] v. 着火,点燃
*dwindle	['dwindl] v. 变小
*swindle	['swindl] v. 诈骗
*doodle	['du:dl] v. 乱画;混时间
curdle	['kə:dl] v. 使凝结,变稠
*hurdle	['hə:dl] n. 跳栏;障碍; v. 克服（障碍）
*dawdle	['dɔ:dl] v. 闲荡,虚度
*clientele	[klaiən'tel] n. （医生、律师的）顾客,（商店的）常客
raffle	['ræfl] n. （尤指为公益事业举办的）抽奖售物（活动）
*waffle	['wɔfl] n. 蛋奶烘饼; v. 胡扯,唠叨
*muffle	['mʌfl] v. 使声音降低;裹住
*ruffle	['rʌfl] v. 弄皱;激怒; n. 皱边（装饰衣服）
*rifle	['raifl] n. 步枪; v. 抢劫
*trifle	['traifl] n. 微不足道,琐事
*stifle	['staifl] v. 感到窒息;抑止
*gaggle	['gægl] n. 鹅群

核心词汇

43

*giggle	['gigl] v. 咯咯笑
*boggle	['bɔgl] v. 畏缩不前;使退缩
*smuggle	['smʌgl] v. 走私,私运
*inveigle	[in'vi:gl] v. 诱骗,诱使
mangle	['mæŋgl] v. 毁损;撕成碎片,压碎
tangle	['tæŋgl] v. 缠结;n. 纷乱
*rectangle	['rektæŋgl] n. 长方形,矩形
*entangle	[in'tæŋgl] v. 使纠缠,卷入
*disentangle	[,disin'tæŋgl] v. 解决,解脱,解开;澄清
shingle	['ʃiŋgl] n. 木瓦,屋顶板;木质小招牌
*mingle	['miŋgl] v. 混合
*commingle	[kɔ'miŋgl] v. 搀和,混合
intermingle	[,intə(:)'miŋgl] v. 混合,掺杂
*bungle	['bʌŋgl] v. 贻误事情;拙劣地工作
*ogle	['əugl] v. 送秋波;n. 媚眼
*bile	[bail] n. 胆汁;愤怒
*labile	['leibail] adj. 不稳定的
*mobile	['məubail] adj. 易于移动的
nubile	['nju:bail] adj. (女孩)到婚嫁年龄的;吸引人的
facile	['fæsail] adj. 容易做的;肤浅的
domicile	['dɔmisail] n. 住处,住所
*reconcile	['rekənsail] v. 和解,调和
*docile	['dəusail] adj. 驯服的,听话的
*file	[fail] n. 锉刀;v. 锉平
*defile	[di'fail] v. 弄污,弄脏;n. (山间)小道
profile	['prəufail] n. 外形;轮廓侧面像
*agile	['ædʒail] adj. 敏捷的,灵活的
*fragile	['frædʒail] adj. 易碎的,易坏的
*bibliophile	['bibliəufail] n. 爱书者,藏书家
erstwhile	['ə:stwail] adj. 从前的,过去的
juvenile	['dʒu:vinail] adj. 少年的,似少年的

核心词汇

44

*compile	[kəm'pail] v. 汇集;编辑
rile	[rail] v. 使…恼火,激怒
*sterile	['sterail] adj. 贫瘠且无植被的;不孕的;无细菌的
puerile	['pjuərail] adj. 幼稚的;儿童的
*missile	['misail] n. 发射物;导弹
*volatile	['vɔlətail] adj. 反复无常的;挥发性的
*versatile	['və:sətail] adj. 多才多艺的;多用途的
tactile	['tæktail] adj. 有触觉的
*projectile	[prə'dʒektail] n. 抛射物,发射体
*mercantile	['mə:kəntail] adj. 贸易的,商业的
*infantile	['infəntail] adj. 幼稚的,孩子气的
reptile	['reptil] n. 爬行动物;卑鄙的人
*fertile	['fə:tail] adj. 多产的;肥沃的
*hostile	['hɔstail] adj. 敌对的,敌意的
*futile	['fju:tail] adj. 无效的,无用的;(人)没出息的;琐细的
*guile	[gail] n. 欺诈,狡猾
*vile	[vail] adj. 恶劣的,卑鄙的
revile	[ri'vail] v. 辱骂,恶言相向
*servile	['sə:vail] adj. 奴性的,百依百顺的
shackle	['ʃækl] n. 脚镣,枷锁
ramshackle	['ræm,ʃækl] adj. 摇摇欲坠的
*spackle	['spækl] n. 填泥料(用以填塞裂缝和洞穴)
*tackle	['tækl] v. 处理; n. 滑车
*heckle	['hekl] v. 诘问,困扰
*freckle	['frekl] n. 雀斑,斑点
*fickle	['fikl] adj. (爱情或友谊上)易变的,不坚定的
*trickle	['trikl] v. 一滴滴地流; n. 细流
chuckle	['tʃʌkl] v. 轻声地笑
*rankle	['ræŋkl] v. 激怒;怨恨

核
心
词
汇

45

核心词汇

*wrinkle	['riŋkl]	n. 皱纹;窍门
*hyperbole	[hai'pə:bəli]	n. 夸张法;adj. 夸张的
loophole	['lu:phəul]	n. 枪眼,小窗,换气孔
*cajole	[kə'dʒəul]	v. (以甜言蜜语)哄骗
*tadpole	['tædpəul]	n. 蝌蚪
*console	[kən'səul]	v. 安慰,抚慰
maple	['meipl]	n. 枫树(枫树是加拿大的国树)
*staple	['steipl]	n. 主要产品
*principle	['prinsəpl]	n. 原则,原理;道德准则
*disciple	[di'saipl]	n. 信徒,弟子
*multiple	['mʌltipl]	adj. 多样的,多重的
ample	['æmpl]	adj. 富足的;充足的
trample	['træmpl]	v. 踩坏,践踏
*dimple	['dimpl]	n. 酒窝,笑靥
*rumple	['rʌmpl]	v. 弄皱,弄乱
crumple	['krʌmpl]	v. 弄皱,破裂
*ripple	['ripl]	v. 起涟漪;n. 细浪,涟漪
*stipple	['stipl]	v. 点画,点描
*topple	['tɔpl]	v. 倾覆,推倒
*supple	['sʌpl]	adj. 伸屈自如的
scruple	['skru:pl]	n. 顾忌,迟疑;v. 顾忌
tussle	['tʌsl]	v./n. 扭打,搏斗;争辩
*subtle	['sʌtl]	adj. 微妙的,精巧的
*entitle	[in'taitl]	v. 使有权(做某事)
mantle	['mæntl]	n. 披风,斗篷;v. 覆盖
dismantle	[dis'mæntl]	v. 拆除
*gentle	['dʒentl]	adj. 温和的,慈祥的
disgruntle	[dis'grʌntl]	v. 使不满意
*startle	['sta:tl]	v. 使吃惊
*pestle	['pestl]	n. 杵,乳钵槌

*whistle	['(h)wisl] *n.* 口哨,口哨声;汽笛声; *v.* 吹口哨
*bristle	['brisl] *n.* 短而硬的毛发; *v.* (毛)竖起;发怒
*gristle	['grisl] *n.* 软骨;肉中难吃的硬组织
*rattle	['rætl] *v.* 使格格作响;使慌乱
*mettle	['met(ə)l] *n.* 勇气,斗志
nettle	['netl] *n.* 荨麻; *v.* 烦忧,激恼
*settle	['setl] *v.* 安置于;决定;栖息
*unsettle	[ˌʌn'setl] *v.* 使不安宁,搅乱
*whittle	['(h)witl] *v.* 削(木头);削减
*belittle	[bi'litl] *v.* 轻视,贬抑
*brittle	['britl] *adj.* 易碎的,脆弱的
*molecule	['mɔlikjuːl] *n.* 分子
ridicule	['ridikjuːl] *n.* 奚落; *v.* 嘲笑
*minuscule	[mi'nʌskjuːl] *adj.* 极小的
overrule	[ˌəuvə'ruːl] *v.* (高位的人)否决(低位的人或事)
capsule	['kæpsjuːl] *n.* 荚;胶囊
*axle	['æksl] *n.* 轮轴(连接两个车轮的轴)
*gargoyle	['gɑːgɔil] *n.* (雕刻成怪兽状的)滴水嘴;面貌丑恶的人
drizzle	['drizl] *v.* 下毛毛雨; *n.* 毛毛雨
*guzzle	['gʌzl] *v.* 大吃大喝
jigsaw puzzle	['dʒigsɔː 'pʌzl] *n.* 拼图游戏
enflame	[in'fleim] *v.* 使愤怒或激动
inflame	[in'fleim] *v.* 使燃烧;激怒(某人)
*tame	[teim] *adj.* 驯服的;沉闷的
acme	['ækmi] *n.* 顶点,极点
*scheme	[skiːm] *n.* 阴谋;(作品等)体系,结构
*supreme	[sjuː'priːm] *adj.* 至高的;极度的
*regime	[rei'ʒiːm] *n.* 政权,政治制度
*sublime	[sə'blaim] *adj.* 崇高的

核心词汇

47

*mime	[maim]	n. 哑剧表演；哑剧（演员）
*pantomime	['pæntəmaim]	n. 哑剧
*prime	[praim]	n. 全盛时期；adj. 首先的；最好的
ragtime	['rægtaim]	n. 拉格泰姆音乐；adj. 使人发笑的，滑稽的
maritime	['mæritaim]	adj. 沿海的；海上的
*dome	[dəum]	n. 圆顶屋
genome	['dʒi:nəum]	n. [生]基因组，染色体组
syndrome	['sindrəum]	n. 综合症状
monochrome	['mɔnəukrəum]	adj. 单色的，单色画的
meddlesome	['medlsəm]	adj. 爱管闲事的
*wholesome	['həulsəm]	adj. 促进健康的
mettlesome	['met(ə)lsəm]	adj. 精神抖擞的
*noisome	['nɔisəm]	adj. 恶臭的；令人不快的
wearisome	['wiərisʌm]	adj. 使人感到疲倦或厌倦的
*irksome	['ə:ksəm]	adj. 令人苦恼的，讨厌的
*fulsome	['fulsəm]	adj. 虚情假意的；充足的
winsome	['winsəm]	adj. 迷人的，漂亮的
*chromosome	['krəuməsəum]	n. 染色体
*cumbersome	['kʌmbəsəm]	adj. 笨重的
lissome	['lisəm]	adj. 姿态优雅的；柔软的
*epitome	[i'pitəmi]	n. 典型；梗概
*fume	[fju:m]	v./n. 愤怒；冒烟
plume	[plu:m]	n. 羽毛；v. 整理羽毛；搔首弄姿
*subsume	[sʌb'sju:m]	v. 包含，包容
*resume	[ri'zju:m]	v. 重新开始，继续
*presume	[pri'zju:m]	v. 假定，认定
*assume	[ə'sju:m]	v. 假定；承担，担任
*costume	['kɔstju:m]	n. 服装；剧装
*rhyme	[raim]	n. 押韵；v. 押韵
*enzyme	['enzaim]	n. 酵素，酶

核心词汇

*bane	[bein] *n.* 祸根	
cane	[kein] *n.* 拐杖	
*hurricane	['hʌrikən] *n.* 飓风	
*arcane	[ɑː'kein] *adj.* 神秘的,秘密的	
*mundane	['mʌndein] *adj.* 现世的,世俗的	
*profane	[prə'fein] *v.* 亵渎,玷污	
*plane	[plein] *n.* 刨子;平面;*v.* 刨	
*germane	[dʒəː'mein] *adj.* 有密切关系的;贴切的	
humane	[hjuː'mein] *adj.* 人道的,慈悲的	
inhumane	[ˌinhju(ː)'mein] *adj.* 不近人情的	
*inane	[i'nein] *adj.* 无意义的;空洞的	
*membrane	['membrein] *n.* 薄膜;细胞膜	
*sane	[sein] *adj.* 神志清楚的,明智的	
wane	[wein] *v.* 减少,衰微	
gene	[dʒiːn] *n.* 基因	
*serene	[si'riːn] *adj.* 清澈的;晴朗的;安静的	
*contravene	[ˌkɔntrə'viːn] *v.* 违背(法规,习俗等)	
*intervene	[ˌintə'viːn] *v.* 干涉,介入	
*recombine	[riːkəm'bain] *v.* 重组,再结合	
*vaccine	['væksiːn] *n.* 牛痘苗,疫苗	
internecine	[ˌintə(ː)'niːsain] *adj.* 内讧的;两败俱伤的	
*iodine	['aiədiːn] *n.* 碘;碘酒	
*seine	[sein] *n.* 拉网,大捕鱼网	
*confine	['kɔnfain] *v.* 限制,禁闭	
outshine	[aut'ʃain] *v.* 比…更好	
*whine	[(h)wain] *v.* 哀号,号哭	
*decline	[di'klain] *v.* 拒绝;变弱,变小;*n.* 消减	
*discipline	['disiplin] *v.* 训练,训导;*n.* 纪律;惩罚,处分	
*outline	['autlain] *n.* 轮廓;梗概	
*byline	['bailain] *n.* 标题下署名之行	

核
心
词
汇

49

famine	['fæmin] n. 饥荒
*antihistamine	[ˌænti'histəmi(:)n] n. (治疗过敏的)抗组胺剂
*undermine	[ˌʌndə'main] v. 破坏，损坏
canine	['keinain] adj. 犬的，似犬的
*saturnine	['sætə(:)nain] adj. 忧郁的，阴沉的
*pine	[pain] n. 松树；v. (因疾病等)憔悴
*repine	[ri'pain] v. 不满，心中抱怨
*opine	[əu'pain] v. 想，以为
*porcupine	['pɔ:kjupain] n. 豪猪，箭猪
*supine	[sju:'pain] adj. 仰卧的；懒散的
*margarine	[mɑ:dʒə'ri:n] n. 人造黄油
marine	[mə'ri:n] adj. 海的；海中的
*shrine	[ʃrain] n. 神龛，圣地
*doctrine	['dɔktrin] n. 教义，主义；学说
*figurine	['figjuri:n] n. 小塑像，小雕像
*tambourine	[ˌtæmbə'ri:n] n. 铃鼓，手鼓
cuisine	[kwi(:)'zi:n] n. 烹饪
*limousine	['liməzi:n] n. 大型轿车，大客车
*elephantine	[ˌeli'fæntain] adj. 笨拙的；庞大的
*quarantine	['kwɔrənti:n] n. 隔离检疫期，隔离
*Byzantine	[bi'zæntain] adj. 像迷宫似的；拜占庭式的；诡计多端的
*nicotine	['nikəti:n] n. 尼古丁
*guillotine	['giləti:n] n. 断头台
*libertine	['libə(:)ti:n] n. 性行为放纵者；浪荡的人
*predestine	[pri'destin] v. 注定
clandestine	[klæn'destin] adj. 秘密的，暗中从事的
*philistine	['filistain] n. 庸人，市侩
*pristine	['pristain] adj. 太古的；纯洁的；新鲜的
*sanguine	['sæŋgwin] adj. 乐观的
*genuine	['dʒenjuin] adj. 真的；真诚的

核心词汇

50

equine	[ˈiːkwain]	*adj.* 马的，似马的
ravine	[rəˈviːn]	*n.* 深谷，峡谷
divine	[diˈvain]	*v.* 推测，预言
*swine	[swain]	*n.* 猪
intertwine	[ˌintə(ː)ˈtwain]	*v.* 纠缠，缠，绕
*comedienne	[kəˌmediˈen]	*n.* 喜剧女演员
*cone	[kəun]	*n.* 松果；圆锥体
*condone	[kənˈdəun]	*v.* 宽恕，原谅
*hone	[həun]	*n.* 磨刀石；*v.* 磨刀
*cyclone	[ˈsaikləun]	*n.* 气旋，飓风
*hormone	[ˈhɔːməun]	*n.* 荷尔蒙，激素
*postpone	[pəustˈpəun]	*v.* 使延期，推迟
*drone	[drəun]	*v.* 嗡嗡地响；单调地说；*n.* 单调的低音
*throne	[θrəun]	*n.* 宝座；王位
*prone	[prəun]	*adj.* 俯卧的；倾向于…的
*tombstone	[ˈtuːmstəun]	*n.* 墓碑，墓石
milestone	[ˈmailstəun]	*n.* 里程碑；转折点
*limestone	[ˈlaimstəun]	*n.* 石灰岩
*rhinestone	[ˈrainstəun]	*n.* 水晶石，莱茵石
*zone	[zəun]	*v.* 分成区
airborne	[ˈɛəbɔːn]	*adj.* 空气传播的；空运的
*dune	[djuːn]	*n.* 沙丘
*jejune	[dʒiˈdʒuːn]	*adj.* 空洞的；不成熟的
*immune	[iˈmjuːn]	*adj.* 免疫的；免除的
*commune	[kəˈmjuːn]	*n.* 公社；*v.* 与某人亲密地交谈
*prune	[pruːn]	*n.* 梅干；*v.* 修剪
*importune	[imˈpɔːtjuːn]	*v.* 强求，不断请求
*opportune	[ˈɔpətjuːn]	*adj.* 合适的，适当的
*attune	[əˈtjuːn]	*v.* 使调和
*hoe	[həu]	*n.* 锄头

核心
词
汇

51

核心词汇

*roe	[rəu] n. 鱼卵	
woe	[wəu] n. 悲痛,苦难	
cape	[keip] n. 披肩,短斗篷;海角	
*gape	[geip] v. 裂开;目瞪口呆地凝视	
*shipshape	['ʃipʃeip] adj. 整洁的;井然有序的	
*recipe	['resipi] n. 食谱	
*gripe	[graip] v. 抱怨	
*scope	[skəup] n. 眼界;范围	
*periscope	['periskəup] n. 潜望镜	
*kaleidoscope	[kə'laidəskəup] n. 万花筒;产生有趣的对称效果	
*stethoscope	['steθəskəup] n. 听诊器	
*microscope	['maikrəskəup] n. 显微镜	
*lope	[ləup] n. 轻快的步伐;v. 使大步慢跑;跳跃	
grope	[grəup] v. 摸索,探索	
*misanthrope	['misənθrəup] n. 愤世嫉俗者	
isotope	['aisəutəup] n. 同位素	
*dupe	[dju:p] n. 上当者	
*troupe	[tru:p] n. 歌唱团,剧团	
*archetype	['ɑ:kitaip] n. 原型;典型例子	
*stereotype	['stiəriəutaip] n. 固定形式,老套	
*daguerreotype	[də'geriəutaip] n. (早期)银版照相	
prototype	['prəutətaip] n. 原型;典型	
*bare	[bɛə] v. 暴露;adj. 赤裸的	
threadbare	['θredbɛə] adj. 磨破的,陈腐的	
*flare	[flɛə] n./v. (火焰)摇曳,闪耀	
*glare	[glɛə] v. 发出眩目光芒;怒目而视	
*mare	['mɛəri] n. 母马,母驴	
*nightmare	['naitmɛə] n. 恶梦;可怕的事	
*snare	[snɛə] n. 罗网,陷阱	
pare	[pɛə] v. 削;修剪;削减,缩减	

*tare	[tɛə] n. 莠草,杂草
*square	[skwɛə] v. 一致,符合;结清
*macabre	[mə'ka:br] adj. 骇人的,可怖的
*timbre	['timbə] n. 音色,音质
**massacre	['mæsəkə] n. 大屠杀
*mediocre	[ˌmi:di'əukə] adj. 平庸的,平凡的
*sincere	[sin'siə] adj. 诚实的,正直的;真挚的;纯净的
*adhere	[əd'hiə] v. 粘着
*hemisphere	['hemisfiə] n. 半球
biosphere	['baiəsfiə] n. 生命层,生物圈
premiere	['premiə] n./v. 首次公演
*sere	[siə] adj. 干枯的,凋萎的
*austere	[ɔs'tiə] adj. 朴素的
*revere	[ri'viə] v. 尊敬
*severe	[si'viə] adj. 严格的;凶猛的
ire	['aiə] n. 愤怒;v. 激怒
doctrinaire	[ˌdɔktri'nɛə] n. 空论家;adj. 教条的;迂腐的
dire	['daiə] adj. 可怕的
sapphire	['sæfaiə] n. 青石,蓝宝石;adj. 天蓝色的
*mire	['maiə] n. 泥沼;困境;v. 使…陷入困境
*admire	[əd'maiə] v. 钦佩,赞赏
*repertoire	['repətwa:] n. (剧团等)常备剧目
*umpire	['ʌmpaiə] n. 裁判;v. 对…进行仲裁
spire	['spaiə] n. (教堂)尖顶
aspire	[əs'paiə] v. 向往,有志于
*conspire	[kən'spaiə] v. 阴谋,共谋
*perspire	[pəs'paiə] v. 流汗
*expire	[iks'paiə] v. 期满;去世
*tire	['taiə] n. 轮胎;v. 疲劳
*satire	['sætaiə] n. 讽刺(作品)

核
心
词
汇

核心词汇

genre	[ʒɑːŋr]	n.（文艺的）类型
*ore	[ɔː]	n. 矿，矿石
*bore	[bɔː]	v. 钻孔；使厌烦；n. 孔；令人厌烦的人
*core	[kɔː]	n. 果心；核心；v. 去掉某物的中心部分
*score	[skɔː]	n. 乐谱
*underscore	[ˌʌndəˈskɔː]	v. 在…之下划线；强调
*adore	[əˈdɔː]	v. 崇拜；热爱
folklore	[ˈfəuklɔː]	n. 民间传说；民俗学
deplore	[diˈplɔː]	v. 悲悼，哀叹
*implore	[imˈplɔː]	v. 哀求，恳求
*pore	[pɔː]	n. 毛孔，气孔
*restore	[risˈtɔː]	v. 使回复，恢复；修复，修补
*bizarre	[biˈzɑː]	adj. 奇异的，古怪的
*sinecure	[ˈsainikjuə]	n. 挂名差事，闲职
*secure	[siˈkjuə]	adj. 安全的；稳固的；v. 固定；使安全
*epicure	[ˈepikjuə]	n. 美食家
*procure	[prəˈkjuə]	v. 取得，获得
*obscure	[əbˈskjuə]	adj. 难理解的；不清楚的；v. 隐藏；使…模糊
*endure	[inˈdjuə]	v. 忍受，忍耐
disfigure	[disˈfigə]	v. 毁容
transfigure	[trænsˈfigə]	v. 美化，改观
*brochure	[brəuˈʃə(r)]	n. 小册子，说明书
*abjure	[əbˈdʒuə]	v. 发誓放弃；弃绝
*conjure	[ˈkʌndʒə]	v. 恳求，祈求；变魔术，变戏法
perjure	[ˈpəːdʒuə]	v. 作伪证，发假誓
*immure	[iˈmjuə]	v. 监禁
*manure	[məˈnjuə]	n. 粪肥；v. 给…施肥
tenure	[ˈtenjuə]	n. 任期；终身职位
*erasure	[iˈreiʒə]	n. 擦掉，擦痕

ensure	[inʃuə] v. 确保,担保	
*enclosure	[inʼkləuʒə] n. 圈地,围占	
*composure	[kəmʼpəuʒə] n. 镇静,沉着;自若	
*exposure	[iksʼpəuʒə] n. 暴露,显露,曝光	
overexposure	[ˌəuvəriksʼpəuʒə] n. 过分暴露,(照相)曝光过度	
assure	[əʼʃuə] v. 向某人保证;确信	
*fissure	[ʼfiʃə] n. 裂缝,裂隙	
*caricature	[ˌkærikəʼtjuə] n. 讽刺画;滑稽模仿	
*feature	[ʼfiːtʃə] n. 特色,特点,特征	
*miniature	[ʼminjətʃə] n. 小画像;缩影	
*legislature	[ʼledʒisˌleitʃə] n. 立法机关,立法团体	
*mature	[məʼtjuə] adj. 成熟的;深思熟虑的	
*premature	[preməʼtjuə] adj. 过早的,早熟的	
stature	[ʼstætʃə] n. 身高,身材	
*fracture	[ʼfræktʃə] n. 骨折;折断;裂口	
*conjecture	[kənʼdʒektʃə] v./n. 推测,臆测	
*stricture	[ʼstriktʃə] n. 严厉谴责;束缚	
*puncture	[ʼpʌŋktʃə] v. 刺穿,刺破;n. 刺孔,穿孔	
*expenditure	[iksʼpenditʃə] n. 消耗,支出	
discomfiture	[disʼkʌmfitʃə] n. 狼狈,难堪	
*divestiture	[daiʼvestitʃə] n. 脱衣,卸下装饰;剥夺财产;取消称号	
*horticulture	[ʼhɔːtikʌltʃə] n. 园艺学	
*vulture	[ʼvʌltʃə(r)] n. 秃鹫	
*denture	[ʼdentʃə] n. 假牙	
indenture	[inʼdentʃə] n. 契约,合同	
*cloture	[ʼkləutʃə] n. 辩论的终结	
*capture	[ʼkæptʃə] v. 俘获;夺取或赢得;n. 战利品	
*enrapture	[inʼræptʃə] v. 使狂喜,使高兴	
*scripture	[ʼskriptʃə] n. 经文,圣典	

rupture	['rʌptʃə] n./v.	破裂,断裂
*overture	['əuvətjuə] n.	前奏曲,序曲
*nurture	['nə:tʃə] v.	抚育,给…营养物,教养; n. 养育,营养物;(总称)环境因素
*gesture	['dʒestʃə] n.	姿势,手势,姿态
*posture	['pɔstʃə] n.	姿势,体态;态度; v. 故作姿态
*imposture	[im'pɔstʃə] n.	冒充
*suture	['sju:tʃə] n.	(伤口的)缝线; v. 缝合
*texture	['tekstʃə] n.	质地;结构
*pyre	[paiə] n.	火葬用的柴堆
*base	[beis] adj.	卑鄙的
debase	[di'beis] v.	贬低,贬损
*suitcase	['sju:tkeis] n.	手提箱,箱子
lease	[li:s] n.	租约;租期; v. 出租
*release	[ri'li:s] v.	释放,放出; n. 释放
*appease	[ə'pi:z] v.	使平静,安抚
*crease	[kri:s] n.	折缝,皱痕
*grease	[gri:s] n.	(炼出的)动物油脂;滑脂
*tease	[ti:z] v.	逗乐,戏弄;强求; n. 揶揄,戏弄,取笑
*chase	[tʃeis] v.	雕镂;追捕
*purchase	['pə:tʃəs] n.	支点(阻止东西下滑)
*erase	[i'reiz] v.	擦掉,抹去
*paraphrase	['pærəfreiz] v.	传译,释义
obese	[əu'bi:s] adj.	极肥胖的
*malaise	[mæ'leiz] n.	不适,不舒服
*appraise	[ə'preiz] v.	评价,鉴定
*precise	[pri'sais] adj.	精确的
*imprecise	[,impri'sais] adj.	不精确的,不严密的
*incise	[in'saiz] v.	切,切割
*concise	[kən'sais] adj.	简洁的
exorcise	['eksɔ:saiz] v.	驱魔;去除(坏念头等)

核心词汇

*excise	[ek'saiz] v. 切除,删去	
demise	[di'maiz] n. 死亡;财产转让	
*premise	['premis] n. 前提	
*compromise	['kɔmprəmaiz] v. 妥协;危害	
*surmise	['sə:maiz] n. 推测,猜测; v. 推测	
*poise	[pɔiz] v. 使相等,使平衡; n. 泰然自若,镇定	
*turquoise	['tə:kwɔiz] n. 绿松石; adj. 碧绿的	
*despise	[dis'paiz] v. 鄙视,藐视	
reprise	[ri'praiz] n. (音乐剧中)乐曲的重复;重复	
*apprise	[ə'praiz] v. 通知,告诉	
enterprise	['entəpraiz] n. 公司,事业单位;进取心	
*treatise	['tri:tiz] n. 论文	
*expertise	[,ekspə'ti:z] n. 专门技术,专业知识	
*advertise	['ædvətaiz] v. 做广告;通知	
*chastise	[tʃæs'taiz] v. 严厉惩罚;谴责	
*guise	[gaiz] n. 外观,装束	
disguise	[dis'gaiz] v. 假扮;掩饰	
*bruise	[bru:z] v. 受伤,擦伤	
*devise	[di'vaiz] v. 发明,设计;图谋;遗赠给	
*revise	[ri'vaiz] n. /v. 改变,修正	
*improvise	['imprəvaiz] v. 即席而作	
*supervise	['sju:pəvaiz] v. 监督,管理	
*pulse	[pʌls] v. 搏动,跳动; n. 脉搏,脉冲	
*repulse	[ri'pʌls] v. 驱逐,击退;厌恶; n. 驱逐,击退,厌恶	
impulse	['impʌls] n. 冲动;刺激	
*convulse	[kən'vʌls] v. 使震动,震惊	
*license	['laisəns] n. 放肆,自由;许可证,执照	
incense	['insens] n. 香,香味; v. [in'sens]激怒	
*condense	[kən'dens] v. 浓缩	

defense	[di'fens] *n.* 防御，防护
immense	[i'mens] *adj.* 极大的；无限的
*recompense	['rekəmpəns] *v.* 报酬，赔偿
*dispense	[dis'pens] *v.* 分配，分发
suspense	[səs'pens] *n.* 悬念；挂念
commonsense	[,kɔmən'sens] *adj.* 具有常识的
*response	[ris'pɔns] *n.* 反应，响应，回答
*verbose	[və:'bəus] *adj.* 冗长的，罗嗦的
*bellicose	['beləˌkəus] *adj.* 好战的，好斗的
glucose	['glu:kəus] *n.* 葡萄糖
*dose	[dəus] *n.* 剂量，一剂
*overdose	['əuvədəus] *n.*（药物）过大的剂量
*metamorphose	[,metə'mɔ:fəuz] *v.* 变形
*grandiose	['grændiəus] *adj.* 宏伟的；夸大的
*disclose	[dis'kləuz] *v.* 使某物显露
*lachrymose	['lækriməus] *adj.* 好流泪的；引人落泪的
diagnose	['daiəgnəuz] *v.* 判断，诊断
*pose	[pəuz] *v.* 摆姿势；造作
juxtapose	['dʒʌkstəpəuz] *v.* 并排，并置
*depose	[di'pəuz] *v.* 免职；作证
*repose	[ri'pəuz] *n./v.* 躺着休息，安睡
*impose	[im'pəuz] *v.* 征税；强加
*superimpose	['sju:pərim'pəuz] *v.* 加在上面
*compose	[kəm'pəuz] *v.* 写，创作；组成
decompose	[,di:kəm'pəuz] *v.*（使）腐烂
discompose	[,diskəm'pəuz] *v.* 使失态；慌张
*oppose	[ə'pəuz] *v.* 反对
interpose	[,intə(:)'pəuz] *v.* 置于…之间；使介入
*dispose	[dis'pəuz] *v.* 使倾向；处理掉
*transpose	[træns'pəuz] *v.* 变换位置，调换
*morose	[mə'rəus] *adj.* 阴郁的
*prose	[prəuz] *n.* 散文

核心词汇

comatose	['kəumətəus] adj. 昏迷的	
*lapse	[læps] n. 失误;(时间等)流逝	
*relapse	[ri'læps] n. 旧病复发;再恶化；v. 旧病复发,再恶化	
*collapse	[kə'læps] v. 坍塌,塌陷;虚脱,晕倒	
*rehearse	[ri'hə:s] v. 排练,预演;详述	
*coarse	[kɔ:s] adj. 粗糙的;低劣的;粗俗的	
*parse	[pɑ:z] v. 对…作语法分析	
*sparse	[spɑ:s] adj. 稀少的,贫乏的	
*immerse	[i'mə:s] v. 浸入;沉浸于	
*disperse	[dis'pə:s] v. 消散,驱散	
*intersperse	[,intə(:)'spə:s] v. 散布;点缀	
*terse	[tə:s] adj. 简洁的,简明的	
*verse	[və:s] n. 诗歌	
averse	[ə'və:s] adj. 不愿的,反对的	
*traverse	['trævə:s] v. 横穿过,横跨	
*obverse	['ɔbvə:s] n./adj. 正面(的)	
*adverse	['ædvə:s] adj. 不利的,相反的;敌对的	
*reverse	[ri'və:s] n. 反面;相反；v. 倒车;反转	
diverse	[dai'və:s] adj. 不同的;多样的	
inverse	[in'və:s] adj. 相反的;倒转的	
converse	[kən'və:s] v. 谈话；adj. 逆向的；n. 相反的事物	
*endorse	[in'dɔ:s] v. 背书;赞同	
*remorse	[ri'mɔ:s] n. 懊悔,悔恨	
*reimburse	[,ri:im'bə:s] v. 偿还	
*disburse	[dis'bə:s] v. 支付,支出	
*recourse	[ri'kɔ:s] n. 求助,依靠	
*discourse	[dis'kɔ:s] n. 演讲,论述	
*impasse	[æm'pɑ:s] n. 僵局;死路	
largesse	[lɑ:'dʒes] n. 慷慨援助;施舍	
*finesse	[fi'nes] n. 技巧;计谋;手段	

核心词汇

59

fosse	[fɔs] n. 护城河	
*posse	['pɔsi] n. 武装团队	
*clause	[klɔ:z] n. 从句；(法律等)条款	
*applause	[ə'plɔ:z] n. 鼓掌，喝彩；赞许	
abuse	[ə'bju:z] v./n. 辱骂；滥用	
*disabuse	[ˌdisə'bju:z] v. 打消(某人的)错误念头；纠正	
*accuse	[ə'kju:z] v. 谴责，指责	
*defuse	[di:'fju:z] v. 从(爆破装置)中卸除引信；缓和紧张状态或危急局面	
*diffuse	[di'fju:z] v. 散布，(光等)漫射；adj. 漫射的，散漫的	
*suffuse	[sə'fju:z] v. (色彩等)弥漫，染遍	
*infuse	[in'fju:z] v. 灌输；鼓励	
*profuse	[prə'fju:s] adj. 很多的；浪费的	
*recluse	[ri'klu:s] n. 隐士；adj. 隐居的	
*muse	[mju:z] v. 沉思，冥想	
*amuse	[ə'mju:z] v. 使愉快，逗某人笑	
hypotenuse	[hai'pɔtinju:z] n. (直角三角形的)斜边	
*douse	[daus] v. 把…浸入水中；熄灭	
*warehouse	['wɛəhaus] n. 仓库，货栈	
*greenhouse	['gri:nhaus] n. 花房，温室	
*espouse	[is'pauz] v. 支持，拥护	
*arouse	[ə'rauz] v. 唤醒；激发	
carouse	[kə'rauz] n. 狂饮寻乐	
*grouse	[graus] n. 松鸡；v. 牢骚，诉苦	
ruse	[ru:z] n. 骗术，诡计	
*peruse	[pə'ru:z] v. 细读，精读	
*abstruse	[æb'stru:s] adj. 难懂的，深奥的	
*obtuse	[əb'tju:s] adj. 愚笨的；不锐利的	
*abate	[ə'beit] v. 减轻，减少	
*debate	[di'beit] n. 正式的辩论，讨论	
rebate	['ri:beit] n. 折扣，回扣	

reprobate	['reprəubeit] v. 谴责,指责; adj./n. 堕落的(人)
exacerbate	[eks'æsə(:)beit] v. 加重,恶化
incubate	['inkjubeit] v. 孵化
placate	[plə'keit] v. 抚慰,平息(愤怒)
desiccate	['desikeit] v. (使)完全干涸,脱水
deprecate	['deprikeit] v. 反对;轻视
eradicate	[i'rædikeit] v. 根除;扑灭
abdicate	['æbdikeit] v. 退位,辞职;放弃
indicate	['indikeit] v. 显示,指出;象征
vindicate	['vindikeit] v. 为…平反;证明…正确
pontificate	[pɔn'tifikit] v. 自大武断地做或说
delicate	['delikit] adj. 娇嫩的;精致的,优美的
implicate	['implikeit] v. 牵连(于罪行中);暗示
complicate	['kɔmplikeit] v. 使某事复杂化
supplicate	['sʌplikeit] v. 恳求,乞求
explicate	['eksplikeit] v. 详细解说
communicate	[kə'mju:nikeit] v. 传送信息,沟通
prevaricate	[pri'værikeit] v. 含糊其词;说谎
fabricate	['fæbrikeit] v. 捏造;制造
lubricate	['lu:brikeit] v. 润滑
intricate	['intrikit] adj. 复杂难懂的
extricate	['ekstrikeit] v. 拯救,救出
masticate	['mæstikeit] v. 咀嚼;把…磨成浆
domesticate	[də'mestikeit] v. 驯养
intoxicate	[in'tɔksikeit] v. (使)沉醉,(使)欣喜若狂;(使)喝醉
inculcate	[in'kʌlkeit] v. 灌输,谆谆教诲
truncate	['trʌŋkeit] v. 把(某物)截短,去尾
suffocate	['sʌfəkeit] v. (使)窒息而死
allocate	['æləukeit] v. 配给,分配
dislocate	['disləkeit] v. 使脱臼;把…弄乱

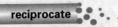
*reciprocate	[ri'siprəkeit]	v. 回报,答谢
*advocate	['ædvəkit]	v. 拥护,支持,鼓吹;n. 支持者,拥护者
*equivocate	[i'kwivəkeit]	v. 模棱两可地说,含糊其词,说谎
*bifurcate	['baifə:keit]	v. 分为两支,分叉
*confiscate	['kɔnfiskeit]	v. 没收;充公
*obfuscate	['ɔbfʌskeit]	v. 使困惑,使迷惑
*sedate	[si'deit]	adj. 镇静的
elucidate	[i'lju:sideit]	v. 阐明,说明
*candidate	['kændidit]	n. 候选人;投考者
*validate	['vælideit]	v. 使…生效
consolidate	[kən'sɔlideit]	v. 巩固;(使)坚强;合并
intimidate	[in'timideit]	v. 恐吓;胁迫
dilapidate	[di'læpi,deit]	v. (使)荒废,(使)毁坏
*liquidate	['likwideit]	v. 清算;清偿
*mandate	['mændeit]	n. 命令,指令
*inundate	['inʌndeit]	v. 淹没;泛滥
*accommodate	[ə'kɔmədeit]	v. 与…一致;提供食宿
*nucleate	['njuklieit]	v. 使成核;adj. 有核的
*permeate	['pə:mieit]	v. 扩散;渗透
*delineate	[di'linieit]	v. 描画
nauseate	['nɔ:sieit]	v. 使作呕,使厌恶
*propagate	['prɔpəgeit]	v. 繁殖;传播
*floodgate	['flʌdgeit]	n. (水闸的)闸门
*variegate	['vɛərigeit]	v. 使…多样化
**delegate	['deligit]	n. 代表;v. 委派…为代表,授权
*relegate	['religeit]	v. 降级,贬谪
*negate	[ni'geit]	v. 取消;否认
*abnegate	['æbnigeit]	v. 否认;放弃
*aggregate	['ægrigeit]	v. 集合;合计
*congregate	['kɔngrigeit]	v. 聚集,集合

核心词汇

*profligate	['prɔfligit] *adj.* 挥金如土的；*n.* 挥霍者
*fumigate	['fju:migeit] *v.* 以烟熏消毒
*irrigate	['irigeit] *v.* 灌溉；冲洗伤口
*mitigate	['mitigeit] *v.* 减轻，缓和
*castigate	['kæstigeit] *v.* 惩治，严责
*investigate	[in'vestigeit] *v.* 调查
*instigate	['instigeit] *v.* 发起，煽动
*navigate	['nævigeit] *v.* 航海，导航
*promulgate	['prɔmǝlgeit] *v.* 颁布（法令）；宣传
elongate	['i:lɔŋgeit] *v.* 延长，伸长
*abrogate	['æbrǝugeit] *v.* 废止，废除
derogate	['derǝgeit] *v.* 贬低，诽谤
arrogate	['ærǝugeit] *v.* 冒称具有…权利
*interrogate	[in'terǝgeit] *v.* 审问，审讯
surrogate	['sʌrǝgit] *n.* 代替品；代理人
expurgate	['ekspǝ:geit] *v.* 删除；使纯洁
*subjugate	['sʌbdʒugeit] *v.* 征服，镇压
corrugate	['kɔrugeit] *v.* （使）起波浪形，起皱纹
*emaciate	[i'meiʃieit] *v.* 使瘦弱
*depreciate	[di'pri:ʃieit] *v.* 轻视；贬值
*appreciate	[ǝ'pri:ʃieit] *v.* 欣赏；感激
*enunciate	[i'nʌnsieit] *v.* 发音；(清楚地)表达
*associate	[ǝ'sǝuʃieit] *adj.* 联合的；*n.* 合伙人；*v.* 将人或事物联系起来
*mediate	['mi:diit] *v.* 调停
*repudiate	[ri'pju:dieit] *v.* 拒绝；抛弃
*retaliate	[ri'tælieit] *v.* 报复，反击
*conciliate	[kǝn'silieit] *v.* 安抚，驯服；调和
*affiliate	[ǝ'filieit] *v.* 加入；联合
humiliate	[hju(:)'milieit] *v.* 使屈辱
*palliate	['pælieit] *v.* 减轻(痛苦)；掩饰(罪行)
*calumniate	[kǝ'lʌmnieit] *v.* 诽谤，中伤

核
心
词
汇

*expiate	['ekspieit] v. 赎罪；补偿
*excoriate	[eks'kɔːrieit] v. 撕去皮；严厉批评
*appropriate	[ə'prəuprieit] v. 拨款；盗用；adj. 恰当的
*repatriate	[riː'pætrieit] v.（自异国）遣返
*striate	['straieit] v. 在…加上条纹
infuriate	[in'fjuərieit] v. 使（人）极为愤怒
*ingratiate	[in'greiʃieit] v. 逢迎，讨好
*initiate	[i'niʃieit] v. 发起，创始；接纳或介绍某人加入某团体等
*propitiate	[prə'piʃieit] v. 讨好；抚慰
*vitiate	['viʃieit] v. 削弱，损害
*substantiate	[səbs'tænʃieit] v. 证实，确证
*differentiate	[,difə'renʃieit] v. 辨别，区别
*potentiate	[pə'tenʃieit] v. 加强（力量，效果）
*negotiate	[ni'gəuʃieit] v. 商议，谈判，交涉
obviate	['ɔbvieit] v. 排除（困难）
*deviate	['diːvieit] v. 越轨，脱离
*alleviate	[ə'liːvieit] v. 缓和，减轻
*abbreviate	[ə'briːvieit] v. 缩短；缩写
asphyxiate	[æs'fiksieit] v.（使）无法呼吸，窒息而死
escalate	['eskəleit] v.（战争等）升级；扩大，上升
*palate	['pælit] n. 上腭；口味；爱好
*relate	[ri'leit] v. 讲述；有关联
*inflate	[in'fleit] v. 使充气，使膨胀
*conflate	[kən'fleit] v. 合并
*dilate	[dai'leit] v.（身体某部位）张大，扩大
*annihilate	[ə'naiəleit] v. 消灭
*assimilate	[ə'simileit] v. 同化；吸收
*ventilate	['ventileit] v. 使…通风，透风
*vacillate	['væsileit] v. 游移不定，踌躇
*oscillate	['ɔsileit] v. 摆动；犹豫

核心词汇

*collate	[kɔ'leit] v. 对照，核对	
*violate	['vaiəleit] v. 违反，触犯	
*immolate	['iməuleit] v. 牺牲；焚祭	
*extrapolate	[eks'træpəleit] v. 预测，推测	
*interpolate	[in'tə:pəuleit] v. 插入；篡改	
*isolate	['aisəleit] v. 孤立；将…从其种群中隔离	
contemplate	['kɔntempleit] v. 深思	
*slate	[sleit] n. 石板；候选人名单；v. 提名	
legislate	['ledʒis,leit] v. 制定法律	
*perambulate	[pə'ræmbjuleit] v. 巡视；漫步	
discombobulate	[,diskʌm'bɔbjuleit] v. 扰乱，使困惑	
*immaculate	[i'mækjulit] adj. 洁净的，无瑕的	
speculate	['spekju,leit] v. 沉思，思索；投机	
*articulate	[ɑ:'tikjulit] v. 清楚说话；接合	
*inoculate	[i'nɔkjuleit] v. 预防注射	
*circulate	['sə:kjuleit] v. 循环；流通；发行	
*adulate	['ædjuleit] v. 谄媚，奉承	
*modulate	['mɔdjuleit] v. 调整(音的强弱)	
coagulate	[kəu'ægjuleit] v. 使凝结	
*regulate	['regjuleit] v. 管制；调整	
*emulate	['emjuleit] v. 努力赶上或超越	
*simulate	['simjuleit] v. 假装，模仿	
dissimulate	[di'simjuleit] v. 隐藏，掩饰	
*accumulate	[ə'kju:mjuleit] v. 积聚，积累	
*manipulate	[mə'nipjuleit] v. 操纵	
*stipulate	['stipjuleit] v. 要求以…为条件；约定	
*insulate	['insjuleit] v. 使绝缘；使隔离	
encapsulate	[in'kæpsjuleit] v. 装入胶囊；压缩	
*capitulate	[kə'pitjuleit] v. (有条件地)投降	
recapitulate	[,ri:kə'pitjuleit] v. 扼要重述	
*postulate	['pɔstjuleit] v. 假定；要求	

核
心
词
汇

*expostulate	[iks'pɔstjuleit] v. (对人或行为进行)抗议,告诫
*mate	[meit] n. 伙伴;配偶; v. 交配
*amalgamate	[ə'mælgəmeit] v. 合并;混合
stalemate	['steil'meit] n. 和棋局面;僵局
decimate	['desimeit] v. 毁掉大部分;大量杀死
acclimate	[ə'klaimit] v. 使服水土;使适应
*animate	['ænimit, 'ænimeit] adj. 活的,有生命的; v. 赋予生命
*inanimate	[in'ænimit] adj. 无生命的
primate	['praimit] n. 灵长类(动物)
*legitimate	[li'dʒitimit] adj. 合法的;正当的
*illegitimate	[ˌili'dʒitimit] adj. 不合法的;私生的
ultimate	['ʌltimit] adj. 最后的
penultimate	[pi'nʌltimit] adj. 倒数第二的
intimate	['intimit] adj. 亲密的; n.密友; v. 暗示
*proximate	['prɔksimit] adj. 最接近的,直接的
*approximate	[ə'prɔksimeit] adj. 大约的,估计的
*consummate	['kɔnsʌmeit] adj. 完全的,完善的; v. 完成
*emanate	['eməneit] v. 散发,发出;发源
*alienate	['eiljəneit] v. 疏远,离间某人
*concatenate	[kɔn'kætineit] v. 连结;连锁
*rejuvenate	[ri'dʒuːvineit] v. 使返老还童
*magnate	['mægneit] n. 财主,巨头
*deracinate	[di'ræsineit] v. 根除,杜绝
*vaccinate	['væksineit] v. 给…接种疫苗
*insubordinate	[ˌinsə'bɔːdnit] adj. 不服从的,反抗的
inordinate	[in'ɔːdinit] adj. 过度的,过分的
*coordinate	[kəu'ɔːdinit] n. 同等物,坐标; v. 使各部分协调; adj. 同等的
*pollinate	['pɔlineit] v. 给…授粉
*contaminate	[kən'tæmineit] v. 使…受污染

核心词汇

*disseminate	[di'semineit] v. 散布,传播
eliminate	[i'limineit] v. 除去,淘汰
*incriminate	[in'krimi,neit] v. 连累,牵连
*discriminate	[dis'krimineit] v. 区分
*fulminate	['fʌlmineit] v. 猛烈抨击,严厉谴责
*abominate	[ə'bɔmineit] v. 痛恨;厌恶
*dominate	['dɔmineit] v. 控制,支配
predominate	[pri'dɔmineit] v. 支配,统治;占优势
**nominate	['nɔmineit] v. 提名;任命,指定
germinate	['dʒə:mineit] v. 发芽;发展
*terminate	['tə:mineit] v. 终止,结束
*indeterminate	[,indi'tə:minit] adj. 不确定的,不明确的
exterminate	[iks'tə:mineit] v. 消灭,灭绝
*illuminate	[i'lju:mineit] v. 阐明,解释;照亮
*indoctrinate	[in'dɔktrineit] v. 教导;灌输思想
*procrastinate	[prəu'kræstineit] v. 耽搁,拖延
*obstinate	['ɔbstinit] adj. 固执的,偏强的
*innate	['ineit] adj. 生来的,天赋的
*donate	[dəu'neit] v. 捐赠,赠送
*passionate	['pæʃənit] adj. 充满激情的
*compassionate	[kəm'pæʃənit] adj. 有同情心的
*dispassionate	[dis'pæʃənit] adj. 平心静气的
*impersonate	[im'pə:səneit] v. 模仿;扮演
incarnate	['inkɑ:neit] adj. 具有肉体的;化身的
*hibernate	['haibəneit] v. 冬眠,蛰伏
*alternate	[ɔ:l'tə:nit] adj. 轮流的,交替的;v. 轮流,交替;n. 候选人,替代性选择
*ornate	[ɔ:'neit] adj. 华美的;充满装饰的
*inchoate	['inkəueit] adj. 刚开始的;未发展的
*anticipate	[æn'tisipeit] v. 预期,期待
*emancipate	[i'mænsipeit] v. 解放,解除
*dissipate	['disipeit] v. (使)驱散;浪费

核心词汇

*inculpate	['inkʌlpeit]	v. 连累;控告;归咎于
*exculpate	['ekskʌlpeit]	v. 开脱,申明无罪
*spate	[speit]	n. 大批,大量;(水)泛滥
*exhilarate	[ig'ziləreit]	v. 使高兴
*separate	['sepəreit]	v. 使分开;adj. 不同的;独自的
*disparate	['dispərit]	adj. 迥然不同的
invertebrate	[in'və:tibrit]	adj./n. 无脊椎的(动物)
*calibrate	['kælibreit]	v. 量…口径;校准
*vibrate	['vaibreit]	v. 颤动,振动
*adumbrate	['ædʌm,breit]	v. (对将来事件)预示
*crate	[kreit]	n. 篓,板条箱
*desecrate	['desikreit]	v. 玷辱,亵渎
execrate	['eksikreit]	v. 憎恶;咒骂
*hydrate	['haidreit]	n. 水化物;v. 水化
*dehydrate	[di:'haidreit]	v. 除去水分,脱水
*carbohydrate	['ka:bəu'haidreit]	n. 碳水化合物
*aerate	['eiəreit]	v. 充气,让空气进入
berate	[bi'reit]	v. 猛烈责骂
*liberate	['libə(:)reit]	v. 释放,解放
*deliberate	[di'libəreit]	adj. 深思熟虑的,故意的;v. 慎重考虑
reverberate	[ri'və:bəreit]	v. 起回声,反响
lacerate	['læsəreit]	v. 撕裂;深深伤害
*macerate	['mæsəreit]	v. 浸软;使消瘦
*incarcerate	[in'ka:səreit]	v. 下狱,监禁
*preponderate	[pri'pɔndəreit]	v. (重量上,重要性上)压倒,超过
*proliferate	[prəu'lifəreit]	v. 繁殖;激增
*exaggerate	[ig'zædʒəreit]	v. 夸张;夸大
*accelerate	[æk'seləreit]	v. 加速;促进
agglomerate	[ə'glɔməreit]	v. 凝聚,结块
*conglomerate	[kɔn'glɔmərit]	v. 集聚成团

68

*enumerate	[i'nju:məreit] v. 列举,枚举
*generate	['dʒenə,reit] v. 造成;产生
*unregenerate	[ʌnri'dʒenərət] adj. 不知悔改的
*venerate	['venəreit] v. 崇敬,敬仰
*incinerate	[in'sinəreit] v. 焚化,毁弃
*exonerate	[ig'zɔnəreit] v. 免除责任;确定无罪
*cooperate	[kəu'ɔpəreit] v. 与他人合作
*exasperate	[ig'zɑːspəreit] v. 激怒,使恼怒
*desperate	['despərit] adj. 不顾死活的,拼命的
*recuperate	[ri'kju:pəreit] v. 恢复(健康),复原
vituperate	[vi'tju:pəreit] v. 痛斥,辱骂
*inveterate	[in'vetərit] adj. 积习已深的
*reiterate	[ri:'itəreit] v. 重申,反复地说
*literate	['litərit] adj. 有读写能力的;有文化修养的
obliterate	[ə'blitəreit] v. 涂掉,擦掉
preliterate	[,pri'litərit] adj. 文字出现以前的
*illiterate	[i'litərit] adj. 文盲的
*adulterate	[ə'dʌltəreit] v. 掺假
*grate	[greit] v. 吱嘎磨碎;使人烦躁
integrate	['intigreit] v. 使成整体
*emigrate	['emigreit] v. 自本国移居他国
*denigrate	['denigreit] v. 污蔑,诽谤
*ingrate	[in'greit] n. 忘恩负义的人
*irate	[ai'reit] adj. 发怒的
*pirate	['paiərit] n. 海盗,剽窃者;v. 盗印;掠夺
*elaborate	[i'læbərət] adj. 精致的;复杂的;v. 详尽地说明,阐明
collaborate	[kə'læbəreit] v. 合作,协作;通敌
*corroborate	[kə'rɔbəreit] v. 确证;强化
*decorate	['dekəreit] v. 装饰某事物
perforate	['pə:fəreit] v. 打洞

核心词汇

69

*invigorate	[in'vigəreit] v. 鼓舞，激励
*ameliorate	[ə'mi:ljəreit] v. 改善，改良
*deteriorate	[di'tiəriəreit] v. (使)变坏，恶化
*commemorate	[kə'meməreit] v. 纪念(伟人、大事件等)
*evaporate	[i'væpəreit] v. (使某物)蒸发掉
corporate	['kɔ:pərit] adj. 团体的；共同的
incorporate	[in'kɔ:pəreit] v. 合并，并入
*prate	[preit] v. 瞎扯，胡说
*underrate	[ʌndə'reit] v. 低估，轻视
*serrate	['serit] adj. 锯齿状的
*penetrate	['penitreit] v. 刺穿；渗入；了解
*arbitrate	['ɑ:bitreit] v. 仲裁，公断
*infiltrate	[in'filtreit] v. 渗透，渗入
*concentrate	['kɔnsəntreit] v. 聚集，浓缩
*demonstrate	['demənstreit] v. 证明，论证；示威
prostrate	[prɔs'treit] adj. 俯卧的；沮丧的；v. 使下跪鞠躬
*illustrate	['iləstreit] v. 为…作插图或图表；说明，阐明
*frustrate	[frʌs'treit] v. 挫折，使沮丧
*accurate	['ækjurit] adj. 精确的，准确的
*obdurate	['ɔbdjurit] adj. 固执的，顽固的
*indurate	['indjuəreit] v. 使坚硬；使习惯于
inaugurate	[i'nɔ:gjureit] v. 举行就职典礼；开创
*commensurate	[kə'menʃərit] adj. 同样大小的；相称的
incommensurate	[,inkə'menʃərit] adj. 不成比例的，不相称的
*saturate	['sætʃəreit] v. 浸透；使充满
gyrate	['dʒaiərit] adj. 旋转的；v. 旋转
*sate	[seit] v. 使心满意足；使厌腻
*compensate	['kɔmpənseit] v. 补偿，赔偿
insensate	[in'senseit] adj. 无感觉的；蠢笨的

*dictate	[dik'teit] v. 口述；命令	
resuscitate	[ri'sʌsiteit] v. 使复活，使苏醒	
*meditate	['mediteit] v. 沉思，反省	
*premeditate	[pri(:)'mediteit] v. 预先想过，预谋	
*agitate	['ædʒiteit] v. 搅动,煽动；使不安,使焦虑	
*cogitate	['kɔdʒiteit] v. 慎重思考,思索	
*rehabilitate	[,ri:(h)ə'biliteit] v. 修复,恢复(职业等)	
*debilitate	[di'biliteit] v. 使衰弱	
*facilitate	[fə'siliteit] v. 使容易,促进	
*precipitate	[pri'sipiteit] v.加速,促成；adj.鲁莽的	
*palpitate	['pælpiteit] v.(心脏)急速而不规则地跳动	
*irritate	['iriteit] v. 激怒；刺激	
potentate	['pəutənteit] n. 统治者,当权者	
*annotate	['ænəuteit] v. 注解	
*rotate	[rəu'teit] v. 旋转,转动；轮流,交替	
*devastate	['devəsteit] v. 摧毁,破坏	
instate	[in'steit] v. 任命,安置	
*reinstate	[,ri:in'steit] v. 恢复(原职)	
*apostate	[ə'pɔstit] n. 背教者；变节者	
*understate	[,ʌndə'steit] v. 掩饰地说,轻描淡写地说	
*overstate	[,əuvə'steit] v. 夸张,对…言过其实	
*mutate	[mju:'teit] v. 变异	
*evacuate	[i'vækjueit] v. 撤退；撤离	
*attenuate	[ə'tenjueit] v. 变薄,变弱	
*extenuate	[iks'tenjueit] v. 掩饰(罪行),减轻罪过	
*insinuate	[in'sinjueit] v. 暗指,暗示	
*equate	[i'kweit] v. 认为…相等或相仿	
*adequate	['ædikwit] adj. 足够的	
*fluctuate	['flʌktjueit] v. 波动；变化	
perpetuate	[pə(:)'petjueit] v. 使永存,使永记不忘	

核心词汇

71

habituate	[hə'bitjueit]	v. 使习惯于
*accentuate	[æk'sentjueit]	v. 重读;强调
*excavate	['ekskəveit]	v. 挖掘;挖出
*aggravate	['ægrəveit]	v. 加重,恶化
*elevate	['eliveit]	v. 将某人某物举起
*deactivate	[di:'æktiveit]	v. 使无效
*cultivate	['kʌltiveit]	v. 种植;向…讨好
*captivate	['kæptiveit]	v. 迷惑,吸引
*renovate	['renəuveit]	v. 修复,装修,翻新
*enervate	['enə:veit]	v. 使虚弱,使无力
*fixate	['fikseit]	v. 使固定,使不变;注视,凝视
effete	[e'fi:t]	adj. 无生产力的;虚弱的
*aesthete	['i:sθi:t]	n. 审美家
obsolete	['ɔbsəli:t]	adj. 废弃的;过时的
*deplete	[di'pli:t]	v. 倒空;耗尽
replete	[ri'pli:t]	adj. 饱满的,塞满的
mete	[mi:t]	v. 给予,分配;测量;n. 边界
*compete	[kəm'pi:t]	v. 竞争,对抗
*accrete	[æ'kri:t]	v. 逐渐增长;依附;连生
*secrete	[si'kri:t]	v. 隐藏;分泌
*concrete	['kɔnkri:t]	adj. 具体存在的;n. 混凝土
*discrete	[dis'kri:t]	adj. 个别的;不连续的
*excrete	[eks'kri:t]	v. 排泄,分泌
*cite	[sait]	v. 引用,引述
*incite	[in'sait]	v. 激发,刺激
*recondite	[ri'kɔndait]	adj. 深奥的
*erudite	['eru:dait]	adj. 博学的,饱学的
graphite	['græfait]	n. 石墨
*elite	[ei'li:t]	n. 精华,中坚
mite	[mait]	n. 极小量;小虫
*termite	['tə:mait]	n. 白蚁
*granite	['grænit]	n. 花岗石

核心词汇

72

*ignite	[ig'nait] v. 发光；点燃，燃烧
*finite	['fainait] adj. 有限的
*definite	['definit] adj. 清楚的，明确的
*spite	[spait] n. 怨恨，恶意
*respite	['respait] n. 休息；暂缓
*rite	[rait] n. （宗教的）仪式
sybarite	['sibərait] n. 奢侈逸乐的人
*hypocrite	['hipəkrit] n. 伪善者，伪君子
*trite	[trait] adj. 陈腐的，陈词滥调的
*contrite	['kɔntrait] adj. 悔罪的，痛悔的
underwrite	['ʌndərait] v. 同意负担…的费用；为…保险
*parasite	['pærəsait] n. 食客；寄生物
requisite	['rekwizit] n. 必需物；adj. 必要的
prerequisite	[,pri:'rekwizit] n. 先决条件
perquisite	['pə:kwizit] n. 固定津贴；利益
exquisite	['ekskwizit] adj. 精致的；近乎完美的
*apposite	['æpəzit] adj. 适当的，恰当的
*appetite	['æpitait] n. 欲望；食欲；爱好
*requite	[ri'kwait] v. 报答；报复
bauxite	['bɔ:ksait] n. 铝土岩（产铝的矿土、矿石）
svelte	[svelt] adj. （女人）体态苗条的
*dilettante	[,dili'tænti] n. 半瓶醋；业余爱好者
*dote	[dəut] v. 溺爱；昏聩
*anecdote	['ænikdəut] n. 短故事；轶事
*antidote	['æntidəut] n. 解毒药
mote	[məut] n. 微粒，微尘
*emote	[i'məut] v. 激动地表达感情
*demote	[di'məut] v. 降级，降职
*promote	[prə'məut] v. 提升；促进
denote	[di'nəut] v. 表示；指示意义

核心词汇

73

quote	[kwəut]	v. 引用,引述
forte	[fɔːt]	n. 长处,擅长; adj. (音乐)强音的
*baste	[beist]	v. 倒油脂于(烤肉上,以防烤干)
*lambaste	[læm'beist]	v. 痛打;痛骂
caste	[kɑːst]	n. 社会等级,等级
*chaste	[tʃeist]	adj. 贞洁的;朴实的
*waste	[weist]	v. 使身体消瘦;损耗
*palette	['pælit]	n. 调色板,颜料配置
marionette	[ˌmæriə'net]	n. 木偶
*pirouette	[piru'et]	n./v. (舞蹈)脚尖立地的旋转
*etiquette	['etiket]	n. 礼仪;礼节
*tribute	['tribjuːt]	n. 赞辞;贡物
*distribute	[dis'tribju(ː)t]	v. 分发,分配某事物
*attribute	[ə'tribju(ː)t]	n. 属性,品质; v. 把…归于
*acute	[ə'kjuːt]	adj. 灵敏的;[病] 急性的
*prosecute	['prɔsikjuːt]	v. 告发,检举
*persecute	['pəːsikjuːt]	v. 迫害
*execute	['eksikjuːt]	v. 执行,履行;将某人处死
*refute	[ri'fjuːt]	v. 驳斥
*salute	[sə'luːt]	v. 行举手礼;向…致意; n. 敬礼
*dilute	[dai'ljuːt]	v. 把(液体)弄稀,弄淡
*absolute	['æbsəluːt]	adj. 绝对的;完全的;无(条件)限制的
*dissolute	['disəljuːt]	adj. 放荡的;无节制的
*mute	[mjuːt]	adj. 沉默的; v. 减弱声音; n. 弱音器
*commute	[kə'mjuːt]	v. 交换;坐公交车上下班
*transmute	[trænz'mjuːt]	v. 变化,变作
*repute	[ri'pjuːt]	n. 名声,名誉
*disrepute	['disri'pjuːt]	n. 名声不好
*dispute	[dis'pjuːt]	v. 争论
brute	[bruːt]	n./adj. 野兽(的);残忍的(人)

核心词汇

74

hirsute	['hə:sju:t] *adj.* 多毛的
*statute	['stætju:t] *n.* 法规，法令
*substitute	['sʌbstitju:t] *n.* 代替品；*v.* 代替
institute	['institju:t] *v.* 制定，创立（社团，规章）；*n.* 学院，协会
constitute	['kɔnstitju:t] *v.* 组成，构成；建立
*reconstitute	['ri:'kɔnstitju:t] *v.* 再组成；用水泡
*astute	[ə'stju:t] *adj.* 机敏的，精明的
*neophyte	['ni(:)əufait] *n.* 初学者，新手
xerophyte	['ziərəfait] *n.* 旱生植物
acolyte	['ækəlait] *n.* （教士的）助手，侍僧
*imbue	[im'bju:] *v.* 灌输（某人）强烈的情感或意见
*cue	[kju:] *v.* 暗示，提示；*n.* 暗示，提示
barbecue	['bɑ:bikju:] *n.* 烤肉架；烤肉
*rescue	['reskju:] *n./v.* 解救；把…从法律监管下强行夺回
*subdue	[sʌb'dju:] *v.* 征服；压制；减轻
residue	['rezidju:] *n.* 剩余
*overdue	['əuvə'dju:] *adj.* 过期未付的；逾期的
queue	[kju:] *v.* 排队；*n.* 长队
plague	[pleig] *n.* 瘟疫；讨厌的人或物；*v.* 烦扰
*vague	[veig] *adj.* 模糊的
intrigue	[in'tri:g] *v.* 密谋；引起…极大兴趣
*fatigue	[fə'ti:g] *n.* 疲乏，劳累
*harangue	[hə'ræŋ] *n.* [贬]长篇指责性演说
pedagogue	['pedəgɔg] *n.* 教师，教育者
*demagogue	['deməgɔg] *n.* 蛊惑民心的政客
*epilogue	['epilɔg] *n.* 收场白；尾声
*monologue	['mɔnəlɔg] *n.* 独白；个人长篇演说
*prologue	['prəulɔg] *n.* 开场白；序幕
vogue	[vəug] *n.* 时髦，时尚；*adj.* 流行的

核心词汇

hue	[hju:] *n.* 色彩，色泽
blue	[blu:] *adj.* 忧伤的，沮丧的
ingenue	[ænʒei'nju:] *n.* 天真无邪的少女
revenue	['revinju:] *n.* 总收入；国家的税收收入
retinue	['retinju:] *n.* 侍从，随员团
*plaque	[plɑ:k] *n.* 匾；[医]斑、血小板
*opaque	[əu'peik] *adj.* 不透明的；难懂的
*oblique	[ə'bli:k] *adj.* 间接的；斜的
clique	[kli:k] *n.* 朋党派系，小集团
*unique	[ju:'ni:k] *adj.* 独一无二的，独特的；无与伦比的
*pique	[pi:k] *n./v.* （因自尊心受伤害而导致的）不悦，愤怒；*v.* 冒犯
*critique	[kri'ti:k] *n.* 批评性的分析
*antique	[æn'ti:k] *adj.* 古时的，古老的；*n.* 古物，古董
baroque	[bə'rəuk] *n./adj.* （艺术、建筑等）过分雕琢（的）
*torque	[tɔ:k] *n.* 转矩；项圈
*arabesque	[ˌærə'besk] *n.* 蔓藤图饰
*burlesque	[bə:'lesk] *n.* 讽刺或滑稽的戏剧
mosque	[mɔsk] *n.* 清真寺（伊斯兰教的寺庙）
*brusque	[brʌsk] *adj.* 唐突的，鲁莽的
*rue	[ru:] *n.* 后悔，遗憾
accrue	[ə'kru:] *v.* （利息等）增大；增多
construe	[kən'stru:] *v.* 解释；翻译
*ensue	[in'sju:] *v.* 继而发生
pursue	[pə'sju:] *v.* 追赶，追求，追踪
*issue	['isju:] *v.* 出来，流出；发给，分发；*n.* （书刊的）期
*tissue	['tisju:] *n.* 细胞组织；薄纸，棉纸
revue	[ri'vju:] *n.* 时事讽刺剧
*concave	[ˌkɔn'keiv] *adj.* 凹的

核
心
词
汇

*cleave	[kliːv] v. 劈开;分裂
*lave	[leiv] v. 洗浴;慢慢冲刷
conclave	['kɔŋkleiv] n. 秘密会议
knave	[neiv] n. 流氓,恶棍
*rave	[reiv] n. 热切赞扬;v. 狂语
*grave	[greiv] adj. 严峻的;n. 墓穴
*engrave	[in'greiv] v. 在(硬物)上雕刻
peeve	[piːv] v. 使气恼,怨恨
*grieve	[griːv] v. 使某人极为悲伤
*aggrieve	[ə'griːv] v. 使受委屈;使痛苦
reprieve	[ri'priːv] v. 缓刑,暂时解救;n. 缓刑,暂时解救
*retrieve	[ri'triːv] v. /n. 寻回,取回;挽回(错误)
naive	[nɑː'iːv] adj. 天真的,纯朴的
conducive	[kən'djuːsiv] adj. 有助于…的
*conceive	[kən'siːv] v. 想像,构想;怀孕
*misperceive	[ˌmispə'siːv] v. 误解
hive	[haiv] n. 蜂房;忙碌之地
*archive	['ɑːkaiv] n. 档案室
connive	[kə'naiv] v. 默许;纵容;共谋
rive	[raiv] v. 撕开,分裂
*thrive	[θraiv] v. 茁壮成长
contrive	[kən'traiv] v. 计划,设计
*strive	[straiv] v. 奋斗,努力
*abrasive	[ə'breisiv] adj. 磨损的;生硬粗暴的
evasive	[i'veisiv] adj. 迴避的,逃避的;托辞的
*adhesive	[əd'hiːsiv] adj. 带粘性的,胶粘的;n. 胶合剂
cohesive	[kəu'hiːsiv] adj. 凝聚的
*indecisive	[ˌindi'saisiv] adj. 非决定性的,迟疑不决的
*incisive	[in'saisiv] adj. 一针见血的
*impulsive	[im'pʌlsiv] adj. 易冲动的

核心词汇

77

核心词汇

*expansive   [iks'pænsiv] *adj.* (指人)健谈的,开朗的;可扩大的,可伸展的

*offensive   [ə'fensiv] *adj.* 令人不快的,得罪人的

*comprehensive   [ˌkɔmpri'hensiv] *adj.* 全面的,综合的

*apprehensive   [ˌæpri'hensiv] *adj.* 害怕的;有眼力的

*responsive   [ris'pɔnsiv] *adj.* 敏感的,反应快的

*explosive   [iks'pləusiv] *n.* 炸药;*adj.* 爆炸性的;使人冲动的

corrosive   [kə'rəusiv] *adj.* 腐蚀性的,腐蚀的,蚀坏的

*subversive   [sʌb'və:siv] *adj.* 颠覆性的,破坏性的

discursive   [dis'kə:siv] *adj.* 散漫的;无层次的

*excursive   [iks'kə:siv] *adj.* 离题的;随意的

*massive   ['mæsiv] *adj.* 巨大的;厚重的

*passive   ['pæsiv] *adj.* 被动的;缺乏活力的

*impassive   [im'pæsiv] *adj.* 无动于衷的,冷漠的

*recessive   [ri'sesiv] *adj.* 隐性遗传的;后退的

regressive   [ri'gresiv] *adj.* 退步的,退化的

*aggressive   [ə'gresiv] *adj.* 好斗的;进取的

*permissive   [pə(:)'misiv] *adj.* 过分纵容的

*abusive   [ə'bju:siv] *adj.* 漫骂的;毁谤的;虐待的

inclusive   [in'klu:siv] *adj.* 包含一切的;范围广的

conclusive   [kən'klu:siv] *adj.* 最后的;结论的;确凿的,消除怀疑的

exclusive   [iks'klu:siv] *adj.* (人)孤僻的;(物)专用的

*elusive   [i'lju:siv] *adj.* 难懂的

*illusive   [i'lu:siv] *adj.* 迷惑人的,迷幻的

*unobtrusive   ['ʌnəb'tru:siv] *adj.* 不引人注目的

indicative   [in'dikətiv] *adj.* 暗示的

evocative   [i'vɔkətiv] *adj.* 唤起的,激起的

*sedative   ['sedətiv] *adj.* (药物)镇静的;*n.* 镇静剂

prerogative   [pri'rɔgətiv] *n.* 特权

interrogative	[ˌintəˈrɔgətiv] *adj.* 疑问的	
purgative	[ˈpəːgətiv] *n.* 泻药	
*palliative	[ˈpæliətiv] *n.* 缓释剂；*adj.* 减轻的，缓和的	
initiative	[iˈniʃiətiv] *n.* 主动；首创精神	
*speculative	[ˈspekjulətiv] *adj.* 投机的；推理的；思索的	
*manipulative	[məˈnipjulətiv] *adj.* 操纵别人的；老于世故的	
lucrative	[ˈluːkrətiv] *adj.* 赚钱的，有利可图的	
remunerative	[riˈmjuːnərətiv] *adj.* 报酬高的，有利润的	
*imperative	[imˈperətiv] *adj.* 急需的	
*operative	[ˈɔpərətiv] *adj.* （计划等）实施中的；生效的	
*cooperative	[kəuˈɔpərətiv] *adj.* 联营的，合作的；愿意协助的	
*vituperative	[viˈtjupərətiv] *adj.* 辱骂的	
*pejorative	[ˈpiːdʒərətiv] *adj.* 带有轻蔑意义的，贬低的	
*narrative	[ˈnærətiv] *adj.* 叙述的，讲故事的	
*demonstrative	[diˈmɔnstrətiv] *adj.* 证明性的；感情外露的	
*figurative	[ˈfigjurətiv] *adj.* 比喻的，借喻的	
meditative	[ˈmeditətiv] *adj.* 沉思的，善于思考的	
*imitative	[ˈimitətiv] *adj.* 模仿的	
tentative	[ˈtentətiv] *adj.* 试探性的，尝试性的	
hortative	[ˈhɔːtətiv] *adj.* 激励的	
*derivative	[diˈrivətiv] *adj.* 派生的；无创意的	
*innovative	[ˈinəuveitiv] *adj.* 革新的	
*preservative	[priˈzəːvətiv] *adj.* 防腐的；*n.* 防腐剂	
conservative	[kənˈsəːvətiv] *adj.* 保守的，守旧的	
*laxative	[ˈlæksətiv] *adj.* （药）通便的；放松的；*n.* 轻泻药	

核
心
词
汇

79

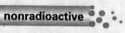
核
心
词
汇

nonradioactive	[ˌnɔnreidiəˈæktiv] *adj.* 非放射性的
*objective	[əbˈdʒektiv] *adj.* 客观的；*n.* 目标
subjective	[sʌbˈdʒektiv] *adj.* 主观的，想像的
introspective	[ˌintrəuˈspektiv] *adj.* 自省的
perspective	[pəˈspektiv] *n.* （判断事物的）角度，方法；透视法
*invective	[inˈvektiv] *n.* 猛烈抨击，痛骂
*vindictive	[vinˈdiktiv] *adj.* 报复性的
distinctive	[disˈtiŋktiv] *adj.* 出众的，有特色的
instinctive	[inˈstiŋktiv] *adj.* 本能的
*disjunctive	[disˈdʒʌŋktiv] *adj.* 分离的；相反的
*deductive	[diˈdʌktiv] *adj.* 推理的，演绎的
*unproductive	[ˌʌnprəˈdʌktiv] *adj.* 徒然的，无成效的
counterproductive	[ˈkautəprəˌdʌktiv] *adj.* 事与愿违的
instructive	[inˈstrʌktiv] *adj.* 传授知识的，启蒙的
*secretive	[ˈsiːkrətiv] *adj.* 守口如瓶的
*prohibitive	[prəˈhibitiv] *adj.* 抑制的；价格贵得买不起的
*additive	[ˈæditiv] *n.* 添加剂
*definitive	[diˈfinitiv] *adj.* 明确的；有权威的
*acquisitive	[əˈkwizitiv] *adj.* 渴望得到的，贪婪的
*inquisitive	[inˈkwizitiv] *adj.* 过分好问的；好奇的
*sensitive	[ˈsensitiv] *adj.* 敏感的
*intuitive	[inˈtju(ː)itiv] *adj.* 直觉的
*substantive	[ˈsʌbstəntiv] *adj.* 根本的；独立存在的
*incentive	[inˈsentiv] *n.* 刺激，鼓励；刺激因素
plaintive	[ˈpleintiv] *adj.* 可怜的；伤心的
*locomotive	[ˌləukəˈməutiv] *adj.* 移动的；*n.* 机车，火车头
*receptive	[riˈseptiv] *adj.* 善于接受的；从善如流的
redemptive	[riˈdemptiv] *adj.* 赎回的，救赎的，救世的
*disruptive	[disˈrʌptiv] *adj.* 制造混乱的

assertive	[ə'sə:tiv] adj. 过分自信的;有进取心的
*furtive	['fə:tiv] adj. 偷偷的,秘密的
*festive	['festiv] adj. 欢乐的
*suggestive	[sə'dʒestiv] adj. 暗示的
*restive	['restiv] adj. 不安静的,不安宁的
*exhaustive	[ig'zɔ:stiv] adj. 彻底的,无遗漏的
*revive	[ri'vaiv] v. 使苏醒;再流行
*survive	[sə'vaiv] v. 幸存
*salve	[sæv] n. 药膏; v. 减轻,缓和
*valve	[vælv] n. 活门,阀门
delve	[delv] v. 深入探究,钻研
*shelve	[ʃelv] v. 搁置
*absolve	[əb'zɔlv] v. 赦免,免除
*dissolve	[di'zɔlv] v. 使固体溶解
*evolve	[i'vɔlv] v. 使逐渐形成,进化
*alcove	['ælkəuv] n. 凹室
*shove	[ʃʌv] v. 推挤,猛推
*remove	[ri'mu:v] v. 移走;脱掉;迁移
behoove	[bi'həuv] v. 理应,有义务
*groove	[gru:v] n. 凹线;(刻出的)线条;习惯
*drove	[drəuv] n. 畜群;人群
*grove	[grəuv] n. 小树林,树丛
*reprove	[ri'pru:v] v. 责骂,申斥
*disprove	[dis'pru:v] v. 证明…有误
*carve	[kɑ:v] v. 雕刻;(把肉等)切成片
*nerve	[nə:v] n. 勇气; v. 鼓起勇气
*reserve	[ri'zə:v] n. 储备(物),储藏量;缄默;谨慎; v. 保留,储备;预订
*conserve	[kən'sə:v] v. 保全,保存
*verve	[və:v] n. (艺术作品的)神韵;(人)生机
*swerve	[swə:v] v. 突然改变方向
mauve	[məuv] adj. 淡紫色的

核心词汇

81

*awe	[ɔː]	n./v. 敬畏
ewe	[juː]	n. 母羊
faze	[feiz]	v. 使…狼狈；折磨
*gaze	[geiz]	v./n. 凝视，注视
*glaze	[gleiz]	v. 装玻璃于；上釉彩；n. 釉
maze	[meiz]	n. 迷宫
*raze	[reiz]	v. 彻底破坏
*graze	[greiz]	v.(动物)吃(地上长的)草；放牧
*squeeze	[skwiːz]	v. 压，挤；n. 压榨，紧握
*frieze	[friːz]	n.(在墙顶与天花板间起装饰作用的)横条，饰带
*trapeze	[trəˈpiːz]	n. 高空秋千
*maize	[meiz]	n. 玉米
ostracize	[ˈɔstrəsaiz]	v. 放逐；排斥
*publicize	[ˈpʌblisaiz]	v. 宣传，引人注意
*oxidize	[ˈɔksi,daiz]	v. 氧化，生锈
*aggrandize	[əˈgrændaiz]	v. 增大，扩张；吹棒
jeopardize	[ˈdʒepədaiz]	v. 危及，危害
*apologize	[əˈpɔlədʒaiz]	v. 道歉；辩解
*eulogize	[ˈjuːlədʒaiz]	v. 称赞，颂扬
vandalize	[ˈvændlaiz]	v. 肆意破坏
specialize	[ˈspeʃəlaiz]	v. 专门研究
materialize	[məˈtiəriəlaiz]	v. 赋予形体，使具体化；实现
penalize	[ˈpenəlaiz]	v. 置(某人)于不利地位；处罚
*externalize	[eksˈtəːnə,laiz]	v. 使…表面化
generalize	[ˈdʒenərəlaiz]	v. 归纳
*demoralize	[diˈmɔrəlaiz]	v. 使士气低落
*neutralize	[ˈnjuːtrəlaiz]	v. 使无效；中和
*vitalize	[ˈvaitəlaiz]	v. 激发活力
revitalize	[ˈriːˈvaitəlaiz]	v. 使重新充满活力
tantalize	[ˈtæntəlaiz]	v. 挑惹，挑逗

*sterilize	['sterilaiz] v. 使不育;杀菌
*fossilize	['fɔsilaiz] v. 使…成为化石;使…过时
*fertilize	['fə:tilaiz] v. 受精,受粉;施肥
*utilize	[ju:'tilaiz] v. 利用,使用
*minimize	['minimaiz] v. 把…减至最低数量或程度
victimize	['viktimaiz] v. 使受害,迫害
*maximize	['mæksmaiz] v. 使增至最大限度
*epitomize	[i'pitəmaiz] v. 概括,摘要
*galvanize	['gælvənaiz] v. 电镀;通电;激励
*homogenize	[hə'mɔcdʒənaiz] v. 使均匀;使一致
*scrutinize	['skrutinaiz] v. 详细检查;细读
*antagonize	[æn'tægənaiz] v. 使对抗;与…对抗
*lionize	['laiənaiz] v. 崇拜;看重
*colonize	['kɔlənaiz] v. 建立殖民地
*patronize	['pætrənaiz] v. 以高人一等的态度对待;光顾,惠顾
*immunize	[i'mju(:)naiz] v. 使免疫
plagiarize	['pleidʒiəraiz] v. 剽窃,抄袭
*polarize	['pəuləraiz] v. 使…两极分化
*particularize	[pə'tikjuləraiz] v. 详述,列举
characterize	['kæriktəraiz] v. 描述或刻画…的特点
*cauterize	['kɔ:təraiz] v.（用腐蚀性物质或烙铁）烧灼（表皮组织）以消毒或止血
*pulverize	['pʌlvəraiz] v. 压成细粉;彻底击败
*satirize	['sætiraiz] v. 讽刺
*vaporize	['veipəraiz] v.（使）蒸发
temporize	['tempəraiz] v. 拖延;见风使舵
*extemporize	[eks'tempəraiz] v. 即席演说
pasteurize	['pæstəraiz] v. 加热杀菌,消毒
schematize	['ski:mətaiz] v. 扼要表示
*stigmatize	['stigmətaiz] v. 污蔑,玷污
*amortize	[ə'mɔ:taiz] v. 分期偿还

核
心
词
汇

83

proselytize	['prɔsilitaiz] v. 使…皈依
*analyze	['ænəlaiz] v. 分析,分解

F

loaf	[ləuf] n. 一条(面包); v. 虚度光阴
*chef	[ʃef] n. 厨师
*debrief	[di'bri:f] v. 向…询问情况,听取汇报
*grief	[gri:f] n. 忧伤,悲伤
*chaff	[tʃɑ:f] n. 谷物的皮壳,米糠
*quaff	[kwɑ:f, kwɔf] v. 痛饮,畅饮
whiff	[(h)wif] v./n. 轻吹,轻风
*skiff	[skif] n. 轻舟,小船
miff	[mif] n. 小争吵
*tariff	['tærif] n. 关税
*sheriff	['ʃerif] n. 警长,县治安官
*tiff	[tif] n. 吵嘴,呕气
plaintiff	['pleintif] n. 原告
*stiff	[stif] adj. 僵直的,呆板的;严厉的
scoff	[skɔf] v. 嘲笑;狼吞虎咽; n. 嘲笑,笑柄
*doff	[dɔf] v. 脱掉
*rebuff	[ri'bʌf] v. 断然拒绝
scuff	[skʌf] v. 拖着脚走
foodstuff	['fu:dstʌf] n. 食料,食品
motif	[məu'ti:f] n. (作品)主题,主旨
pelf	[pelf] n. 钱财;不义之财
*engulf	[in'gʌlf] v. 吞噬
*hoof	[hu:f] n. (牛马的)蹄
*aloof	[ə'lu:f] adj. 冷淡的,疏远的
spoof	[spu:f] v. 揶揄,嘲讽
*reproof	[ri'pru:f] n. 责斥,责备

*foolproof	['fu:lpru:f] *adj.* 容易懂的,简易而不会误用的
*disproof	['dispru:f] *n.* 反证,反驳
*scarf	[ska:f] *n.* 围巾,披肩
*dwarf	[dwɔ:f] *n.* 侏儒;矮小的植物;*v.* 使变矮小

G

windbag	['windbæg] *n.* 饶舌之人
*lag	[læg] *v.* 落后,滞留
*flag	[flæg] *v.* 减弱,衰退;枯萎
*slag	[slæg] *n.* 炉渣,矿渣
*nag	[næg] *v.* 唠叨;烦扰
*rag	[ræg] *n.* 旧布,碎布;破旧衣服
*brag	[bræg] *v.* 吹嘘
tag	[tæg] *n.* 鞋带;附属物;标签
*wag	[wæg] *v.* (狗尾巴等)摆动;*n.* 诙谐幽默者
zigzag	['zigzæg] *n./adj.* 之字形(的);*v.* 弯弯曲曲地行进
fig	[fig] *n.* 无花果;一点儿
rig	[rig] *v.* 欺骗,舞弊,伪造
sprig	[sprig] *n.* 嫩枝,小枝
*twig	[twig] *n.* 小枝,嫩枝
*fang	[fæŋ] *n.* (毒蛇的)尖牙
pang	[pæŋ] *n.* 一阵剧痛
bracing	['breisiŋ] *adj.* 令人振奋的
entrancing	[in'tra:nsiŋ] *adj.* 使人入神的
piercing	['piəsiŋ] *adj.* (寒风)刺骨的;敏锐的
*padding	['pædiŋ] *n.* 衬垫;填料
*forbidding	[fə'bidiŋ] *adj.* (表情)冷峻的;形势险恶的

核心词汇

85

overriding	[ˌəuvəˈraidiŋ] adj. 最主要的,优先的
scalding	[ˈskɔːldiŋ] adj. 滚烫的
*yielding	[ˈjiːldiŋ] adj. 弯曲自如的;柔顺的
*molding	[ˈməuldiŋ] n. 装饰线条;铸造物
*demanding	[diˈmɑːndiŋ] adj. 苛刻的,过分要求的
condescending	[kɔndiˈsendiŋ] adj. 谦逊的,故意屈尊的
pending	[ˈpendiŋ] adj. 即将发生的;未决的
*impending	[imˈpendiŋ] adj. 行将发生的,逼近的
heartrending	[ˈhɑːtrendiŋ] adj. 令人心碎的
winding	[ˈwaindiŋ] adj. 蜿蜒的,迂回的
rewarding	[riˈwɔːdiŋ] adj. 有益的,值得做的
*engaging	[inˈgeidʒiŋ] adj. 迷人的,美丽动人的
*ungrudging	[ˌʌnˈgrʌdʒiŋ] adj. 慷慨的
flagging	[ˈflægiŋ] adj. 下垂的;衰弱的
obliging	[əˈblaidʒiŋ] adj. 恳切的,热心助人的
*cringing	[ˈkrindʒiŋ] n./adj. 诌媚(的),奉承(的)
*longing	[ˈlɔŋiŋ] n. 渴望
far-reaching	[fɑːˈriːtʃiŋ] adj. 影响深远的
etching	[ˈetʃiŋ] n. 蚀刻术;蚀刻板画
perishing	[ˈperiʃiŋ] adj. 严寒的
*ravishing	[ˈræviʃiŋ] adj. 令人陶醉的
*scathing	[ˈskeiðiŋ] adj. 苛刻的,严厉的
sneaking	[ˈsniːkiŋ] adj. 秘密的,不公开的
taking	[ˈteikiŋ] adj. 楚楚动人的
*painstaking	[ˈpeinsteikiŋ] adj. 煞费苦心的
*interlocking	[ˌintə(ː)ˈlɔkiŋ] adj. 连锁的
striking	[ˈstraikiŋ] adj. 引人注目的,明显的
*dealing	[ˈdiːliŋ] n. 生意行为;作风
*revealing	[riˈviːliŋ] adj. 暴露的,裸露的;揭露性的
sibling	[ˈsibliŋ] n. 兄弟或姊妹
*cling	[kliŋ] v. 紧抓住;舍不得放弃

核心词汇

86

piddling	['pidliŋ] *adj.* 琐碎的,微不足道的
seedling	['si:dliŋ] *n.* 幼苗
*grueling	['gruəliŋ] *adj.* 繁重而累人的
*fledgling	['fledʒliŋ] *n.* 正在学习飞行的幼鸟;无经验的人
unfailing	[ʌn'feiliŋ] *adj.* 无尽的,无穷的
duckling	['dʌkliŋ] *n.* 雏鸭,小鸭
*inkling	['iŋkliŋ] *n.* 暗示,迹象;略知,模糊概念
enthralling	[in'θrɔ:liŋ] *adj.* 迷人的,吸引人的
*compelling	[kəm'peliŋ] *adj.* 引起兴趣的
telling	['teliŋ] *adj.* 有效的;显著的
*dwelling	['dweliŋ] *n.* 住处
*underling	['ʌndəliŋ] *n.* 下属,手下
*quisling	['kwizliŋ] *n.* 卖国贼,内奸
*unsettling	[ʌn'setliŋ] *adj.* 令人不安的,扰乱的,使窘困的
sprawling	['sprɔ:liŋ] *adj.* 植物蔓生的,(城市)无计划地扩展的
*unbecoming	[ˌʌnbi'kʌmiŋ] *adj.* 不合身的;不得体的
blooming	['blu:miŋ] *adj.* 有花的;精力旺盛的
*unassuming	[ˌʌnə'sju:miŋ] *adj.* 不摆架子的,不造作的
*nonthreatening	[ˌnɔn'θretəniŋ] *adj.* 不威胁的
*unthreatening	[ʌn'θretəniŋ] *adj.* 不威胁的
enlightening	[in'laitniŋ] *adj.* 有启迪作用的;使人领悟的
*cunning	['kʌniŋ] *adj.* 善于骗人的;灵巧的; *n.* 欺诈行为
stunning	['stʌniŋ] *adj.* 极富魅力的
*seasoning	['si:zniŋ] *n.* 调味品,佐料
*discerning	[di'sə:niŋ] *adj.* 识别力强的
awning	['ɔ:niŋ] *n.* 遮阳蓬,雨蓬
*outgoing	['autɡəuiŋ] *adj.* 友善的;即将离去的

核心词汇

gripping	['gripiŋ] *adj.*	引人注意的
sopping	['sɔpiŋ] *adj.*	浑身湿透的
*grasping	['grɑ:spiŋ] *adj.*	贪心的，贪婪的
bearing	['bɛəriŋ] *n.*	关系；意义；方位
*overbearing	[,əuvə'bɛəriŋ] *adj.*	专横的，独断的
endearing	[in'diəriŋ] *adj.*	讨人喜欢的
sparing	['spɛəriŋ] *adj.*	节俭的
*bewildering	[bi'wildəriŋ] *adj.*	令人迷惑的；费解的
rendering	['rendəriŋ] *n.*	演出；翻译
hankering	['hæŋkəriŋ] *n.*	渴望
sweltering	['sweltəriŋ] *adj.*	酷热的
*blustering	['blʌstəriŋ] *adj.*	大吵大闹的
smattering	['smætəriŋ] *n.*	略知；少数
overpowering	[əuvə'pauriŋ] *adj.*	压倒性的，不可抗拒的
awe-inspiring	[ɔ:,in'spaiəriŋ] *adj.*	令人敬畏的
retiring	[ri'taiəriŋ] *adj.*	隐居的，不喜欢社交的
*boring	['bɔ:riŋ] *adj.*	无趣的，乏味的
*offspring	['ɔfspriŋ] *n.*	儿女，后代
*earring	['iəniŋ] *n.*	耳环，耳饰
jarring	['dʒɑ:riŋ] *adj.*	声音刺耳的
*sparring	['spɑ:riŋ] *n.*	拳击，争斗
*enduring	[in'djuəriŋ] *adj.*	持续的
*alluring	[ə'ljuəriŋ] *adj.*	吸引人的，迷人的
imposing	[im'pəuziŋ] *adj.*	壮丽的，雄伟的
*pressing	['presiŋ] *adj.*	紧迫的，迫切的；恳切要求的
*unprepossessing	[ʌnpri:pə'zesiŋ] *adj.*	不吸引人的
accommodating	[ə'kɔmədeitiŋ] *adj.*	乐于助人的
ingratiating	[in'greiʃieitiŋ] *adj.*	讨好的，谄媚的
*calculating	['kælkjuleitiŋ] *adj.*	深谋远虑的，精明的
*grating	['greitiŋ] *adj.*	（声音）刺耳的；恼人的

核心词汇

*invigorating	[in'vigəreitiŋ] *adj.*	使人有精神的,使人健壮的
*exacting	[ig'zæktiŋ] *adj.*	苛求的;要求严格的
*fleeting	['fli:tiŋ] *adj.*	短暂的,飞逝的
riveting	['rivitiŋ] *adj.*	非常精彩的
*halting	['hɔ:ltiŋ] *adj.*	蹒跚的;吞吞吐吐的
*relenting	[ri'lentiŋ] *adj.*	减弱的;怜悯的
*unstinting	[ʌn'stintiŋ] *adj.*	极为慷慨的,大方的
*vaunting	['vɔ:ntiŋ] *adj.*	吹嘘的
*doting	['dəutiŋ] *adj.*	溺爱的
*sting	[stiŋ] *v.*	刺痛;叮螫; *n.* 螫刺
*lasting	['lɑ:stiŋ] *adj.*	持久的,永久的
*arresting	[ə'restiŋ] *adj.*	显著的,引人注意的
earsplitting	['iə,splitiŋ] *adj.*	震耳欲聋的
unremitting	[ʌnri'mitiŋ] *adj.*	不间断的,持续的
*unwitting	[,ʌn'witiŋ] *adj.*	无心的,不经意的
*craving	['kreiviŋ] *n.*	强烈的愿望
*misgiving	[mis'giviŋ] *n.*	担心,疑虑
*glowing	['gləuiŋ] *adj.*	热情赞扬的
harrowing	['hærəuiŋ] *adj.*	悲痛的,难受的
*swing	[swiŋ] *v.*	摇摆;旋转; *n.* 秋千
upswing	['ʌpswiŋ] *n.*	上升,增长
taxing	['tæksiŋ] *adj.*	繁重的
underlying	[ʌndə'laiiŋ] *adj.*	在下面的;根本的
*cloying	['klɔiiŋ] *adj.*	甜得发腻的
vying	['vaiiŋ] *adj.*	竞争的
*appetizing	['æpitaiziŋ] *adj.*	美味可口的,促进食欲的
*gong	[gɔŋ] *n.*	锣
headlong	['hedlɔŋ] *adj./adv.*	轻率的(地),迅猛的(地)
*prolong	[prə'lɔŋ] *v.*	延长,拉长
throng	[θrɔŋ] *n.*	一大群; *v.* 拥挤

核心词汇

89

*headstrong	['hedstrɒŋ] *adj.* 刚愎自用的	
*rung	[rʌŋ] *n.* 梯子横挡,梯级	
bog	[bɒg] *n.* 沼泽;*v.* 使…陷入泥沼	
hangdog	['hæŋdɒg] *adj.* 忧愁的;低贱的	
*underdog	['ʌndədɒg] *n.* 受欺负者,弱者	
*agog	[ə'gɒg] *adj.* 兴奋的,有强烈兴趣的	
*jog	[dʒɒg] *v.* 慢而平静地前进	
*log	[lɒg] *n. /v.* 日志,记录;*n.* 一段大木头;圆木	
*catalog	['kætəlɒg] *n.* 目录;系列	
clog	[klɒg] *n.* 障碍;*v.* 阻塞	
lug	[lʌg] *v. /n.* 拖,拉	
*earplug	['iəplʌg] *n.* 耳塞	
*smug	[smʌg] *adj.* 自满的,自命不凡的	
*snug	[snʌg] *adj.* 温暖的,舒适的	
*shrug	[ʃrʌg] *v.* 耸肩(表示怀疑等)	

核心词汇

H

pariah	['pæriə] *n.* 贱民,被社会遗弃者	
*bleach	[bli:tʃ] *v.* 漂白	
*impeach	[im'pi:tʃ] *v.* 指责;弹劾	
*breach	[bri:tʃ] *n.* 裂缝,缺口;*v.* 打破,裂开;违背	
*preach	[pri:tʃ] *v.* 传教,讲道	
*overreach	[,əuvə'ri:tʃ] *v.* 做事过头	
*stomach	['stʌmək] *v.* 吃得下;容忍	
*broach	[brəutʃ] *v.* 开瓶;提出(讨论)	
*encroach	[in'krəutʃ] *v.* 侵占,蚕食	
*reproach	[ri'prəutʃ] *n.* 谴责,责骂	
*approach	[ə'prəutʃ] *v.* 接近,靠近;着手处理;*n.* 方法	

*detach	[di'tætʃ]	v. 分离,分遣
*attach	[ə'tætʃ]	v. 将某物系在(另一物)上
*ostrich	['ɔstritʃ]	n. 鸵鸟;不接受现实的人
*squelch	[skweltʃ]	v. 压制,镇压
blanch	[blɑ:ntʃ]	v. 使变白;使(脸色)变苍白
*stanch	[stɑ:ntʃ]	v. 制止(血液),止住
*bench	[bentʃ]	n. 法官席;长凳
*drench	[drentʃ]	v. 使湿透
retrench	[ri'trentʃ]	v. 节省,紧缩费用
*wrench	[rentʃ]	v. 扭,拧;n. 板钳,扳手
stench	[stentʃ]	n. 臭气,恶臭
*quench	[kwentʃ]	v. 熄灭(火);抑制(欲望)
inch	[intʃ]	v. 慢慢前进,慢慢移动
*clinch	[klintʃ]	v. 钉牢;彻底解决
*flinch	[flintʃ]	v. 畏缩,退缩
*pinch	[pintʃ]	v. 捏,掐;n. 一撮,一点
hunch	[hʌntʃ]	n. 直觉,预感
*punch	[pʌntʃ]	v. 以拳猛击;打洞
epoch	['i:pɔk]	n. 纪元;重大的事件
*arch	[ɑ:tʃ]	n. 拱门,拱形;v. 使…成弓形
*monarch	['mɔnək]	n. 君主,帝王
*parch	[pɑ:tʃ]	v. 烘烤;烤焦
perch	[pə:tʃ]	v. (鸟)栖息
besmirch	[bi'smə:tʃ]	v. 诽谤
*scorch	[skɔ:tʃ]	v. 烤焦,烧焦
*lurch	[lə:tʃ]	n. 突然向前或旁边倒;v. 蹒跚而行
batch	[bætʃ]	n. 一批,一炉
*hatch	[hætʃ]	n. 船舱盖;v. 孵化
thatch	[θætʃ]	v. 以茅草覆盖;n. 茅草屋顶,茅草
*snatch	[snætʃ]	n./v. 强夺,攫取
*patch	[pætʃ]	n. 补丁;一小片(土地)

*dispatch	[dis'pætʃ]	v. 派遣;一下子做完;吃完; n. 迅速
*etch	[etʃ]	v. 蚀刻;铭记
*stretch	[stretʃ]	v. 变长;伸展
glitch	[glitʃ]	n. 小故障
*snitch	[snitʃ]	v. 告密;偷
*pitch	[pitʃ]	n. 沥青,柏油;音调
*stitch	[stitʃ]	n.(缝纫时的)一针,一钩;v. 缝合
*scotch	[skɔtʃ]	v. 镇压,粉碎
*blotch	[blɔtʃ]	n.(皮肤上的)红斑点;(墨水等)大斑点
*notch	[nɔtʃ]	n. V 字形刻痕
crutch	[krʌtʃ]	n. 拐杖;v. 支撑
debouch	[di'bautʃ]	v. 流出,进入(开阔地区)
*slouch	[slautʃ]	n. 没精打采的样子;v. 没精打采地坐(站、走)
*crouch	['krautʃ]	v. 蹲伏,弯腰
*grouch	[grautʃ]	n. 牢骚,不满
*retouch	[ri:'tʌtʃ]	v. 修描;润色
vouch	[vautʃ]	v. 担保,证明
sleigh	[slei]	n.(马拉的)雪橇
inveigh	[in'vei]	v. 痛骂,抨击
*plough	[plau]	n. 犁;v. 犁地
*slough	[slau]	v.(蛇等)蜕皮;n.(蛇等的)蜕皮
*epitaph	['epitɑ:f]	n. 墓志铭
*triumph	['traiəmf]	v./n. 凯旋,胜利;欢欣
*hieroglyph	['haiərəglif]	n. 象形文字,图画文字
petroglyph	['petrəglif]	n. 岩石雕刻
*abash	[ə'bæʃ]	v. 使害羞,使尴尬
*unleash	[ˌʌn'li:ʃ]	v. 发泄,释放
gash	[gæʃ]	n. 深长的伤口,裂缝
lash	[læʃ]	n. 鞭子;v. 鞭打;捆住
*clash	[klæʃ]	v. 冲突,撞击

核心词汇

*mash	[mæʃ] v. 捣成糊状
brash	[bræʃ] adj. 性急的；无礼的
*sash	[sæʃ] n. 肩带
quash	[kwɔʃ] v. 镇压；取消
squash	[skwɔʃ] v. 压碎，挤压；n. 南瓜
mesh	[meʃ] v. 用网捕捉；齿合
*enmesh	[in'meʃ] v. (通常被动)绊住，陷入网
*refresh	[ri'freʃ] v. 消除…的疲劳，使精神振作
*snobbish	['snɔbiʃ] adj. 势利眼的；假充绅士的
*refurbish	[ˌriːˈfəːbiʃ] v. 刷新；擦亮
faddish	['fædiʃ] adj. 流行一时的，时尚的
*outlandish	[aut'lændiʃ] adj. 古怪的
brandish	['brændiʃ] v. (威胁性地)挥舞
*modish	['məudiʃ] adj. 时髦的
*prudish	['pruːdiʃ] adj. 过分守礼的；假道学的
raffish	['ræfiʃ] adj. 粗俗的；俗艳的
offish	['ɔːfiʃ] adj. 冷淡的
waggish	['wægiʃ] adj. 诙谐的，滑稽的
rakish	['reikiʃ] adj. 潇洒的；放荡的
puckish	['pʌkiʃ] adj. 淘气的
mawkish	['mɔːkiʃ] adj. 自作多情的；淡而无味的；令人作呕的
relish	['reliʃ] n. 味道；喜好，v. 喜好，享受
*ticklish	['tikliʃ] adj. 怕痒的；易怒的
*embellish	[im'beliʃ] v. 装饰，润饰
abolish	[ə'bɔliʃ] v. 废止，废除(法律、制度、习俗等)
*demolish	[di'mɔliʃ] v. 破坏，拆除
*polish	['pɔliʃ] v. 把…擦光亮，磨光；n. 上光剂；(态度等)优雅
*accomplish	[ə'kɔmpliʃ] v. 完成，做成功
mulish	['mjuːliʃ] adj. 骡一样的，执拗的

*famish	['fæmiʃ]	v. 使饥饿
*blemish	['blemiʃ]	v. 损害;玷污;n. 瑕疵,缺点
*skirmish	['skə:miʃ]	n. 小战,小争吵
banish	['bæniʃ]	v. 放逐某人
replenish	[ri'pleniʃ]	v. 补充,再装满
clannish	['klæniʃ]	adj. 排他的,门户之见的
*admonish	[əd'mɔniʃ]	v. 训诫;警告
*garnish	['ɡɑ:niʃ]	v. 装饰
*tarnish	['tɑ:niʃ]	n. /v. 失去光泽,晦暗
*varnish	['vɑ:niʃ]	n. 清漆;v. 涂上清漆
*burnish	['bə:niʃ]	v. 擦亮,磨光
*foppish	['fɔpiʃ]	adj. 浮华的,俗丽的
*garish	['ɡæriʃ]	adj. 俗丽的,过于艳丽的
*perish	['periʃ]	v. 死,暴卒
*impoverish	[im'pɔveriʃ]	v. 使成赤贫
amateurish	[ˌæmə'tə:riʃ]	adj. 业余爱好的;不熟练的
*flourish	['flʌriʃ]	v. 昌盛,兴旺;活跃而有影响
*nourish	['nʌriʃ]	v. 滋养;怀有(希望等)
*coltish	['kəultiʃ]	adj. 似小马的;不受拘束的
*loutish	['lautiʃ]	adj. 粗鲁的
*anguish	['æŋgwiʃ]	n. 极大痛苦
*languish	['læŋgwiʃ]	v. 变得消瘦;衰弱
*extinguish	[iks'tiŋgwiʃ]	v. 使…熄灭;使…不复存在
*vanquish	['væŋkwiʃ]	v. 征服
*relinquish	[ri'liŋkwiʃ]	v. 放弃,废除
*lavish	['læviʃ]	adj. 浪费的;丰富的
*peevish	['pi:viʃ]	adj. 坏脾气的,易怒的
*harsh	[hɑ:ʃ]	adj. 严厉的;粗糙的;刺耳的
*marsh	[mɑ:ʃ]	n. 沼泽地,湿地
*ambush	['æmbuʃ]	v. 埋伏;伏击
*gush	[gʌʃ]	v. 涌出;滔滔不绝地说

核心词汇

94

*hush	[hʌʃ] v. /n. 肃静，安静	
*lush	[lʌʃ] adj. 繁茂的，茂盛的	
*blush	[blʌʃ] v. 因某事物脸红；n. 因羞愧等脸上泛出的红晕	
*flush	[flʌʃ] n. /v. 脸红；奔流；冲洗	
*plush	[plʌʃ] adj. 豪华的	
sheath	[ʃi:θ] n. (刀、剑)鞘、套	
bequeath	[bi'kwi:ð] v. 遗赠	
*oath	['əuθ] n. 誓言；咒骂	
*loath	[ləuθ] adj. 不情愿的，勉强的	
*breadth	[bredθ] n. 宽度	
*silversmith	['silvəsmiθ] n. 银匠	
*zenith	['zeniθ] n. 天顶；极点	核
*pith	[piθ] n. 精髓，要点	心
*stealth	[stelθ] n. 秘密的行动	词
commonwealth	['kɔmənwelθ] n. 共和国，联邦	汇
filth	[filθ] n. 肮脏；粗语	
plinth	[plinθ] n. 柱脚，底座	
*labyrinth	['læbərinθ] n. 迷宫	
*sloth	[sləuθ] n. 懒惰；树獭(一种动物)	
mammoth	['mæməθ] adj. 巨大的	
*smooth	[smu:ð] adj. 光滑的；平稳的；v. 弄平，使光滑；消除	
betroth	[bi'trəuð] v. 许配，和…订婚	
*dearth	[də:θ] n. 缺乏，短缺	
*unearth	['ʌn'ə:θ] v. 挖出；发现	
*down-to-earth	[daun tə ə:θ] adj. 实际的	
girth	[gə:θ] n. 腰身；周长	
*mirth	[mə:θ] n. 欢乐，欢笑	
uncouth	[ʌn'ku:θ] adj. 粗野笨拙的	
outgrowth	['autgrəuθ] n. 自然结果；生长物	

I

*alibi	['ælibai] *n.* 某人当时不在犯罪现场的申辩或证明；借口
fungi	['fʌndʒai] *n.* 菌类，蘑菇
alkali	['ælkəlai] *n.* 碱
*potpourri	[pəu'puri(:)] *n.* 混杂；杂文集
*illuminati	[i,lu:mi'nɑ:ti] *n.* 先觉者，智者
*literati	[,litə'rɑ:ti] *n.* 文人；学者（复数）
*ennui	['ɔnwi:] *n.* 倦怠，无聊；*v.* 使无聊

K

核心词汇

*leak	[li:k] *v.* 泄漏；*n.* 泄漏；漏出量；漏洞
*bleak	[bli:k] *adj.* 寒冷的；阴沉的；阴郁的，暗淡的
*peak	[pi:k] *v.* 憔悴，消瘦
*streak	[stri:k] *n.* 线条，条纹；*v.* 加线条
flak	[flæk] *n.* 高射炮；指责
*oak	[əuk] *n.* 橡树
*croak	[krəuk] *n.* 蛙鸣声；*v.* 发牢骚，抱怨
*soak	[səuk] *v.* 浸泡，渗透
*feedback	['fi:dbæk] *n.* （信息的）反馈
setback	['setbæk] *n.* 挫折
throwback	['θrəubæk] *n.* 返祖现象，复旧
*hack	[hæk] *v.* 乱劈，乱砍；*n.* 雇佣文人
*lumberjack	['lʌmbədʒæk] *n.* 伐木工
*slack	[slæk] *adj.* 懒散的，懈怠的；（绳）松弛的；*v.* 松懈，怠惰
knack	[næk] *n.* 特殊能力；窍门
*pack	[pæk] *n.* 狼群；一群动物

*crack	[kræk] n. 爆裂声；裂缝；v. 裂开；破解，破译	
track	[træk] n. 足迹，踪迹；轨道；小道；v. 跟踪	
*quack	[kwæk] n. 冒充内行之人；庸医	
bedeck	[bi'dek] v. 装饰，修饰	
*check	[tʃek] v. 使突然停止，阻止	
peck	[pek] v. 啄食；轻啄	
speck	[spek] n. 斑点；少量	
*slick	[slik] adj. 熟练的；圆滑的；光滑的	
*gimmick	['gimik] n. 吸引人的花招，噱头	
nick	[nik] n. 小伤口；刻痕	
*nitpick	['nitpik] v. 挑剔，吹毛求疵	
goldbrick	['gəuldbrik] v. 逃避责任；偷懒	
*limerick	['limərik] n. 五行打油诗	
*maverick	['mævərik] n. 想法与众不同的人	
*wick	[wik] n. 蜡烛芯，灯芯	
*deadlock	['dedlɔk] n. 相持不下，僵局	
*flock	[flɔk] n. 羊群；鸟群	
interlock	[.intə'lɔk] v. 连锁，连串	
*mock	[mɔk] v. 嘲笑；模仿地嘲弄	
*sock	[sɔk] v. 重击，痛打	
*stock	[stɔk] adj. 普通的；惯用的；n. 存货	
*buck	[bʌk] v. 反对；n. 雄鹿；雄兔	
*shuck	[ʃʌk] n. (植物的)壳，荚；无用之物	
*pluck	[plʌk] n. 在困难面前足智多谋的勇气，胆量；精力；v. 拔毛；弹拉	
*meek	[miːk] adj. 温顺的，顺服的	
reek	[riːk] v. 发臭味；冒烟	
*creek	[kriːk] n. 小湾，小溪	
*shriek	[ʃriːk] v. 尖叫	
*balk	[bɔːlk] n. 大方木料；v. 妨碍；(因困难等)不愿前进或从事某事	
*stalk	[stɔːk] v. 隐伏跟踪(猎物)	

核
心
词
汇

97

*bilk	[bilk] v. 躲债；骗取
*milk	[milk] v. 榨取
*caulk	[kɔ:k] v. 填塞（隙缝使不漏水）
bulk	[bʌlk] n. 体积；数量；大多数；大身躯
hulk	[hʌlk] n. 废船，船壳；笨重之人或物
lank	[læŋk] adj. 瘦削的；长而软的
spank	[spæŋk] v. 打，拍打（在屁股上）
prank	[præŋk] n. 恶作剧，玩笑
brink	[briŋk] n. （峭壁的）边沿，边缘
*shrink	[ʃriŋk] v. 收缩，皱缩
*wink	[wiŋk] v. 使眼色；n. 眨眼
*hoodwink	['hudwiŋk] v. 蒙混，欺骗
debunk	[di:'bʌŋk] v. 揭穿真相，暴露
*chipmunk	['tʃipmʌŋk] n. 花栗鼠（像松鼠的美洲小动物）
*trunk	[trʌŋk] n. 树干；大衣箱
*overlook	[ˌəuvə'luk] v. 忽视；俯视
*brook	[bruk] n. 小河
crook	[kruk] v. 使弯曲；n. 钩状物
*bark	[ba:k] v./n. 狗吠；n. 树皮
debark	[di'ba:k] v. 下船，下飞机，下车；卸载
*lark	[la:k] n./v. 玩乐，嬉耍
*landmark	['lændma:k] n. 陆标；里程碑
*hallmark	['hɔ:lma:k] n. （在金银上的）纯度印记；特征
*spark	[spa:k] n. 火花，火星
*stark	[sta:k] adj. （外表）僵硬的；完全的
jerk	[dʒə:k] n./v. 突然猛拉
*irk	[ə:k] v. 使苦恼，厌烦
*shirk	[ʃə:k] v. 逃避，规避
*smirk	[smə:k] v. 假笑，得意地笑
*quirk	[kwə:k] n. 奇事；怪癖

needlework	['ni:d(ə)lwə:k] n. 缝纫，刺绣	
*lurk	[lə:k] v. 潜伏，埋伏	
*bask	[ba:sk] v. 晒太阳，取暖	
*flask	[fla:sk] n. 烧瓶，细颈瓶	
*mask	[ma:sk] n. 假面具；v. 隐藏(感情)	
*brisk	[brisk] adj. 敏捷的，活泼的；清新健康的	
*asterisk	['æstərisk] n. 星号	
*husk	[hʌsk] n. 外壳；皮，荚	
*tusk	[tʌsk] n. (象)长牙	
*hawk	[hɔ:k] n. 隼，鹰	

L

cabal	[kə'bæl] n. 政治阴谋小集团	
*verbal	['və:bəl] adj. 口头的；与言辞有关的	
*methodical	[mi'θɔdik(ə)l] adj. 细心的，有条不紊的	
*periodical	[.piəri'ɔdikəl] n. 期刊	
*pontifical	[pɔn'tifikəl] adj. 自以为是的；武断的	
*pathological	[.pæθə'lɔdʒikəl] adj. 病态的；病理的	
physiological	[.fiziə'lɔdʒikəl] adj. 生理的；生理学上的	
typographical	[.taipə'græfikəl] adj. 印刷上的	
*cyclical	['siklik(ə)l] adj. 循环的	
diabolical	[daiə'bɔlikəl] adj. 恶毒的，狠毒的	
*polemical	[pə'lemikəl] adj. 挑起论战的	
*inimical	[i'nimikl] adj. 敌意的，不友善的	
*economical	[.i:kə'nɔmikəl] adj. 经济的，节约的	
astronomical	[.æstrə'nɔmik(ə)l] adj. 庞大的	
anatomical	[.ænə'tɔmikəl] adj. 解剖学的	
*mechanical	[mi'kænikl] adj. 机械的，机械制造的；机械似的，呆板的，体力的	
clinical	['klinikəl] adj. 临床的；冷静客观的	

99

*canonical	[kə'nɔnikəl] adj. 符合规定的；经典的
*empirical	[em'pirikəl] adj. 经验的；实证的
categorical	[,kæti'gɔrikəl] adj. 无条件的，绝对的；分类的
*metrical	['metrik(ə)l] adj. 测量的；韵律的
*lackadaisical	[,lækə'deizikəl] adj. 无精打采的；无兴趣的
*whimsical	['(h)wimzikəl] adj. 古怪的，异想天开的
nonsensical	[nɔn'sensikəl] adj. 荒唐的；无意义的
metaphysical	[,metə'fizikəl] adj. 形而上学的，玄学的
*alphabetical	[,ælfə'betikəl] adj. 按字母表顺序的
*hypothetical	[,haipəu'θetikəl] adj. 假设的
*heretical	[hi'retikəl] adj. 异端邪说的
*theoretical	[θiə'retikəl] adj. 不切实际的；理论（上）的
*critical	['kritikəl] adj. 挑毛病的；关键的；危急的
*hypocritical	[,hipə'kritikəl] adj. 虚伪的
elliptical	[i'liptikəl] a. 椭圆的；晦涩的；省略的
vertical	['və:tikəl] adj. 垂直的
*nautical	['nɔ:tikəl] adj. 船员的，航海的
pharmaceutical	[fɑ:mə'sju:tikəl] adj. 制药的
reciprocal	[ri'siprəkəl] adj. 相互的，互惠的
univocal	[,ju:ni'vəukəl] adj. 意思明确的
fiscal	['fiskəl] adj. 国库的，财政的
*medal	['medl] n. 奖牌，勋章
*pedal	['pedl] n. 踏板，脚蹬；v. 骑脚踏车
*scandal	['skændl] n. 丑闻；恶意诽谤
*sandal	['sændl] n. 凉鞋，拖鞋
*conceal	[kən'si:l] v. 隐藏，隐瞒
*ordeal	[ɔ:'di:l] n. 严峻考验；痛苦经验
*congeal	[kən'dʒi:l] v. 冻结，凝固
*heal	[hi:l] v. 治愈
*repeal	[ri'pi:l] v. 废除（法律）

核心词汇

*appeal	[ə'pi:l] v. 恳求；吸引；上诉
cereal	['siəriəl] n. 谷类；谷类食品
*sidereal	[sai'diəriəl] adj. 恒星的
ethereal	[i'θiəriəl] adj. 太空的；轻巧的
*arboreal	[ɑ:'bɔ:riəl] adj. 树木的
*corporeal	[kɔ:'pɔ:riəl] adj. 肉体的，身体的；物质的
empyreal	[ˌempai'ri:əl] adj. 天空的
*illegal	[i'li:gəl] adj. 违法的
*prodigal	['prɔdigəl] adj. 挥霍的；n. 挥霍者
*madrigal	['mɑ:drigəl] n. 抒情短诗；情歌；合唱曲
*frugal	['fru:gəl] adj. 节约的，节俭的
*apocryphal	[ə'pɔkrif(ə)l] adj. 假冒的，虚假的
marshal	['mɑ:ʃəl] v. 整理，安排；设置
lethal	['li:θəl] adj. 致命的
*glacial	['gleisjəl] adj. 冰期的，冰河期的；寒冷的
judicial	[dʒu(:)'diʃəl] adj. 法庭的，法官的
*artificial	[ˌɑ:ti'fiʃəl] adj. 人造的，假的
*superficial	[ˌsju:pə'fiʃəl] adj. 表面的，肤浅的
*provincial	[prə'vinʃəl] adj. 偏狭的；粗俗的
*crucial	['kru:ʃiəl] adj. 决定性的
*vestigial	[ves'tidʒiəl] adj. 退化的
*genial	[dʒi'naiəl] adj. 愉快的；脾气好的
congenial	[kən'dʒi:njəl] adj. 意气相投的；性情好的
venial	['vi:niəl] adj. （错误等）轻微的，可原谅的
*perennial	[pə'renjəl] adj. 终年的；永久的
marsupial	[mɑ:'sju:pjəl] n. /adj. 有袋（目）动物（的）
aerial	['ɛəriəl] adj. 空中的，空气中的
imperial	[im'piəriəl] adj. 帝王的，至尊的

核心词汇

101

核心词汇

*serial	['siəriəl] adj. 连续的,一系列的
*magisterial	[ˌmædʒis'tiəriəl] adj. 有权威的;威风的
*memorial	[mi'mɔːriəl] n. 纪念碑,纪念物;adj. 纪念的,悼念的
immemorial	[ˌimi'mɔːriəl] adj. 太古的,极古的
tonsorial	[tɔn'sɔːriəl] adj. 理发师的;理发的
pictorial	[pik'tɔːriəl] adj. 绘画的;有图片的,用图片表示的
*sartorial	[sɑː'tɔːriəl] adj. 裁缝的;缝制的
*reportorial	[ˌrepə'tɔːriəl] adj. 记者的;记实的
*terrestrial	[ti'restriəl] adj. 地球的;陆地的
*burial	['beriəl] n. 埋葬;埋藏
*mercurial	[məː'kjuəriəl] adj. 善变的;活泼的
*controversial	[ˌkɔntrə'vəːʃəl] adj. 引起或可能引起争论的
palatial	[pə'leiʃəl] adj. 宫殿般的;宏伟的
spatial	['speiʃəl] adj. 有关空间的,在空间的
initial	[i'niʃəl] adj. 开始的,最初的; n. (姓名的)首字母
*substantial	[səb'stænʃəl] adj. 坚固的,结实的;实质的
insubstantial	[ˌinsəb'stænʃəl] adj. 非实体的;薄弱的
circumstantial	[ˌsəːkəm'stænʃəl] adj. 不重要的;偶然的;描述详细的
*confidential	[ˌkɔnfi'denʃəl] adj. 机密的
providential	[ˌprɔvi'denʃəl] adj. 幸运的;恰到好处的
*tangential	[tæn'dʒenʃ(ə)l] adj. 切线的;离题的
deferential	[ˌdifə'renʃəl] adj. 顺从的,恭顺的
torrential	[tɔ'renʃəl] adj. 奔流的,洪流的
*essential	[i'senʃəl] adj. 本质的; n. 要素;实质
*potential	[pə'tenʃ(ə)l] adj. 潜在的,有可能性的
existential	[ˌegzis'tenʃəl] adj. 有关存在的;存在主义的
*sequential	[si'kwinʃəl] adj. 连续的,一连串的

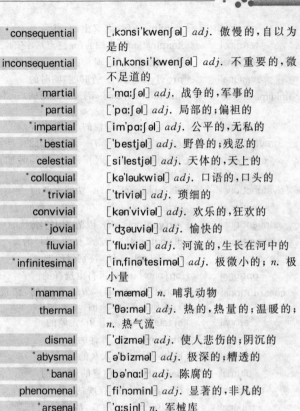

*consequential	[ˌkɔnsiˈkwenʃəl] adj. 傲慢的，自以为是的
*inconsequential	[inˌkɔnsiˈkwenʃəl] adj. 不重要的，微不足道的
*martial	[ˈmɑːʃəl] adj. 战争的，军事的
*partial	[ˈpɑːʃəl] adj. 局部的；偏袒的
*impartial	[imˈpɑːʃəl] adj. 公平的，无私的
*bestial	[ˈbestjəl] adj. 野兽的；残忍的
celestial	[siˈlestjəl] adj. 天体的，天上的
*colloquial	[kəˈləukwiəl] adj. 口语的，口头的
*trivial	[ˈtriviəl] adj. 琐细的
convivial	[kənˈviviəl] adj. 欢乐的，狂欢的
*jovial	[ˈdʒəuviəl] adj. 愉快的
fluvial	[ˈfluːviəl] adj. 河流的，生长在河中的
*infinitesimal	[inˌfinəˈtesiməl] adj. 极微小的；n. 极小量
*mammal	[ˈmæməl] n. 哺乳动物
thermal	[ˈθəːməl] adj. 热的，热量的；温暖的；n. 热气流
dismal	[ˈdizməl] adj. 使人悲伤的；阴沉的
*abysmal	[əˈbizməl] adj. 极深的；糟透的
*banal	[bəˈnɑːl] adj. 陈腐的
phenomenal	[fiˈnɔminl] adj. 显著的，非凡的
*arsenal	[ˈɑːsinl] n. 军械库
*venal	[ˈviːnl] adj. 惟利是图的，贪赃枉法的
*signal	[ˈsignl] n. 信号；v. 发信号；adj. 显著的
*cardinal	[ˈkɑːdinəl] adj. 最重要的；n. 红衣主教
*original	[əˈridʒənəl] adj. 最初的，原始的；有创意的
*marginal	[ˈmɑːdʒinəl] adj. 书页空白处的；不重要的
*seminal	[ˈsiːminl] adj. 有创意的
*subliminal	[sʌbˈliminl] adj. 潜意识的

核
心
词
汇

103

*nominal	['nɔminl] adj. 名义上的,有名无实的
*terminal	['tə:minl] adj. 末端的;n.终点站,终端
*diagonal	[dai'ægənl] adj. 对角的;n. 对角线
*provisional	[prə'viʒənl] adj. 暂时的,临时的
unidimensional	['ju:nidi'menʃənl] adj. 一方面的;一维的
*rational	['ræʃənl] adj. 理性的;合理的
gravitational	[,grævi'teiʃənl] adj. 万有引力的
*functional	['fʌŋkʃənl] adj. 起作用的,能运转的;实用的
*dysfunctional	[dis'fʌŋkʃənəl] adj. 功能失调的
*intentional	[in'tenʃənəl] adj. 存心的,故意的
*conventional	[kən'venʃənl] adj. 因循守旧的,传统的
*devotional	[di'vəuʃənəl] adj. 献身的;崇拜的
*exceptional	[ik'sepʃənl] adj. 特别(好)的
*optional	['ɔpʃənəl] adj. 可自由选择的
constitutional	[,kɔnsti'tju:ʃənl] adj. 章程的,法规的;素质上的;本质的
*atonal	[ei'təunl] adj. (音乐)无调的
maternal	[mə'tə:nl] adj. 母性的
eternal	[i(:)'tə:nl] adj. 永久的,永恒的
*diurnal	[dai'ə:nl] adj. 白昼的,白天的
*nocturnal	[nɔk'tə:nl] adj. 夜晚的;夜间发生的
*tribunal	[trai'bju:nl] n. 法庭,裁判所
communal	['kɔmjunl] adj. 全体共用的,共享的
*shoal	[ʃəul] n. 浅滩,浅水处;一群(鱼等);adj. 水浅的
*principal	['prinsəp(ə)l] adj. 主要的,重要的
cerebral	['seribrəl] adj. 大脑的;深思的
cathedral	[kə'θi:drəl] n. 总教堂,主教堂
*feral	['fiərəl] adj. 凶猛的,野的
*peripheral	[pə'rifərəl] adj. 不重要的;外围的
*ephemeral	[i'femərəl] adj. 朝生暮死的;生命短暂的

*lateral	['lætərəl]	adj. 侧面的
*collateral	[kə'lætərəl]	adj. 平行的;旁系的; n. 担保品
*literal	['litərəl]	adj. 字面上的;忠实原义的;精确的
*integral	['intigrəl]	adj. 构成整体所必需的;完整的
sepulchral	[si'pʌlkrəl]	adj. 坟墓的;阴深的
*viral	['vairəl]	adj. 病毒性的
temporal	['tempərəl]	adj. 时间的;世俗的
*pastoral	['pɑːstərəl]	adj. 田园生活的;宁静的
*corral	[kɔ'rɑːl]	n. (牛、马等)畜栏
spectral	['spektrəl]	adj. 幽灵的
inaugural	[i'nɔːgjurəl]	adj. 就职的;开幕的
*mural	['mjuərəl]	adj. 墙壁的; n. 壁画
*rural	['ruərəl]	adj. 乡村的
*preternatural	[ˌpriːtə(ː)'nætʃərəl]	adj. 异常的;超自然的
reprisal	[ri'praizəl]	n. (政治或军事的)报复
*proposal	[prə'pəuzəl]	n. 提案,建议
*disposal	[dis'pəuzəl]	n. 清除,处理
*rehearsal	[ri'həːsəl]	n. 排演,演习
dorsal	['dɔːsəl]	adj. 背部的
colossal	[kə'lɔsl]	adj. 巨大的,庞大的
causal	['kɔːzəl]	adj. 原因的,因果关系的
espousal	[is'pəuzəl]	n. 拥护,支持
*fatal	['feitl]	adj. 致命的;灾难性的
natal	['neitəl]	adj. 出生的,诞生时的
*petal	['petl]	n. 花瓣
*recital	[ri'saitl]	n. 独奏;吟诵
marital	['mæritl]	adj. 婚姻的
*vital	['vaitl]	adj. 极其重要的;充满活力的
transcendental	[ˌtrænsen'dentl]	adj. 超越经验的

核心词汇

105

* fundamental	[ˌfʌndə'mentl] *adj.* 最根本的,基本的;十分重要的
detrimental	[ˌdetri'mentl] *adj.* 损害的,造成伤害的
monumental	[ˌmɔnju'mentl] *adj.* 极大的;纪念碑的
* instrumental	[ˌinstru'mentl] *adj.* 有帮助的,有作用的
* horizontal	[ˌhɔri'zɔntl] *adj.* 水平的
* pedestal	['pedistl] *n.* (柱石或雕像的)基座
noncommittal	[ˌnɔn'kɔmitəl] *adj.* 态度暧昧的;不承担义务的
* acquittal	[ə'kwit(ə)l] *n.* 宣告无罪,开释
* rebuttal	[ri'bʌtəl] *n.* 反驳,反证
brutal	['bru:tl] *adj.* 残忍的;严酷的
dual	['dju(:)əl] *adj.* 双重的
residual	[ri'zidjuəl] *adj.* 残余的,剩余的
* individual	[ˌindi'vidjuəl] *adj.* 单独的,特有的;*n.* 个人,个体
* bilingual	[bai'liŋgwəl] *adj.* (说)两种语言的
* casual	['kæʒuəl] *adj.* 偶然的
* factual	['fæktjuəl] *adj.* 真实的,事实的
* ineffectual	[ˌini'fektjuəl] *adj.* 无效的,徒劳无益的
* intellectual	[ˌinti'lektjuəl] *adj.* 智力的,理智的;*n.* 知识分子
* perpetual	[pə'petjuəl] *adj.* 连续不断的;永久的
* ritual	['ritʃuəl] *n.* 仪式;例行习惯
* spiritual	['spiritjuəl] *adj.* 精神的
virtual	['və:tjuəl] *adj.* 实质上的,实际上的
upheaval	[ʌp'hi:vəl] *n.* 动乱,大变动
medieval	[ˌmedi'i:vəl] *adj.* 中世纪的,中古的
* coeval	[kəu'i:vəl] *adj.* 同年代的
* rival	['raivəl] *n.* 竞争者,对手;*v.* 与…匹敌
* loyal	['lɔiəl] *adj.* 忠诚的,忠贞的,忠心的
* decibel	['desibel] *n.* 分贝(音量的单位)
* libel	['laibəl] *v.* /*n.* (文字)诽谤,中伤

核心词汇

*excel	[ik'sel] v. 优于,擅长于	
*peel	[pi:l] v. 削去…的皮;剥落; n. 外皮	
reel	[ri:l] n. 卷轴;旋转; v. 卷…于轴上	
genteel	[dʒen'ti:l] adj. 上流社会的;装作彬彬有礼的	
*yokel	['jəukəl] n. 乡巴佬	
*parallel	['pærəlel] adj. 平行的;类似的; n. 平行线; v. 与…相似	
enamel	[i'næməl] n. 珐琅,瓷釉	
panel	['pænl] n. 专门小组;仪表板	
sentinel	['sentinl] n. 哨兵,卫兵	
kennel	['kenl] n. 狗舍,狗窝	
*personnel	[ˌpə:sə'nel] n. 全体人员,员工	
*kernel	['kə:nl] n. 果仁;核心	
chapel	['tʃæpəl] n. (附属于教堂或监狱等的)小教堂	

核
心
词
汇

*repel	[ri'pel] v. 击退;使…反感
*scalpel	['skælpəl] n. 外科手术刀,解剖刀
*impel	[im'pel] v. 推进;驱使
*compel	[kəm'pel] v. 强迫
*propel	[prə'pel] v. 推进
*dispel	[dis'pel] v. 驱散;消除
gospel	['gɔspəl] n. 教义,信条
*expel	[iks'pel] v. 排出;开除
apparel	[ə'pærəl] n. (精致的)衣服
*doggerel	['dɔgərəl] n. 歪诗,打油诗
*mongrel	['mʌngrəl] n. 杂种动物;混血儿
*squirrel	['skwirəl] n. 松鼠
*wastrel	['weistrəl] n. 挥霍无度的人
*easel	['i:zl] n. 黑板,画架
weasel	['wi:zl] n. 黄鼠狼,鼬; v. 逃避
*chisel	['tʃizl] n. 凿子; v. 凿;欺骗
morsel	['mɔ:səl] n. 一小块(食物);小量

*vessel	['vesl]	n. 血管;容器;船只
pastel	['pæsetl]	n. 彩色粉笔或蜡笔画;柔和的色彩
*duel	['dju(:)əl]	n. 决斗
*gavel	['gævəl]	n. (法官所用的)槌,小木槌
*ravel	['rævəl]	v. 纠缠,纠结;拆开,拆散
*gravel	['grævəl]	n. 碎石,砂砾
*unravel	[ʌn'rævəl]	v. 解开,拆散
drivel	['drivl]	n./v. 说废话
hovel	['hɔvəl]	n. 茅舍;肮脏的小屋
*grovel	['grɔvl]	v. 摇尾乞怜,奴颜婢膝
*marvel	['mɑːvəl]	v. 对…感到惊异;n. 奇迹
*trowel	['trauəl]	泥刀,小铲子
ail	[eil]	v. 生病
*bail	[beil]	n. 保释金;v. 保释
hail	[heil]	n. 冰雹;v. 致敬
*flail	[fleil]	n. 连枷(打谷工具);v. 打,打击
*rail	[reil]	n.栏杆;铁轨;v. 咒骂,猛烈指责
frail	[freil]	adj. 脆弱的;不坚实的
assail	[ə'seil]	v. 抨击;猛攻
retail	['riːteil]	v. 零售;n. 零售
entail	[in'teil]	v. 需要,需求;必须
*curtail	[kəː'teil]	v. 削减,缩短
quail	[kweil]	v. 畏惧,颤抖
*prevail	[pri'veil]	v. 战胜;盛行
*stencil	['stensl]	n. (用以刻写图案、文字的)模板;v. 用模板刻写
*veil	[veil]	n. 面纱;遮蔽物,掩蔽物;v. 以面纱掩盖
*fulfil	[ful'fil]	v. 履行;满足,符合
*nil	[nil]	n. 无,零
recoil	[ri'kɔil]	v. 退却,退缩

*foil	[fɔil]	n. 钝剑;箔,锡箔纸
turmoil	['tə:mɔil]	n. 混乱,骚乱
*spoil	[spɔil]	v. 损坏,破坏;溺爱
*roil	[rɔil]	v. 煽动;搅浑
*soil	[sɔil]	n./v. 弄脏,污损
*toil	[tɔil]	v./n. 辛苦,辛勤劳作
peril	['peril]	n. 危险
*cavil	['kævil]	v. 挑毛病,吹毛求疵
*daredevil	['dɛə,devl]	adj./n. 胆大的(人),冒失的(人)
*civil	['sivl]	adj. 国内的;公民的;文明的
*anvil	['ænvil]	n. 铁砧
*recall	[ri'kɔ:l]	v. 回想,回忆起;收回;n. 唤回
pitfall	['pitfɔ:l]	n. 陷阱;未料到的危险或困难
*gall	[gɔ:l]	n. 胆汁;怨恨
pall	[pɔ:l]	v. 令人发腻,失去吸引力
appall	[ə'pɔ:l]	v. 使惊骇,使恐怖
*stall	[stɔ:l]	v. 使停止,使延迟
*forestall	[fɔ:'stɔ:l]	v. 先发制人,预先阻止
*install	[in'stɔ:l]	v. 安装,装置;使就职
squall	[skwɔ:l]	n. 短暂、突然且猛烈的风暴;短暂的骚动
*stonewall	[,stəun'wɔ:l]	v. 拖延议事,设置障碍
*fell	[fel]	n. 兽皮;v. 砍伐;adj. 凶猛的,可怕的
*shell	[ʃel]	n. 贝壳;炮弹;v. 剥去…的壳
pell-mell	[pel'mel]	adv. 混乱地
spell	[spel]	n. 连续的一段时间
*quell	[kwel]	v. 制止,镇压
*farewell	['fɛə'wel]	interj. 再会,再见;n. 辞行,告别
*swell	[swel]	v. 肿胀,增强
landfill	['lændfil]	n. 垃圾堆

核
心
词
汇

109

*mill	[mil]	n. 磨坊;压榨机;制造厂
*drill	[dril]	n. 钻;钻床
*grill	[gril]	v. 烤;拷问; n. 烤架
*sill	[sil]	n. 门槛;窗台
*distill	[di'stil]	v. 蒸馏
*instill	[in'stil]	v. 滴注;逐渐灌输
*quill	[kwil]	n. (豪猪等动物的)刺
*goodwill	[gud'wil]	n. 友好
*swill	[swil]	v. 冲洗;痛饮
*loll	[lɔl]	v. 懒洋洋地坐或卧
*poll	[pəul]	n. 民意测验;选举投票
*scroll	[skrəul]	n. 卷轴,纸卷;画卷
*droll	[drəul]	adj. 古怪的,好笑的
*stroll	[strəul]	v. 漫步,闲逛
toll	[təul]	n. 过路(桥)费;伤亡人数;损失; v. (缓慢而有规律地)敲
*dull	[dʌl]	adj.不鲜明的;迟钝的; v. 变迟钝
*hull	[hʌl]	n. 外壳;荚;船身; v. 剥去外壳
*lull	[lʌl]	n. 活动的暂停; v. 使平静
*idyll	['idil]	n. 田园生活;田园诗
*gambol	['gæmbəl]	n./v. 雀跃;嬉戏
*protocol	['prəutəkɔl]	n. 外交礼节;协议,草案
*menthol	['menθɔl]	n. 薄荷醇
*school	[sku:l]	n. 鱼群
*whirlpool	['(h)wə:lpu:l]	n. 漩涡
carol	['kærəl]	n. 赞美诗,颂歌; v. 欢唱
*control	[kən'trəul]	n. 实验对照组
*pistol	['pistl]	n. 手枪
*extol	[iks'tɔl]	v. 赞美
snarl	[snɑ:l]	n./v. 纠缠,混乱
*swirl	[swə:l]	v. 旋转; n. 漩涡
*hurl	[hə:l]	v. 猛投;大声叫骂

核心词汇

*churl	[tʃəːl] n. 粗鄙之人
*overhaul	[,əuvə'hɔːl] v. 彻底检查；大修
*maul	[mɔːl] v. 撕裂皮肉，伤害
*resourceful	[ri'sɔːsful] adj. 机智的
*vengeful	['vendʒful] adj. 报复的，复仇心理的
*baleful	['beilful] adj. 邪恶的，恶意的
*doleful	['dəulful] adj. 忧愁的，消沉的
*grateful	['greitful] adj. 感激的
*pitiful	['pitiful] adj. 值得同情，可怜的
dutiful	['djuːtiful; (us) 'duːtifl] adj. 恭敬顺从的，尽职的
*willful	['wilful] adj. 任性的；故意的
mournful	['mɔːnful] adj. 悲伤的
*blissful	['blisfuls] adj. 极幸福的
*wistful	['wistful] adj. 惆怅的；渴望的
*mogul	['məugl] n. 显要人物，权势之人
annul	[ə'nʌl] v. 宣告无效；取消
*foul	[faul] adj. 恶臭的；邪恶的；v. 弄脏；n. （体育等）犯规
*consul	['kɔnsəl] n. 领事
*awl	[ɔːl] n. （钻皮革的）尖钻
*brawl	[brɔːl] v./n. 争吵，打架
scrawl	[skrɔːl] v. 潦草地写，乱涂
*drawl	[drɔːl] v./n. 慢吞吞地说
owl	[aul] n. 猫头鹰
*scowl	[skaul] n. 怒容；v. 生气地皱眉，怒视
prowl	[praul] v. 潜行于，偷偷地漫游
*sibyl	['sibil] n. 女预言家，女先知

核心词汇

M

*beam	[biːm] n. （房屋等）大梁；光线

111

ream	[ri:m]	n. 令(纸张的计数单位)
*stream	[stri:m]	n. 小溪;水流;v. 倾注,涌流
*seam	[si:m]	n. 缝,接缝
*amalgam	[ə'mælgəm]	n. 混合物
sham	[ʃæm]	n. 虚假;v. 伪装
*clam	[klæm]	n. 蛤蜊,蛤肉;守秘密之人
bedlam	['bedləm]	n. 混乱,骚乱
*ram	[ræm]	n. 公羊;撞锤,猛击;填塞
cram	[kræm]	v. 填塞,塞满;临时抱佛脚,为考试而学习
*diagram	['daiəgræm]	n. 图解,图表
*anagram	['ænəgræm]	n. 变形词
*epigram	['epigræm]	n. 讽刺短句,警句
*redeem	[ri'di:m]	v. 赎罪
*gem	[dʒem]	n. 宝石,珠宝;精华
*stratagem	['strætidʒəm]	n. 谋略,策略
hem	[hem]	v. 包围;n. 袖边,边缘;interj. 表示踌躇、讽刺、唤起注意或清嗓咳痰时的发声
*anthem	['ænθəm]	n. 圣歌;赞美歌,国歌
*totem	['təutəm]	n. 图腾,徽章
*stem	[stem]	n. (植物的)茎,叶柄;v. 阻止,遏制(水流等)
*paradigm	['pærədaim]	n. 范例,示范
*claim	[kleim]	v. 要求或索要;n. 声称拥有的权力
*acclaim	[ə'kleim]	v. 欢呼,称赞
declaim	[di'kleim]	v. 高谈阔论
reclaim	[ri'kleim]	v. 纠正;开垦(土地)
*proclaim	[prə'kleim]	v. 宣告,宣布;显示
disclaim	[dis'kleim]	v. 放弃权利;拒绝承认
*exclaim	[iks'kleim]	v. 惊叫,呼喊
*dim	[dim]	v. 使暗淡,使模糊

核心词汇

*whim	[(h)wim] *n.* 任性;怪念头	
*skim	[skim] *v.* 从液体表面撇去;浏览,略读	
denim	['denim] *n.* 粗斜纹棉布	
*interim	['intərim] *n.* 中间时期,过渡时期; *adj.* 暂时的	
grim	[grim] *adj.* 冷酷的,可怕的	
*pilgrim	['pilgrim] *n.* 朝圣客,香客	
*prim	[prim] *adj.* 端庄的,整洁的	
*trim	[trim] *v.* 修剪; *adj.* 井井有条的	
*balm	[bɑːm] *n.* 香油,药膏;镇痛剂	
realm	[relm] *n.* 王国;领域,范围	
elm	[elm] *n.* 榆树	
*overwhelm	['əuvə'welm] *v.* 泛滥;压倒	
*boredom	['bɔːdəm] *n.* 厌烦;令人厌烦的事物	
*random	['rændəm] *adj.* 没有明确目的、计划或者目标的;偶然的,随便的	
*fathom	['fæðəm] *n.* 英寻(量水深用,等于 1.8 米); *v.* 彻底明白,了解	
idiom	['idiəm] *n.* 习语,语言的习惯用法;特色	
axiom	['æksiəm] *n.* 公理;定理	
*venom	['venəm] *n.* 毒液;恶毒,痛恨	
boom	[buːm] *n.* 繁荣昌盛时期; *v.* 发出深沉有回响的声音	
*loom	[luːm] *n.* 织布机; *v.* (威胁性)隐约出现	
gloom	[gluːm] *n.* 黑暗;忧郁	
heirloom	['eəluːm] *n.* 传家宝	
*groom	[grum] *n.* 马夫;新郎	
*mushroom	['mʌʃrum] *n.* 蘑菇; *v.* 雨后春笋般迅速发展	
*maelstrom	['meilstrəm] *n.* 大漩涡;大混乱	
*ransom	['rænsəm] *n.* 赎金;赎身; *v.* 赎回	
phantom	['fæntəm] *n.* 鬼怪,幽灵,幻像	
*firearm	['faiərɑːm] *n.* (便携式)枪支	

核
心
词
汇

113

*charm	[tʃɑ:m] n. 魅力；咒语，咒符；v. 吸引，迷住
*disarm	[dis'ɑ:m] v. 缴某人的械；使缓和
lukewarm	['lju:kwɔ:m] adj. 微温的；不热心的
*germ	[dʒə:m] n. 胚芽，芽孢；微生物，细菌
*affirm	[ə'fə:m] v. 确认；肯定
*infirm	[in'fə:m] adj. 虚弱的
*confirm	[kən'fə:m] v. 证实，证明
*uniform	['ju:nifɔ:m] n. 制服；adj. 相同的，一致的
*misinform	['misin'fɔ:m] v. 向…提供错误信息
*conform	[kən'fɔ:m] v. 符合或遵守公认的规则
*norm	[nɔ:m] n. 规范，准则
chasm	['kæzəm] n. 深渊，大沟；大差别
*ostracism	['ɔstrəsizəm] n. 放逐，排斥
empiricism	[em'pirisizəm] n. 经验主义
*eclecticism	[e'klektisizəm] n. 折衷主义
witticism	['witisizəm] n. 妙语，俏皮话
absenteeism	[æbsən'ti:iz(ə)m] n. 旷课，旷工
*neologism	[ni:'ɔlədʒiz(ə)m] n. 新字，新义
schism	['sizəm] n. 组织分裂
*sophism	['sɔfizəm] n. 诡辩；诡辩法（术）
vandalism	['vændəliz(ə)m] n. (对公物等)恶意破坏
surrealism	[sə'riəliz(ə)m] n. 超现实主义
*parallelism	['pærəlelizəm] n. 平行，类似
pugilism	['pju:dʒilizəm] n. 拳击，搏击
metabolism	[me'tæbəlizəm] n. 新陈代谢
*euphemism	['ju:fimizəm] n. 婉言，委婉的说法
*pessimism	['pesimizm] n. 悲观；悲观主义
*optimism	['ɔptimizəm] n. 乐观主义
*organism	['ɔ:gənizəm] n. 生物；有机体
*microorganism	[maikrəu'ɔ:gəniz(ə)m] n. 微生物，细菌

mechanism	['mekənizəm] *n.* 结构，机制
*cosmopolitanism	[ˌkɔzmə'pɔlitənizəm] *n.* 世界性，世界主义
*antagonism	[æn'tægənizəm] *n.* 反抗，敌意
*jingoism	['dʒiŋgəuiz(ə)m] *n.* 沙文主义；侵略主义
escapism	[is'keipizəm] *n.* 逃避现实（的习气）
*malapropism	['mæləprɔpizəm] *n.* 字的误用
*plagiarism	['pleidʒiərizəm] *n.* 剽窃，抄袭
*aphorism	['æfərizm] *n.* 格言
*narcissism	['nɑːsisizəm] *n.* 自恋，自爱
*dogmatism	['dɔgmətizəm] *n.* 教条主义，武断
*patriotism	['pætriətizəm] *n.* 爱国主义，爱国心
*nepotism	['nepətizəm] *n.* 裙带关系
*despotism	['despətizəm] *n.* 专制，暴政
*altruism	['æltruizəm] *n.* 利他主义；无私
*cronyism	[krəuniizəm] *n.* 任人唯亲；对好朋友的偏袒
*cataclysm	['kætəklizəm] *n.* 剧变，灾难（常指大洪水或地震）
paroxysm	['pærəksizəm] *n.* （感情等）突发
modicum	['mɔdikəm] *n.* 少量
addendum	[ə'dendəm] *n.* 补充，附录
*linoleum	[li'nəuliəm] *n.* 油毡
*petroleum	[pi'trəuliəm] *n.* 石油
*gum	[gʌm] *n.* 树胶，橡皮
*calcium	['kælsiəm] *n.* 钙
*medium	['miːdjəm] *n.* 媒介；（细菌等的）生存环境
*tedium	['tiːdiəm] *n.* 单调乏味
*compendium	[kəm'pendiəm] *n.* 简要，概略
*odium	['əudiəm] *n.* 憎恶，反感
*podium	['pəudiəm] *n.* 讲坛；指挥台
premium	['primjəm] *n.* 保险费；奖金

核心词汇

*encomium	[en'kəumjəm]	n. 赞颂，颂辞
aluminium	[,ælju:'minjəm]	n. 铝
*pandemonium	[,pændi'məunjəm]	n. 喧嚣；大混乱
*honorarium	[,ɔnə'reəriəm]	n. 酬劳金，谢礼
*equilibrium	[,i:kwi'libriəm]	n. 平衡
*bacterium	[bæk'tiəriəm]	n. 细菌
*delirium	[di'liriəm]	n. 精神错乱
moratorium	[,mɔrə'tɔ:riəm]	n. 停止偿付；禁止活动
auditorium	[,ɔ:di'tɔ:riəm]	n. 礼堂；观众席
colloquium	[kə'ləukwiəm]	n. 学术讨论会
curriculum	[kə'rikjuləm]	n. （全部的）课程
*pendulum	['pendjuləm]	n. 摆，钟摆
*asylum	[ə'sailəm]	n. 避难所，庇护所
*chrysanthemum	[kri'sænθ,əməm]	n. 菊，菊花
optimum	['ɔptiməm]	adj. 最好的，最有利的
*interregnum	[,intə(:)'regnəm]	n. 无王时期
fulcrum	['fʌlkrəm]	n. 杠杆支点，支柱
humdrum	['hʌmdrʌm]	adj. 单调的，乏味的
*conundrum	[kə'nʌndrəm]	n. （答案有双关意义的）谜语；难题
*decorum	[di'kɔ:rəm]	n. 礼节，礼貌
forum	['fɔ:rəm]	n. 辩论的场所，讲坛
*spectrum	['spektrəm]	n. 光谱；范围
tantrum	['tæntrəm]	n. 发脾气，发怒
nostrum	['nɔstrəm]	n. 家传秘方；万灵丹
*rostrum	['rɔstrəm]	n. 讲台，讲坛
*stratum	['streitəm]	n. 地层；社会阶层
*arboretum	[,ɑ:bə'ri:təm]	n. 植物园
quantum	['kwɑntəm]	n. 量子；定量
*momentum	[məu'mentəm]	n. 推进力，势头
factotum	[fæk'təutəm]	n. 杂役，听差
*pseudonym	['sju:dənim]	n. 假名，笔名

核心词汇

N

ban	[bɑːn] *n.* 禁令
*pecan	[pi'kæn] *n.* 山核桃
harridan	['hæridən] *n.* 凶恶的老妇,老巫婆
*paean	['piːən] *n.* 赞美歌,颂歌
*glean	[gliːn] *v.* 拾落穗;收集(材料等)
*mean	[miːn] *adj.* 卑贱的;吝啬的
*demean	[di'miːn] *v.* 贬抑,降低
*subterranean	[sʌbtə'reiniən] *adj.* 地下的
*protean	['prəutiən] *adj.* 变化多端的,多变的
*wean	[wiːn] *v.* (孩子)断奶;戒掉
*pagan	['peigən] *n.* 没有宗教信仰的人;异教徒
*amphibian	[æm'fibiən] *n.* 两栖动物;水陆两用飞行器
academician	[ə,kædə'miʃən] *n.* 院士;学会会员
patrician	[pə'triʃən] *n.* 贵族
*geometrician	[,dʒiəumə'triʃən] *n.* 几何学家
*quotidian	[kwəu'tidiən] *adj.* 每日的;平凡的
*custodian	[kʌs'təudjən] *n.* 管理员;监护人
*ruffian	['rʌfiən] *n.* 恶棍,歹徒; *adj.* 残暴的
*stygian	['stidʒiən] *adj.* 阴暗的,阴森森的
reptilian	[rep'tiliən] *adj.* 爬虫类的;卑下的
*civilian	[si'viljən] *n.* 平民
draconian	[drə'kəuniən] *adj.* 严厉的,严酷的
*utopian	[juː'təupjən] *adj.* 乌托邦式的,梦想的
octogenarian	[,ɔktəudʒi'nɛəriən] *n.* 80～89 岁的老人
*agrarian	[ə'grɛəriən] *adj.* 土地的
egalitarian	[igæli'tɛəriən] *adj.* 主张人人平等的
totalitarian	[,təutæli'tɛəriən] *adj.* 极权主义的
utilitarian	[,juːtili'tɛəriən] *adj.* 功利的,实利的

核心词汇

核
心
词
汇

*authoritarian	[ɔːˌθɔriˈtɛəriən]	n. 独裁主义者;极权主义者
*stentorian	[stenˈtɔːriən]	adj. (指声音)极响亮的
*pedestrian	[peˈdestriən]	adj. 徒步的;缺乏想像的;n. 行人
antediluvian	[ˌæntidiˈluːviən]	adj. 史前的;陈旧的
talisman	[ˈtælizmən]	n. 避邪物,护身符
*moan	[məun]	v./n. (痛苦地/的)呻吟;(不满地/的)抱怨
*groan	[grəun]	v./n. 呻吟,叹息
*pan	[pæn]	v. 严厉批评
*deadpan	[ˈdedpæn]	adj./n. 无表情的(脸)
span	[spæn]	n. 跨度;两个界限间的距离
veteran	[ˈvetərən]	n. 老兵,老手;adj. 经验丰富的
*partisan	[pɑːtiˈzæn]	n. 党派支持者;党徒
tan	[tæn]	v. 鞣(革)
*charlatan	[ˈʃɑːlətən]	n. 江湖郎中,骗子
cosmopolitan	[ˌkɔzməˈpɔlitən]	n. 世界主义者,四海为家的人
metropolitan	[metrəˈpɔlit(ə)n]	adj. 大都市的;首都的
spartan	[ˈspɑːtən]	adj. 简朴的;刻苦的
*gargantuan	[gɑːˈgæntjuən]	adj. 巨大的,庞大的
wan	[wɔn]	adj. 虚弱的;病态的
*den	[den]	n. 兽穴,窝
*deaden	[ˈdedn]	v. 减低某物的力量或强度
*sadden	[ˈsædn]	v. 使伤心,使悲哀
*sodden	[ˈsɔdn]	adj. 浸透了的
*embolden	[imˈbəuldn]	v. 鼓励
*harden	[ˈhɑːdn]	v. 变硬,变坚强
*spleen	[spliːn]	n. 怨怒
*green	[griːn]	adj. 新鲜的;未成熟的;无经验的
*preen	[priːn]	v. 整理羽毛;(人)打扮,修饰

118

pathogen	[ˈpæθədʒ(ə)n] n. 病原体
carcinogen	[kɑːˈsinədʒən] n. 致癌物
*roughen	[ˈrʌfən] v. 变得粗糙，变得不平
*hyphen	[ˈhaifən] n. 连字号(即"-")
*lien	[ˈli(ː)ən] n. 扣押权；留置权
ken	[ken] n. 视野范围；知识范围
*slacken	[ˈslækən] v. (使)松弛，放松
*liken	[ˈlaikən] v. 把…比作…
outspoken	[autˈspəukən] adj. 直言不讳的
hearken	[ˈhɑːkən] v. 倾听
crestfallen	[ˈkrestfɔːlən] adj. 挫败的，失望的
*pollen	[ˈpɔlin] n. 花粉
*sullen	[ˈsʌlən] adj. 忧郁的
specimen	[ˈspesimən] n. 范例，样品，标本
*acumen	[əˈkjuːmən] n. 敏锐，精明
*lumen	[ˈljuːmin] n. 流明(光通量单位)
*linen	[ˈlinin] n. 亚麻织品，亚麻布
pen	[pen] n. 围栏；监禁；母天鹅
*misshapen	[misˈʃeipən] adj. 畸形的，奇形怪状的
*ripen	[ˈraipən] v. 使成熟
*dampen	[ˈdæmpən] v. (使)潮湿；使沮丧；泼凉水
aspen	[ˈæspən] n. 白杨
siren	[ˈsaiərin] n. 汽笛，警报器
*barren	[ˈbærən] adj. 不育的；贫瘠的；不结果实的
*loosen	[ˈluːsn] v. 变松，松开
*coarsen	[ˈkɔːsn] v. 使某物变粗糙
*enlighten	[inˈlaitn] v. 启发，开导，教导，授予…知识
molten	[ˈməultən] v. 熔化；adj. 熔化的
*hearten	[ˈhɑːtn] v. 鼓励，激励
*fasten	[ˈfɑːsn] v. 固定某物

119

核
心
词
汇

*unfasten   [ʌnˈfɑːsn] v. 解开

*hasten   [ˈheisn] v. 催促，促进

*glisten   [glisn] v. 反光，闪耀

*fatten   [ˈfætən] v. 使长肥；使土壤肥沃；装满

*flatten   [ˈflætn] v. 变平；彻底打败某人

mitten   [ˈmitn] n.（四指套在一起，拇指分开的）连指手套

*rotten   [ˈrɔtn] adj. 腐败的；糟糕的

*tauten   [ˈtɔːtn] v. 拉紧，绷紧

*leaven   [ˈlevən] n. 发酵剂；影响力；v. 发酵，影响

*haven   [ˈheivn] n. 安息所，避难所

maven   [ˈmeivin] n. 专家，内行

*craven   [ˈkreivən] adj. 懦弱的，畏缩的

*even   [ˈiːvən] adj. 平的

*enliven   [inˈlaivən] v. 使…更活跃

*riven   [ˈrivən] adj. 撕裂的，分裂的

doyen   [ˈdɔiən] n. 老前辈

*brazen   [ˈbreizn] adj. 厚脸皮的

denizen   [ˈdenizn] n. 居民；外籍居民

*cozen   [ˈkʌzn] v. 欺骗，哄骗

*campaign   [kæmˈpein] n. 战役；竞选活动

deign   [dein] v. 屈尊，俯允（做某事）

*feign   [fein] v. 假装，伪装

reign   [rein] n. 统治时期；王朝；领域

sovereign   [ˈsɔvrin] n. 最高统治者，元首

*align   [əˈlain] v. 将某物排列在一条直线上；与某人结盟

*realign   [ˌriəˈlain] v. 重新组合（排列）

*malign   [məˈlain] v. 诽谤，中伤；adj. 邪恶的

benign   [biˈnain] adj. 慈祥的

*ensign   [ˈensain] n. 舰旗（船上表示所属国家的旗帜）

*consign   [kənˈsain] v. 托运；托人看管

120

*impugn	[im'pju:n] v. 指责,对…表示怀疑
ordain	[ɔ:'dein] v. 任命(神职);颁发命令
*disdain	[dis'dein] n. /v. 轻视,鄙视
bargain	['bɑ:gin] n. 交易;物美价廉的东西;v. 讨价还价
*porcelain	['pɔ:slin] n. 瓷;瓷器
*plain	[plein] adj. 简单的;清楚的;n. 平原
legerdemain	[ˌledʒədə'mein] n. 手法;戏法
domain	[dəu'mein] n. 领土;领域
*drain	[drein] v. 排出沟外;喝光
*refrain	[ri'frein] v. 抑制;n. 歌曲的反复句,叠句
*grain	[grein] n. 谷物;小的硬粒
sprain	[sprein] v. 扭伤
terrain	['terein] n. 地势,地形
*restrain	[ris'trein] v. 克制,抑制
*constrain	[kən'strein] v. 束缚,强迫;限制
*detain	[di'tein] v. 拘留;使延迟
*retain	[ri'tein] v. 保留,保持;留住
*contain	[kən'tein] v. 包含,含有;控制;阻止,遏制
*pertain	[pə'tein] v. 属于;关于
*stain	[stein] v. 玷污;染色
*abstain	[əb'stein] v. 禁绝;放弃
*sustain	[səs'tein] v. 承受(困难),支撑(重量)
attain	[ə'tein] v. 达到,实现
*vain	[vein] adj. 自负的;徒劳的
*bin	[bin] n. 大箱子
*din	[din] n. 喧闹声,嘈杂声
*rein	[rein] n. 缰绳;v. 控制
*margin	['mɑ:dʒin] n. 页边空白,边缘;差额;余地;利润
kin	[kin] n. 亲属

核心词汇

*maudlin	['mɔ:dlin] *adj.* 感情脆弱的,爱哭的
*penicillin	[ˌpeni'silin] *n.* 盘尼西林,青霉素
tarpaulin	[tɑ:'pɔlin] *n.* 防水油布
*insulin	['insjulin] *n.* 胰岛素
*enjoin	[in'dʒɔin] *v.* 命令,吩咐
*conjoin	[kən'dʒɔin] *v.* 使结合
purloin	[pə:'lɔin] *v.* 偷窃
*spin	[spin] *v.* 旋转;纺,纺纱;*n.* 旋转
*saccharin	['sækərin] *n.* 糖精
grin	[grin] *v.* 露齿而笑
*chagrin	['ʃægrin] *v./n.* 失望,懊恼
resin	['rezin] *n.* 树脂
raisin	['reizn] *n.* 葡萄干
*toxin	['tɔksin] *n.* 毒素,毒质
*condemn	[kən'dem] *v.* 极力谴责;判刑
*solemn	['sɔləm] *adj.* 严肃的,庄严的;黑色的
*limn	[lim] *v.* 描写;画
*hymn	[him] *n.* 赞美诗
*beacon	['bi:kən] *n.* 烽火;灯塔
*icon	['aikɔn] *n.* 圣像,偶像
falcon	['fælkən] *n.* 猎鹰;隼
*abandon	[ə'bændən] *v./n.* 放弃;放纵
*curmudgeon	[kə:'mʌdʒən] *n.* 脾气暴躁之人
*burgeon	['bə:dʒ(ə)n] *v.* 迅速成长,发展
*surgeon	['sə:dʒən] *n.* 外科医师;军医,船上的医生
chameleon	[kə'mi:ljən] *n.* 变色龙,蜥蜴;善变之人
*paragon	['pærəgən] *n.* 模范,典型
hexagon	['heksəgən] *n.* 六角形,六边形
*jargon	['dʒɑ:gən] *n.* 暗语;行话
*suspicion	[səs'piʃən] *n.* 怀疑;觉察;嫌疑
*coercion	[kəu'ə:ʃən] *n.* 强制,高压统治

核
心
词
汇

scion	['saiən] n. 嫩芽；子孙
legion	['li:dʒən] n. 兵团；一大群
*religion	[ri'lidʒən] n. 宗教，信仰
cushion	['kuʃən] n. 坐垫；v. 缓冲
battalion	[bə'tæljən] n. 军营，军队
companion	[kəm'pænjən] n. 同伴，同伙；受雇的陪伴人
*minion	['minjən] n. 奴才，低下之人
*champion	['tʃæmpjən] n. 冠军，斗士；拥护者；v. 拥护
*scorpion	['skɔ:piən] n. 蝎子
*clarion	['klæriən] adj. 声音高而清晰的；n. 尖音小号声；尖音小号
criterion	[krai'tiəriən] n. 评判的标准，尺度
*carrion	['kæriən] n. 腐肉
*centurion	[sen'tjuəriən] n. 古罗马的百人队长
*abrasion	[ə'breiʒən] n. 表面磨损
*evasion	[i'veiʒən] n. 躲避；借口
cohesion	[kəu'hi:ʒən] n. 内聚力；凝聚力
*incision	[in'siʒən] n. 切口；切割
*collision	[kə'liʒən] n. 碰撞，冲突
envision	[in'viʒən] v. 想像，预想
*provision	[prə'viʒən] n. （粮食）供应；（法律等）条款
*repulsion	[ri'pʌlʃən] n. 厌恶，反感；排斥力
compulsion	[kəm'pʌlʃ(ə)n] n. 强迫；难以抗拒的冲动
*propulsion	[prə'pʌlʃən] n. 推进力
*convulsion	[kən'vʌlʃən] n. 骚动；痉挛
*mansion	['mænʃən] n. 公馆；大厦
*dimension	[di'menʃən] n. 维度，尺寸
*tension	['tenʃən] n. 紧张，焦虑；张力
*pretension	[pri:'tenʃən] n. 自命不凡，夸耀
hypertension	[,haipə'tenʃən] n. 高血压

核

心

词

汇

123

*distension	[dis'tenʃən]	n. 膨胀
*aspersion	[əs'pə:ʃən]	n. 诽谤,中伤
*aversion	[ə'və:ʃən]	n. 嫌恶,憎恨
excursion	[iks'kə:ʃən]	n. 短途旅游
*compassion	[kəm'pæʃən]	n. 同情,怜悯
cession	['seʃən]	n. 割让,转让
recession	[ri'seʃən]	n. 经济萧条时期;撤回,退回
*concession	[kən'seʃən]	n. 让步
*procession	[prə'seʃən]	n. 行列;前进
*aggression	[ə'greʃən]	n. 侵略;敌对的情绪或行为
*digression	[dai'greʃən]	n. 离题,题外话
*transgression	[træns'greʃən]	n. 违法,罪过
*depression	[di'preʃən]	n. 忧愁,消沉;数量减少
*impression	[im'preʃən]	n. 印象;感想;盖印,压痕
*obsession	[əb'seʃən]	n. 入迷;固执的念头
*abscission	[æb'siзən]	n. [医]切除,截去;[植]脱离
*rescission	[ri'siзən]	n. 废除
*submission	[səb'miʃən]	n. 恭顺
admission	[əd'miʃən]	n. 许可;入会费;承认
commission	[kə'miʃən]	n. 委托;佣金
*intermission	[,intə(:)'miʃən]	n. 暂停,间歇
concussion	[kən'kʌʃən]	n. 脑震荡;强烈震动
*repercussion	[,ri:pə(:)'kʌʃən]	n. 反响;影响;回声
*fusion	['fju:зən]	n. 融合;聚变
*delusion	[di'lu:зən]	n. 欺骗;幻想
allusion	[ə'l(j)u:зən]	n. 暗示,间接提示
*illusion	[i'lu:зən]	n. 假象,错觉
*disillusion	[,disi'lu:зən]	v. 梦想破灭,醒悟
*approbation	[,æprə'beiʃən]	n. 称赞,认可
*incubation	[,inkju'beiʃən]	n. 孵卵期;潜伏期
*dedication	[,dedi'keiʃən]	n. 对某事业或目的的忠诚

核心词汇

personification	[pə(:),sɔnifi'keiʃən] n. 典型;化身;完美榜样
*unification	[,ju:nifi'keiʃən] n. 统一,一致
gasification	[,gæsifi'keiʃən] n. 气化
*ratification	[,rætifi'keiʃən] n. 正式批准
*gratification	[,grætifi'keiʃən] n. 满足,喜悦
*certification	[,sə:tifi'keiʃən] n. 证明
*mortification	['mɔ:tifi'keiʃən] n. 耻辱,屈辱
*justification	[,dʒʌstifi'keiʃ(ə)n] n. 正当理由,好的(正义的)原因;辩护
*implication	[,impli'keiʃən] n. 暗示
*application	[,æpli'keiʃən] n. 请求,申请;应用,应用程序
*sophistication	[sə,fisti'keiʃən] n. 诡辩,强词夺理;久经世故,老练,精明
vocation	[vəu'keiʃən] n. 擅长;工作,职业
*equivocation	[i,kwivə'keiʃən] n. 模棱两可的话,含糊话
*provocation	[,prɔvə'keiʃən] n. 挑衅,激怒
gradation	[grə'deiʃən] n. 渐变;阶段,等级
degradation	[,degrə'deiʃən] n. 降低身份,受辱
*consolidation	[kən,sɔli'deiʃən] n. 合并,巩固
*trepidation	[,trepi'deiʃən] n. 恐惧,惶恐
*propagation	[,prɔpə'geiʃən] n. 繁殖
*variegation	[,veəriə'geiʃən] n. 杂色,斑驳
*negation	[ni'geiʃən] n. 否定,拒绝
*obligation	[,ɔbli'geiʃən] n. 责任;债务,欠的人情
litigation	[,liti'geiʃən] n. 诉讼
*castigation	[,kæsti'geiʃn] n. 惩罚;苛评
*emaciation	[i,meiʃi'eiʃən] n. 消瘦,衰弱
*denunciation	[dinʌnsi'eiʃ(ə)n] n. 谴责,斥责
*dissociation	[di,səusi'eiʃən] n. 分离,脱离关系
retaliation	[ri,tæli'eiʃən] n. 报复

核心词汇

125

*affiliation	[əˌfiliˈeiʃən]	n. 联系,联合
deviation	[ˌdiːviˈeiʃən]	n. 背离
escalation	[ˌeskəˈleiʃən]	n. 逐步上升,逐步增强
*revelation	[ˌreviˈleiʃən]	n. 显示;泄露的事实
*jubilation	[dʒuːbiˈleiʃən]	n. 欢快,欢庆
appellation	[ˌæpeˈleiʃən]	n. 名称,称呼
constellation	[ˌkɔnstəˈleiʃən]	n. 星座,星群
*legislation	[ˌledʒisˈleiʃən]	n. 法律,法规,立法
*circulation	[ˌsəːkjuˈleiʃən]	n. 循环,流通;发行额
*coagulation	[kəuˌægjuˈleiʃən]	n. 凝固
*stipulation	[ˌstipjuˈleiʃən]	n. 规定,约定
*declamation	[ˌdekləˈmeiʃən]	n. 雄辩,高调
*proclamation	[prɔkləˈmeiʃ(ə)n]	n. 宣布,公告
*exclamation	[ˌeksˌkləˈmeiʃən]	n. 惊叹词,惊呼
*animation	[ˌæniˈmeiʃən]	n. 活泼,有生气;卡通制作
*inflammation	[ˌinfləˈmeiʃən]	n. 激怒;炽热;炎症
summation	[sʌˈmeiʃən]	n. 总结,概要;总数,合计
*formation	[fɔːˈmeiʃən]	n. 组织,形成;(军队)编队
*indignation	[ˌindigˈneiʃən]	n. 愤慨
designation	[ˌdezigˈneiʃən]	n. 指定;名称,称呼
*resignation	[ˌrezigˈneiʃən]	n. 听从,顺从;辞职
*ratiocination	[ˌrætiɔsiˈneiʃən]	n. 推理;推论
*hallucination	[həluːsiˈneiʃən]	n. 幻觉,幻视
*machination	[mækiˈneiʃən]	n. 阴谋
culmination	[kʌlmiˈneiʃən]	n. 顶点;结果
*domination	[dɔmiˈneiʃən]	n. 控制,支配,管辖
*denomination	[diˌnɔmiˈneiʃən]	n. 命名;(长度、币值的)单位
*termination	[ˌtəːmiˈneiʃən]	n. 终点
*determination	[diˌtəːmiˈneiʃən]	n. 决心;确定;预测
peregrination	[perigriˈneiʃən]	n. 游历(尤指在国外)
coronation	[kɔrəˈneiʃən]	n. 加冕

126

*detonation	[ˌdetəu'neiʃən]	n. 爆炸，爆炸声
*consternation	[ˌkɔnstə(ː)'neiʃən]	n. 大为吃惊，惊骇
*extirpation	[ˌekstə'peiʃn]	n. 根除，铲除
occupation	[ˌɔkju'peiʃən]	n. 工作，职业；占领
*preoccupation	[pri(ː)ˌɔkju'peiʃən]	n. 全神贯注；使人专注的东西
*ration	['ræʃən]	n. 定量配给；v. 配给
exhilaration	[igˌzilə'reiʃən]	n. 高兴，活跃
*reparation	[ˌrepə'reiʃən]	n. 赔偿，补偿
*exaggeration	[igˌzædʒə'reiʃən]	n. 夸张
*generation	[ˌdʒenə'reiʃən]	n. 一代人；(产品类型的)代；产生，发生
*conflagration	[ˌkɔnflə'greiʃən]	n. (建筑物或森林)大火；大火灾
*aspiration	[ˌæspə'reiʃən]	n. 抱负，热望
*respiration	[ˌrespi'reiʃən]	n. 呼吸
*inspiration	[ˌinspə'reiʃən]	n. 启示；灵感
expiration	[ˌekspaiə'reiʃən]	n. 期满，终止
*oration	[ə'reiʃən]	n. 正式演说，演讲
elaboration	[iˌlæbə'reiʃən]	n. 详尽的细节，详尽阐述
*deterioration	[diˌtiəriə'reiʃən]	n. 恶化，堕落
*coloration	[kʌlə'reiʃən]	n. 着色法，染色法；颜色，色泽
*aberration	[ˌæbə'reiʃən]	n. 离开正路，脱离常轨；变形
*duration	[djuə'reiʃən]	n. 持续的时间
configuration	[kənˌfigju'reiʃən]	n. 结构，配置；轮廓
*sensation	[sen'seiʃən]	n. 知觉；轰动(的事)
*cessation	[sə'seiʃən]	n. 中止，(短暂的)停止
*affectation	[ˌæfek'teiʃən]	n. 做作，虚假
*meditation	[medi'teiʃən]	n. 沉思，冥想
*imitation	[imi'teiʃən]	n. 赝品；效法；冒充
*precipitation	[priˌsipi'teiʃən]	n. 降水(量)

*irritation	[,iri'teiʃən]	n. 愤怒;急躁;刺激
exaltation	[,egzɔ:l'teiʃən]	n. (成功带来的)得意,高兴
*recantation	[,rikæn'teiʃn]	n. 改变宗教信仰
incantation	[,inkæn'teiʃən]	n. 咒语
transplantation	['trænsplɑ:n'teiʃən]	n. 移植
*fermentation	[,fə:men'teiʃən]	n. 发酵
*presentation	[,prezen'teiʃən]	n. 表演;介绍,描述
*misrepresen-tation	['mis,reprizen'teiʃən]	n. 歪曲;误传;曲解
*ostentation	[,ɔsten'teiʃən]	n. 夸示,炫耀
connotation	[,kɔnəu'teiʃən]	n. 言外之意,含蓄义
potation	[pəu'teiʃən]	n. 畅饮;饮料
*temptation	[temp'teiʃən]	n. 诱惑,诱惑物
*dissertation	[,disə(:)'teiʃən]	n. 专题论文
*deportation	[,dipɔ:'teiʃən]	n. 驱逐出境
*manifestation	[,mænifes'teiʃən]	n. 表明,显示
*deforestation	[di,fɔris'teiʃən]	n. 采伐森林
*gustation	[gʌs'teiʃən]	n. 品尝;味觉
*salutation	[sælju(:)'teiʃən]	n. 招呼,致意,敬礼
*reputation	[,repju'teiʃən]	n. 名声
*evaluation	[i,vælju'eiʃən]	n. 评价,评估
*continuation	[kən,tinju'eiʃən]	n. 继续,延续
*equation	[i'kweiʃən]	n. 等式;等同,相等
*infatuation	[in,fætju'eiʃən]	n. 迷恋
*derivation	[deri'veiʃən]	n. 发展,起源;词源
*privation	[prai'veiʃən]	n. 丧失;贫困
*deprivation	[,depri'veiʃən]	n. 剥夺;缺乏
ovation	[əu'veiʃən]	n. 热烈的欢迎;热烈鼓掌
*innovation	[,inəu'veiʃən]	n. 创新,改革
*relaxation	[,ri:læk'seiʃən]	n. 松弛;消遣
annexation	[,ænek'seiʃən]	n. 并吞,合并

核心词汇

*vexation	[vek'seiʃən] n. 困扰，苦恼	
centralization	['sentrəlai'zeiʃən] n. 集中；集权化	
*characterization	[ˌkæriktərai'zeiʃən] n. 描绘，刻画	
*authorization	[ˌɔ:θərai'zeiʃən] n. 授权；认可	
vaporization	[ˌveipərai'zeiʃən] n. 蒸发	
*sensitization	[ˌsensitai'zeiʃən] n. 敏化	
faction	['fækʃən] n. 派系；派系斗争	
*rarefaction	[ˌreəri'fækʃən] n. 稀薄	
*olfaction	[ɔl'fækʃən] n. 嗅觉	
*interaction	[ˌintər'ækʃən] n. 相互作用(影响)	
*fraction	['frækʃən] n. 碎片；小部分	
refraction	[ri'frækʃən] n. 折射	
*infraction	[in'frækʃən] n. 违法	
*detraction	[di'trækʃən] n. 贬低，诽谤	
transaction	[træn'zækʃən] n. 办理；交易	
*affection	[ə'fekʃən] n. 爱	
*infection	[in'fekʃən] n. 传染，感染	
*confection	[kən'fekʃən] n. 甜食，糖果	
*objection	[əb'dʒekʃən] n. 厌恶，反对	
*injection	[in'dʒekʃən] n. 注射；注射剂	
projection	[prə'dʒekʃən] n. 凸出物	
*interjection	[ˌintə'dʒekʃən] n. 插入语；感叹词	
*predilection	[ˌpri:di'lekʃən] n. 偏袒；爱好	
*collection	[kə'lekʃən] n. 收藏品	
*recollection	[ˌrekə'lekʃən] n. 记忆力；记忆中的往事	
*inspection	[in'spekʃən] n. 检查，细看	
insurrection	[ˌinsə'rekʃən] n. 造反，叛乱	
*detection	[di'tekʃən] n. 查出，探获	
*valediction	['vælidikʃən] n. 告别演说	
*benediction	[beni'dikʃən] n. 祝福；祈祷	
jurisdiction	[ˌdʒuəris'dikʃən] n. 司法权，审判权，裁判权	

核
心
词
汇

129

*dereliction	[deri'likʃən] n. 遗弃，弃置
*affliction	[ə'flikʃən] n. 悲痛，受难的起因
*friction	['frikʃən] n. 摩擦；矛盾，冲突
*eviction	[i(:)'vikʃən] n. (对房客或佃户的)驱逐
*conviction	[kən'vikʃən] n. 判罪；坚信
*sanction	['sæŋkʃən] n./v. 批准；认可
*distinction	[dis'tiŋkʃən] n. 区别，差别；知名
*extinction	[iks'tiŋkʃən] n. 熄灭；消灭
malfunction	[mæl'fʌŋkʃən]v.发生故障；n. 故障，障碍
*junction	['dʒʌŋkʃən] n. 交叉路口；连接
injunction	[in'dʒʌŋkʃən] n. 命令，强制令
conjunction	[kən'dʒʌŋkʃən] n. 联合；连词
*disjunction	[dis'dʒʌŋkʃən] n. 分离，分裂
compunction	[kəm'pʌŋkʃ(ə)n] n. 懊悔，良心不安
auction	['ɔːkʃən] n. 拍卖
induction	[in'dʌkʃən] n. 就职，入伍仪式；归纳
*obstruction	[əb'strʌkʃən] n. 阻碍(物)，妨碍
*accretion	[æ'kriːʃən] n. 自然的增加；增加物
*discretion	[dis'kreʃən] n. 谨慎，审慎
*addition	[ə'diʃən] n. 增加，附加
coalition	[ˌkəuə'liʃən] n. 结合，联合
*abolition	[æbə'liʃən] n. 废除，革除
*demolition	[ˌdemə'liʃən] n. 破坏，毁坏
*volition	[vəu'liʃən] n. 决断力，意志
*definition	[ˌdefi'niʃən] n. (轮廓等)清晰；定义
*premonition	[ˌpriːmə'niʃən] n. 预感，预兆
*munition	[mjuː'niʃən] n. 军火，弹药
apparition	[ˌæpə'riʃən] n. 幽灵；神奇的现象
*contrition	[kən'triʃ(ə)n] n. 悔罪，痛悔
*nutrition	[njuː'triʃən] n. 营养；营养学
*transition	[træn'ziʃən] n. 过渡时期；转变
*deposition	[ˌdepə'ziʃən] n. 免职；沉积；作证

*preposition	[ˌprepəˈziʃən] n. 介词，前置词
*decomposition	[ˌdi:kɔmpəˈziʃən] n. 分解；腐烂；崩溃
*proposition	[ˌprɔpəˈziʃən] n. 看法；提议
*presupposition	[ˌpri:sʌpəˈziʃən] n. 预先假定，臆测
disposition	[ˌdispəˈziʃən] n. 处理；天性，气质
*predisposition	['pri:ˌdispəˈziʃən] n. 倾向，癖性
*exposition	[ˌekspəˈziʃən] n. 阐释；博览会
*petition	[piˈtiʃən] n. 请愿；请愿书
*partition	[pɑːˈtiʃən] n. 隔开；隔墙
*fruition	[fru(:)ˈiʃən] n. 实现，完成
*intuition	[ˌintju(:)ˈiʃən] n. 直觉；由直觉获知的知识
contention	[kənˈtenʃən] n. 争论；论点
*abstention	[æbˈstenʃən] n. 节制
*commotion	[kəˈməuʃən] n. 骚动，动乱
locomotion	[ˌləukəˈməuʃən] n. 运动，移动
*caption	['kæpʃən] n. 标题
*deception	[diˈsepʃən] n. 欺骗手段
inception	[inˈsepʃən] n. 开端，开始；取得学位
conception	[kənˈsepʃən] n. 概念；开始
*perception	[pəˈsepʃən] n. 感觉；洞察力
*prescription	[priˈskripʃən] n. 处方(上的药)
*presumption	[priˈzʌmpʃən] n. 冒昧；专横；假定
*assumption	[əˈsʌmpʃən] n. 设想；夺取
desertion	[diˈzə:ʃən] n. 离弃，遗弃
*digestion	[diˈdʒestʃən] n. 消化，吸收
*ingestion	[inˈdʒestʃən] n. 摄取，吸收；容纳
*retribution	[ˌretriˈbju:ʃən] n. 报应，惩罚
*redistribution	['ri:distriˈbju:ʃən] n. 重新分配
*prosecution	[ˌprɔsiˈkju:ʃən] n. 起诉；实行；经营
elocution	[ˌeləˈkju:ʃən] n. 演说术
*circumlocution	[ˌsə:kəmləˈkju:ʃən] n. 迂回累赘的陈述

核心词汇

ablution	[əˈbluːʃən] n. (宗教的)净礼,沐浴
diminution	[ˌdimiˈnjuːʃən] n. 减少,缩减
*destitution	[ˌdestiˈtjuːʃən] n. 匮乏,穷困
*restitution	[ˌrestiˈtjuːʃən] n. 归偿;赔偿
institution	[ˌinstiˈtjuːʃən] n. 公共机构,协会;制度
*constitution	[ˌkɔnstiˈtjuːʃən] n. 宪法;体质
*talon	[ˈtælən] n. 猛禽的锐爪
*felon	[ˈfelən] n. 重罪犯
*melon	[ˈmelən] n. 甜瓜
*gallon	[ˈgælən] n. 加仑
*colon	[kəuˈlən] n. 冒号
*pylon	[ˈpailən] n. 高压电线架;桥塔
*salmon	[ˈsæmən] n. 大麻哈鱼;鲜肉色
*summon	[ˈsʌmən] v. 召见;召集
*sermon	[ˈsəːmən] n. 布道;说教,训诫
*canon	[ˈkænən] n. 经典,真作
*boon	[buːn] n. 恩惠,天赐福利
*cocoon	[kəˈkuːn] n. 茧
buffoon	[bʌˈfuːn] n. 演出时的丑角;粗俗而愚蠢的人
loon	[luːn] n. 愚人;疯子
*balloon	[bəˈluːn] n. 气球; v. 快速增加
*lampoon	[læmˈpuːn] n. 讽刺文章; v. 讽刺
maroon	[məˈruːn] n./adj. 栗色(的)
monsoon	[mɔnˈsuːn] n. 季雨,季风
*cartoon	[kɑːˈtuːn] n. 漫画
caldron	[ˈkɔːdrən] n. (煮汤用的)大锅
environ	[inˈvaiərən] v. 包围,围绕
apron	[ˈeiprən] n. 围裙
neutron	[ˈnjuːtrɔn] n. 中子
treason	[ˈtriːzn] n. 叛国罪
*mason	[ˈmeisn] n. 泥瓦匠,石匠

*liaison	[li(:)'eizən]	n. 联系；暧昧关系
benison	['benizn]	n. 祝福，赐福
*comparison	[kəm'pærisn]	n. 比较，对照；比喻
jettison	['dʒetisn]	v. （船）向外抛弃东西；n. 抛弃的货物
*arson	['ɑːsn]	n. 纵火，放火
*baton	['bætən]	n. （指挥家用的）指挥棒；警棍
*skeleton	['skelitən]	n. 骨架，骨骼；提纲
simpleton	['simpltən]	n. 笨蛋
plankton	['plæŋkt(ə)n]	n. 浮游生物
crayon	['kreiən]	n. 彩色腊笔，有色粉笔，粉笔画
*halcyon	['hælsiən]	adj. 平静的；愉快的
canyon	['kænjən]	n. 峡谷
blazon	['bleizn]	n. 纹章，装饰；v. 精确描绘
barn	[bɑːn]	n. 谷仓
*yearn	[jəːn]	v. 盼望，渴望
*yarn	[jɑːn]	n. 纱线
*discern	[di'səːn]	v. （费劲）识别，看出
*fern	[fəːn]	n. 羊齿植物，蕨
*lectern	['lektə(ː)n]	n. 教堂里的读经台
*intern	[in'təːn]	v. 拘禁，软禁；n. 实习生
*stern	[stəːn]	n. 船尾
cistern	['sistən]	n. 贮水池
*cavern	['kævən]	n. 大洞穴
*stubborn	['stʌbən]	adj. 固执的；难以改变的
*inborn	['in'bɔːn]	adj. 天生的，天赋的
*suborn	[sʌ'bɔːn]	v. 收买，贿赂
*acorn	['eikɔːn]	n. 橡子，橡果
*unicorn	['juːnikɔːn]	n. （传说中的）独角兽
*scorn	[skɔːn]	n. 轻蔑；v. 轻蔑，瞧不起
*adorn	[ə'dɔːn]	v. 装饰

核
心
词
汇

133

* horn	[hɔ:n] n. 角，角质；喇叭
* thorn	[θɔ:n] n. 刺，荆棘
* careworn	['keəwɔ:n] adj. 受忧虑折磨的，饱经风霜的
shopworn	['ʃɔpwɔ:n] adj. 在商店中陈列旧了的
* adjourn	[ə'dʒə:n] v. 使延期，推迟；休会
* mourn	[mɔ:n] v. 哀悼，哀伤
* taciturn	['tæsitə:n] adj. 沉默寡言的
* overturn	[ˌəuvə'tə:n] v. 翻倒；推翻
* shun	[ʃʌn] v. 避免，闪避
* pun	[pʌn] n. 双关语
* fawn	[fɔ:n] n. 未满周岁的小鹿；v. 巴结，奉承
spawn	[spɔ:n] n. （鱼等的）卵；v. 大量生产
yawn	[jɔ:n] v. 打呵欠
* down	[daun] n. 羽毛；汗毛
* full-blown	['ful'bləun] adj. （鲜花）盛开的；发育完全的；成熟的
clown	[klaun] n. 小丑；v. 扮小丑
* renown	[ri'naun] n. 名望，声誉
crown	[kraun] v. 加冕，使成王，居…之顶

O

* placebo	[plə'si:bəu] n. 安慰剂
* fiasco	[fi'æskəu] n. 大失败，惨败
* fresco	['freskəu] n. 壁画
* tornado	[tɔ:'neidəu] n. 飓风，龙卷风
* bravado	[brə'vɑ:dəu] n. 故作勇敢，虚张声势
* tuxedo	[tʌk'si:dəu] n. 礼服，无尾礼服
* crescendo	[kri'ʃendəu] n. （音乐）渐强；高潮
* innuendo	[ˌinju'endəu] n. 含沙射影，暗讽

*cameo	['kæmiəu] *n.* 浮雕宝石；生动刻画；（演员）出演
archipelago	[ˌɑːkiˈpeligəu] *n.* 群岛
*vertigo	['vəːtigəu] *n.* 眩晕
*tango	['tæŋgəu] *n.* 探戈舞
*embargo	[emˈbɑːgəu] *n.* 禁运令，封港令
*cargo	['kɑːgəu] *n.* （船、飞机等装载的）货物
forgo	[fɔːˈgəu] *v.* 放弃，抛弃
*poncho	['pɔntʃəu] *n.* 斗篷；雨衣
braggadocio	[ˌbrægəˈdəuʃiəu] *n.* 吹牛大王；大吹大擂
*imbroglio	[imˈbrəuliəu] *n.* 纠纷，纠葛
*portfolio	[pɔːtˈfəuljəu] *n.* 文件夹；股份单
scenario	[siˈnɑːriəu] *n.* 剧情说明书；剧本
*impresario	[ˌimpreˈsɑːriəu] *n.* （剧院或乐团等）经理人，主办者
*oratorio	[ˌɔrəˈtɔːriəu] *n.* 清唱剧（没有舞台行动、道具的戏剧）
*trio	['triːəu] *n.* 三重奏，三重唱；三人一组
*halo	['heiləu] *n.* （日、月等）晕，神像之光环
*cello	['tʃeləu] *n.* 大提琴
*peccadillo	[pekəˈdiləu] *n.* 小过失
*solo	['səuləu] *adj.* 单独的；*n.* 独唱
*dynamo	['dainəməu] *n.* 发电机
*piano	[piˈɑːnəu] *adj.* （音乐）轻柔的
*inferno	[inˈfəːnəu] *n.* 火海；地狱般的场所
taboo	[təˈbuː] *adj.* 讳忌的；*n.* 禁忌
kangaroo	[ˌkæŋgəˈruː] *n.* 袋鼠
*woo	[wuː] *v.* 向（女人）求爱；争取…的支持
*tempo	['tempəu] *n.* （动作、生活的）步调；速度
typo	['taipəu] *n.* 排印错误
*tyro	['taiərəu] *n.* 新手
*virtuoso	[ˌvəːtjuˈəuzəu] *n.* 演艺精湛的人
*lasso	['læsəu] *n.* 套索（捕捉牛、马用）

核心词汇

135

*staccato	[stə'ka:təu] adj. (音乐)断音的,不连贯的
veto	['vi:təu] n. 否决;禁止
mosquito	[məs'ki:təu] n. 蚊子
canto	['kæntəu] n. (长诗的)篇
*concerto	[kən't∫ə:təu] n. 协奏曲
hitherto	[,hiðə'tu:] adv. 到目前为止
*manifesto	[,mæni'festəu] n. 宣言,声明
*libretto	[li'bretəu] n. (歌剧等)歌词;剧本
*motto	['mɔtəu] n. 座右铭;箴言
grotto	['grɔtəu] n. 洞穴
arroyo	[ə'rɔiəu] n. 干涸的河床;小河

P

核心词汇

*reap	[ri:p] v. 收割,收获
lap	[læp] v. 舔食;泼溅
overlap	['əuvə'læp] v. (部分地)重叠
*kidnap	['kidnæp] v. 诱拐,绑架,勒赎
*scrap	[skræp] n. 小片,碎屑;v. 废弃
*sap	[sæp] n. 树液;活力;v. 消弱,耗尽
creep	[kri:p] v. 匍匐前进;悄悄地移动
*seep	[si:p] v. (液体等)渗漏
*steep	[sti:p] v. 浸泡,浸透
*sidestep	['saidstep] v. 横跨一步以躲避;回避
chip	[t∫ip] n. 薄片,碎片;集成电路片
draftsmanship	['dra:ftsmən∫ip] n. 起草术,制图术
championship	['t∫æmpjən∫ip] n. 冠军地位;锦标赛
*worship	['wə:∫ip] v./n. 崇拜,敬仰
*clip	[klip] n. 夹子,别针;v. 修剪
*flip	[flip] v. 用指轻弹;蹦跳;adj. 无礼的

nip	[nip] v. 小口啜饮
*snip	[snip] v. 剪断
*strip	[strip] v. 剥去；n. 狭长的一片
outstrip	[aut'strip] v. 超过；跑过
*sip	[sip] v. 啜饮
*gulp	[gʌlp] v. 吞食，咽下
*pulp	[pʌlp] n. 果肉酱；纸浆
*damp	[dæmp] v. 减弱；制止振动；adj. 潮湿的
clamp	[klæmp] n. 钳子；v. 钳紧
*cramp	[kræmp] n. 铁箍，夹子；v. 把…箍紧
tamp	[tæmp] v. 捣实，砸实
*stamp	[stæmp] v./n. 踩脚；在…上盖印
*swamp	[swɔmp] n. 沼泽；v. 使陷入；淹没
temp	[temp] v. 做临时工作
imp	[imp] n. 小鬼；顽童
*skimp	[skimp] v. 节省花费
*limp	[limp] v. 跛行；adj. 软弱的,松软的
*primp	[primp] v. （妇女）刻意打扮
lump	[lʌmp] n. 一块，肿块；v. 形成块状
*coop	[ku:p] n. （鸡）笼，栏
*scoop	[sku:p] n. 小铲,勺子；v. （用勺子）取出,舀出
hoop	[hu:p] n. （桶之）箍,铁环
loop	[lu:p] n. 圈,金属线圈
droop	[dru:p] v. 低垂；沮丧
*backdrop	[ˈbækdrɔp]n. (事情的)背景,背景幕布
*eavesdrop	[ˈi:vzdrɔp] v. 偷听,窃听
prop	[prɔp] n. 支撑物,靠山；v. 支持
sop	[sɔp] n. 泡过的食品；安慰品
*carp	[kɑ:p] n. 鲤鱼；v. 吹毛求疵
harp	[hɑ:p] n. 竖琴；v. 喋喋不休地说或写
*warp	[wɔ:p] v./n. 翘起,弯曲

核
心

词
汇

137

*slurp	[slə:p]	v. 大声地啜喝
*usurp	[ju:'zə:p]	v. 篡夺，霸占
*clasp	[klɑːsp]	n. 钩子，扣子；紧握
coup	[ku:]	n. 意外而成功的行动
*group	[gru:p]	v. 使…集合；n. 群，集

R

*bazaar	[bə'zɑ:]	n. 集市，商店集中区
bar	[bɑ:(r)]	v. 禁止，阻挡；n. 条，棒
*disbar	[dis'bɑ:]	v. 取消律师资格
*vicar	['vikə]	n. 教区牧师
*flatcar	['flætkɑ:]	n. 平台型铁路货车
*gear	[giə]	n. 齿轮；装备；仪器
*shear	[ʃiə]	v. 剪(羊毛)，剪发
*smear	[smiə]	n. 油渍，污点；v. 弄脏，玷污
linear	['liniə]	adj. 线的；成直线的
*spear	[spiə]	n. 矛；嫩叶；v. 刺戳
sear	[siə]	v. (以烈火)烧灼
*tear	[tiə]	v. 撕裂
*vulgar	['vʌlgə]	adj. 无教养的
hangar	['hæŋə]	n. 飞机库
*cougar	['ku:gə]	n. 美洲豹
*char	[tʃɑ:]	v. 烧焦；使…燃烧成焦炭
jar	[dʒɑ:]	v. 冲突，抵触；震惊；发刺耳声
*verisimilar	[,veri'similə]	adj. 好像真实的；可能的
*cellar	['selə]	n. 地下室；酒窖
stellar	['stelə]	adj. 星的，星球的
*pillar	['pilə]	n. 柱子
*caterpillar	['kætəpilə]	n. 毛毛虫，蝴蝶的幼虫
*collar	['kɔlə]	n. 衣领；戴在动物颈部的项圈

molar	['məulə] *n.* 臼齿
*polar	['pəulə] *adj.* 地极的，两极的；磁极的
*vernacular	[və'nækjulə] *n.* 本国语，地方语
spectacular	[spek'tækjulə] *adj.* 壮观的，引人入胜的
secular	['sekjulə] *adj.* 世俗的，尘世的
*perpendicular	[,pə:pən'dikjulə] *adj.* 垂直的
*particular	[pə'tikjulə] *n.* 事实，细节
*jocular	['dʒɔkjulə] *adj.* 滑稽的，诙谐的；嬉戏的
*circular	['sə:kjulə] *adj.* 圆形的
vascular	['væskjulə] *adj.* 血管的，脉管的
muscular	['mʌskjulə] *adj.* 肌肉的；强健的
*angular	['æŋgjulə] *adj.* 有角的；(指人)瘦削的
insular	['insjulə] *adj.* 岛屿的；心胸狭窄的
*titular	['titjulə] *adj.* 有名无实的，名义上的
*mar	[mɑ:] *v.* 破坏，损伤
lunar	['lju:nə] *adj.* 月亮的
*uproar	['ʌprɔ:] *n.* 喧闹，骚动
*soar	[sɔ:] *v.* 高飞，翱翔；猛增
*mortar	['mɔ:tə] *n.* 小臼，乳钵；迫击炮
*jabber	['dʒæbə] *v.* 快而不清楚地说
*limber	['limbə] *adj.* 易弯曲的；敏捷的
*timber	['timbə] *n.* 木材；(人)品质
*somber	['sɔmbə] *adj.* 忧郁的；阴暗的
*encumber	[in'kʌmbə] *v.* 妨害，阻碍
*lumber	['lʌmbə] *v.* 蹒跚而行，笨拙地走；*n.* 杂物；木材
*plumber	['plʌmbə] *n.* 管子工，铅管工
*slumber	['slʌmbə] *v.* 睡眠，安睡；*n.* 安睡
*sober	['səubə] *adj.* 清醒的；庄重的
*tuber	['tju:bə] *n.* 块茎，球根
ulcer	['ʌlsə] *n.* 溃疡；腐烂物
freelancer	['fri:lɑ:nsə] *n.* 自由职业者

核心词汇

139

核心词汇

dodder	['dɔdə] v.	蹒跚，摇摆
*shudder	['ʃʌdə] v./n.	战栗，发抖
*rudder	['rʌdə] n.	船舵；领导者
*embroider	[im'brɔidə] v.	刺绣；修饰
rider	['raidə] n.	骑手；附文，附件
insider	[in'saidə] n.	局内人，圈内人
*bewilder	[bi'wildə] v.	迷惑；混乱
*folder	['fəuldə] n.	文件夹，纸夹
beholder	[bi'həuldə] n.	目睹者，旁观者
*solder	['sɔldə] v.	焊接，焊合
*boulder	['bəuldə] n.	巨砾
*shoulder	['ʃəuldə] n.	肩；路肩
*meander	[mi'ændə] v.	蜿蜒而流；漫步
*colander	['kʌləndə] n.	滤器，漏勺
*slander	['slɑ:ndə] v./n.	诽谤，诋毁
*gerrymander	['dʒerimændə] v.	(为使某政党在选举中取得优势)不公正地将(某地区)划成选区
pander	['pændə] v.	怂恿，迎合(不良欲望)
bystander	['baistændə] n.	旁观者
*squander	['skwɔndə] v.	浪费，挥霍
fender	['fendə] n.	挡泥板；护舷物
*engender	[in'dʒendə] v.	产生，引起
*render	['rendə] v.	呈递；表现；提供
*surrender	[sə'rendə] v.	投降；放弃；归还
*tender	['tendə] v.	提出(希望对方接受的意见等)
provender	['prɔvində] n.	(牛马吃的)草料，粮秣
*remainder	[ri'meində] n.	剩余物
*cinder	['sində] n.	余烬，矿渣
*faultfinder	['fɔ:lt,faində] n.	喜欢挑剔的人
*hinder	['hində] v.	阻碍，妨碍
*cylinder	['silində] n.	圆柱

reminder	[ri'maində]	n. 提醒人记忆之物
*tinder	['tində]	n. 火绒，火种
*ponder	['pɔndə]	v. 仔细考虑
*blunder	['blʌndə]	v. 犯大错；笨拙地做；n. 愚蠢之举
plunder	['plʌndə]	v. 抢劫，掠夺
founder	['faundə]	v. (船)沉没；(计划)失败
*flounder	['flaundə]	v. 挣扎；艰苦地移动；n. 比目鱼
*sunder	['sʌndə]	v. 分裂，分离
asunder	[ə'sʌndə(r)]	adj./adv. 分离的(地)；化为碎片
*larder	['lɑːdə]	n. 食品室
*girder	['gəːdə]	n. 大梁
sheer	[ʃiə]	adj. 完全的；陡峭的；极薄的
*jeer	[dʒiə]	v. 嘲笑
*leer	[liə]	v. 斜眼看，送秋波
*veneer	[və'niə]	n. (镶于劣质东西上的)镶面板；外表
*mutineer	[ˌmjuːti'niə]	n. 反叛者，背叛者
*sneer	[sniə]	v. 嘲笑，鄙视
*peer	[piə]	n. 同等之人，同辈
*profiteer	[ˌprɔfi'tiə]	n. 奸商，牟取暴利者
steer	[stiə]	v. 操舵，驾驶；n. 公牛，食用牛
gazetteer	[ˌgæzi'tiə]	n. 地名词典，地名表
*veer	[viə]	v. 转向；改变(话题等)
*defer	[di'fəː]	v. 推延；听从
proffer	['prɔfə]	n./v. 献出，赠送；提议，建议
*conifer	['kəunifə]	n. 针叶树
aquifer	['ækwifə]	n. 含水土层
*infer	[in'fəː]	v. 推断，推定
*confer	[kən'fəː]	v. 讨论，商谈；赠予
*transfer	[træns'fəː]	v. 转移，传递；调任，转让

141

meager	[ˈmiːgə] *adj.* 贫乏的；削瘦的
*forager	[ˈfɔridʒə] *n.* 为动物寻找饲料的人
*badger	[ˈbædʒə] *n.* 獾；*v.* 一再烦扰，一再要求
*ledger	[ˈledʒə] *n.* 账簿
*dagger	[ˈdægə] *n.* 短剑，匕首
*swagger	[ˈswægə] *v.* 大摇大摆地走；妄自尊大
trigger	[ˈtrigə] *n.* 扳机；*v.* 引发，导致
*ranger	[ˈreindʒə] *n.* 森林管理员；巡逻骑警
harbinger	[ˈhɑːbindʒə] *n.* 先驱，先兆
ginger	[ˈdʒindʒə] *n.* 姜；活力
linger	[ˈliŋgə] *v.* 逗留；留恋
*malinger	[məˈliŋgə] *v.* 装病以逃避工作
*warmonger	[ˈwɔːmʌŋgə] *n.* 好战者，战争贩子
*forger	[ˈfɔːdʒə] *n.* 伪造者；打铁匠
*pitcher	[ˈpitʃə] *n.* 有柄水罐
lexicographer	[ˌleksiˈkɔgrəfə] *n.* 词典编纂人
*cartographer	[kɑːˈtɔgrəfə] *n.* 绘制地图者
cipher	[ˈsaifə] *n.* 零；无影响力的人；密码
*decipher	[diˈsaifə] *v.* 解开(疑团)；破译(密码)
*gusher	[ˈgʌʃə] *n.* 滔滔不绝的说话者；喷油井
*weather	[ˈweðə] *v.* 经受住；平安度过危难
tether	[ˈteðə] *v.* 用绳或链拴住(牲畜)；*n.*(拴牲畜的)绳或链；限度，范围
bellwether	[ˈbelˌweðə] *n.* 领导者，领头羊
*slither	[ˈsliðə] *v.* (蛇)滑动，扭动前进
*wither	[ˈwiðə] *v.* 枯萎，凋零
*panther	[ˈpænθə] *n.* 黑豹
*smother	[ˈsmʌðə] *v.* 覆盖；(使)闷死
cavalier	[ˌkævəˈliə] *n.* 骑士，武士
*chandelier	[ˌʃændiˈliə] *n.* 枝形吊灯(烛台)
barrier	[ˈbæriə] *n.* 路障；障碍
*dossier	[ˈdɔsiei] *n.* 卷宗，档案

核心词汇

*bicker	['bikə]	v. 为小事争吵
*pucker	['pʌkə]	v. 起皱；n. 皱褶
tinker	['tiŋkə]	n. 补锅工人；v. 拙劣修补
*broker	['brəukə]	n. 经纪人
cobbler	['kɔblə]	n. 补鞋匠
*muffler	['mʌflə]	n. 消音器；围巾
wrangler	['ræŋglə]	n. 口角者，争论者；牧马者
tickler	['tikl]	n. 棘手的问题，难题
*stickler	['stiklə]	n. 坚持细节之人
propeller	[prə'pelə]	n. 螺旋桨；推进器
*painkiller	['pein,kilə]	n. 止痛药
*sampler	['sɑːmplə]	n. 刺绣花样；取样员
*gossamer	['gɔsəmə]	n. 蛛丝；薄纱；adj. 轻而薄的
*hammer	['hæmə]	n. 锤子，槌
stammer	['stæmə]	v. 口吃，结巴
*glimmer	['glimə]	v. 发微光；n. 摇曳的微光
misnomer	['mis'nəumə]	n. 名字的误用
designer	[di'zainə]	n. 设计者，构思者
retainer	[ri'teinə]	n. 侍从
forerunner	['fɔː,rʌnə]	n. 预兆，前兆；先驱
*practitioner	[præk'tiʃənə]	n. 开业者；从事某种手艺者
*petitioner	[pi'tiʃənə]	n. 请愿人
*garner	['gɑːnə]	v. 收藏，积累
*vintner	['vintnə]	n. 酒商
*reaper	['riːpə]	n. 收割者
*skyscraper	['skaiskreipə]	n. 摩天大楼
taper	['teipə]	n. 细蜡烛；v.（长形物体的）逐渐变细
*hamper	['hæmpə]	v. 妨碍，阻挠；n. 有盖提篮
tamper	['tæmpə]	v. 损害，窜改
*temper	['tempə]	v. 锤炼；缓和；n. 脾气

核心词汇

143

核心词汇

* simper	['simpə] v. 痴笑，傻笑
dapper	['dæpə] adj. 整洁漂亮的；动作敏捷的
clipper	['klipə] n. 大剪刀；快速帆船
* whisper	['(h)wispə] v. 耳语，低声说话
* pauper	['pɔːpə] n. 贫民，乞丐
* miser	['maizə] n. 守财奴，吝啬鬼
* composer	[kəm'pəuzə] n. 作曲家
* geyser	['gaizə] n. 天然温泉
cater	['keitə] v. 迎合；提供饮食及服务
idolater	[ai'dolətə] n. 神像（偶像）崇拜者
crater	['kreitə] n. 火山口；弹坑
specter	['spektə] n. 鬼魂，幽灵；恐惧
* deter	[di'tə:] v. 威慑，吓住
teeter	['ti:tə] v. 摇摆，踌躇
* diameter	[dai'æmitə] n. 直径
parameter	[pə'ræmitə] n. 参量，变量
* perimeter	[pə'rimitə] n. 周长
* odometer	[ɔ'dɔmitə] n. （汽车）里程表
barometer	[bə'rɔmitə] n. 气压计；晴雨表
* rafter	['rɑːftə] n. 橼子
slaughter	['slɔːtə] v. /n. 屠杀，屠宰
arbiter	['ɑːbitə] n. 权威人士，泰斗
* alter	['ɔːltə] v. 改变，更改
* falter	['fɔːltə] v. 摇晃，蹒跚；支吾地说
palter	['pɔːltə] v. 含糊其词
* shelter	['ʃeltə] n. 掩蔽处，掩蔽；v. 庇护，保护
* welter	['weltə] n. 混乱，杂乱无章
* filter	['filtə] n. 滤纸；v. 过滤
* banter	['bæntə] n. 打趣，玩笑
* carpenter	['kɑːpintə] n. 木匠
* presenter	[pri'zentə] n. 主持人
* inter	[in'tə:] v. 埋葬

fetter

*disinter	['disin'tə:] v. 挖出，挖掘
saunter	['sɔ:ntə] n./v. 闲逛，漫步
*encounter	[in'kauntə] v. 遭遇
*barter	['bɑ:tə] v. 易货贸易
charter	['tʃɑ:tə] n. (公司)执照；宪章；v. 包租车船
*deserter	[di'zə:tə] n. 背弃者，逃亡者
alabaster	['æləbɑ:stə] adj. 雪白的
*plaster	['plɑ:stə] n. 灰泥，石膏；v. 抹灰泥
*disaster	[di'zɑ:stə] n. 灾难，大不幸
*fester	['festə] v. (指伤口)溃烂，化脓
*pester	['pestə] v. 纠缠；强求
*sequester	[si'kwestə] v. (使)隐退；使隔离
*banister	['bænistə] n. (楼梯的)栏杆
*cloister	['klɔistə] n. 修道院
*huckster	['hʌkstə] n. 叫卖小贩，零售商
*pollster	['pəulstə] n. 民意测验家
*bolster	['bəulstə] n. 枕垫；v. 支持，鼓励
*holster	['həulstə] n. 手枪皮套
*foster	['fɔstə] v. 培养，鼓励；领养
*poster	['pəustə] n. 海报，招贴画
*four-poster	[,fɔ:'pɔstə] n. 有四柱的床
*roster	['rəustə] n. 值班表，花名册
*filibuster	['filibʌstə] v./n. 妨碍议事，阻挠
*bluster	['blʌstə] v. (指风)猛刮
cluster	['klʌstə] n. 串，束，群；v. 成群，成串
*lackluster	['læk,lʌstə] adj. 无光泽的；呆滞的
*muster	['mʌstə] v. 召集，聚集
scatter	['skætə] v. 散开，驱散
*flatter	['flætə] v. 恭维，奉承
*fetter	['fetə] n./v. (带)脚镣；束缚

核心词汇

*enfetter	[in'fetə] v. 给…上脚镣；束缚，使受制于
litter	['litə] n. 垃圾；一窝(动物)
*otter	['otə] n. 水獭
*totter	['totə] v. 摇摇欲坠；步履蹒跚
*utter	['ʌtə] adj. 完全的；v. 发出声音
*gutter	['gʌtə] n. 水槽；街沟
*flutter	['flʌtə] v. 拍翅
*mutter	['mʌtə] v. 咕哝，嘀咕
*stutter	['stʌtə] n./v. 口吃，结巴
beleaguer	[bi'li:gə] v. 围攻；骚扰
*conquer	['konkə] v. 以武力征服
*aver	[ə'və:] v. 极力声明；断言；确证
*cleaver	['kli:və] n. 切肉刀
*quaver	['kweivə] v. 发颤音，颤抖；n. 颤音
*waver	['weivə] v. 摇摆，犹豫
*lever	['li:və] n. 杠杆；v. 撬动
*sever	['sevə] v. 切断，脱离
*diver	['daivə] n. 潜水员
*sliver	['slivə] n. 长条；v. 裂成细片
screwdriver	['skru:draivə] n. 螺丝起子；改锥
*quiver	['kwivə] n. 箭筒，箭囊
*hover	['hovə] v. 翱翔；(人)徘徊
outmaneuver	[autmə'nu:və] v. 以策略制胜
ewer	['ju(:)ə] n. 大口水罐
*skewer	['skjuə] n. (烤肉用的)穿肉杆；v. 用杆穿好
*sewer	['sjuə] n. 排水沟，下水道
*cower	['kauə] v. 畏缩，蜷缩
*glower	['glauə] v. 怒目而视
*empower	[im'pauə] v. 授权给某人采取行动
*bricklayer	['brikleiə] n. 砌砖盖房者，泥瓦匠

核心词汇

146

*foyer	['fɔiei] *n.*	门厅,休息室
*fertilizer	['fə:ti,laizə] *n.*	肥料,化肥
*appetizer	['æpitaizə] *n.*	开胃品
*lair	[lɛə] *n.*	野兽的巢穴;躲藏处
*impair	[im'pɛə] *v.*	损害,削弱
*nadir	['neidiə] *n.*	最低点
heir	[ɛə] *n.*	继承人
*souvenir	['su:vəniə] *n.*	纪念品
*choir	['kwaiə] *n.*	(教堂的)歌唱队
memoir	['memwɑ:] *n.*	回忆录,自传;记事录
*stir	[stə:] *v.*	刺激
*belabor	[bi'leibə] *v.*	过分冗长地做或说;痛打
*harbor	['hɑ:bə] *n.*	港,避难所; *v.* 包庇,隐匿
succor	['sʌkə] *v.*/*n.*	救助,援助
rancor	['ræŋkə] *n.*	深仇,怨恨
*candor	['kændə] *n.*	坦白,率直
*splendor	['splendə] *n.*	壮丽,辉煌
vendor	['vendɔ:] *n.*	小贩
*rigor	['rigə] *n.*	严酷;严格,苛刻;严密,精确
*abhor	[əb'hɔ:] *v.*	憎恨,嫌恶
anchor	['æŋkə] *v.*	稳固;固定; *n.* 锚
*metaphor	['metəfə] *n.*	隐喻,暗喻
*inferior	[in'fiəriə] *adj.*	下级的,低等的,质次的,较差的
anterior	[æn'tiəriə] *adj.*	较早的,以前的
*squalor	['skwɔlə] *n.*	不洁,污秽
chancellor	['tʃɑ:nsələ] *n.*	大臣,总理,首席法官,大学校长
*clamor	['klæmə] *v.*/*n.*	吵闹,喧哗
*tremor	['tremə] *n.*	震动;地震
*humor	['hju:mə] *v.*	纵容,迁就
tenor	['tenə] *n.*	男高音;要点,要旨

核心词汇

147

*donor	['dəunə] n.	捐赠者,赠送者;献血者
*boor	[buə] n.	举止粗野的人;乡下人
*torpor	['tɔ:pə] n.	死气沉沉
*stupor	['stju:pə] n.	昏迷,不省人事
furor	['fjuərɔ:] n.	轰动;盛怒
censor	['sensə] v.	审查,检查(书报)
*precursor	[pri(:)'kə:sə] n.	先驱,先兆
*predecessor	['pri:disesə] n.	前任,前辈;原先的东西
intercessor	[,intə'sesə] n.	仲裁者
aggressor	[ə'gresə] n.	侵略者,攻击者
*scissor	['sizə] n.	剪刀
*incubator	['inkjubeitə] n.	孵卵器;早产婴儿保育箱
*predator	['predətə] n.	食肉动物
*gladiator	['glædieitə] n.	角斗士,与野兽搏斗者
defoliator	[di'fəulieitə] n.	落叶剂
*generator	['dʒenəreitə] n.	发电机
*curator	[kjuə'reitə] n.	(博物馆等)馆长
*spectator	[spek'teitə] n.	观众,观看者
testator	[tes'teitə] n.	立遗嘱的人
*equator	[i'kweitə] n.	赤道
*benefactor	['benifæktə] n.	行善者,捐助者
hector	['hektə] v.	凌辱,威吓
*projector	[prə'dʒektə] n.	电影放映机,幻灯机
*proctor	['prɔktə] n.	代理人;学监
*traitor	['treitə] n.	卖国贼,叛徒
*inhibitor	[in'hibitə] n.	抑制剂
mentor	['mentɔ:] n.	导师
*sculptor	['skʌlptə] n.	雕刻家
ancestor	['ænsistə] n.	祖先,祖宗
impostor	[im'pɔstə] n.	冒充者,骗子
*tutor	['tju:tə] n.	助教;监护人; v. 辅导
*languor	['læŋgə] n.	身心疲惫

*fervor	[ˈfəːvə]	n. 热诚，热心
*surveyor	[səˈveiə]	n. 测量员
*razor	[ˈreizə]	n. 剃刀，刮胡刀
err	[əː]	v. 犯错误，出错
centaur	[ˈsentɔː]	n. 人头马怪物
*incur	[inˈkəː]	v. 招惹
*concur	[kənˈkəː]	v. 意见相同，一致
*grandeur	[ˈɡrændʒə]	n. 壮丽，伟大
entrepreneur	[ˌɔntrəprəˈnəː]	n. 企业家，创业人
*poseur	[pəuˈzəː]	n. 装模作样的人
*connoisseur	[ˌkɔniˈsəː]	n. 鉴赏家，行家
*amateur	[ˈæmətə(ː)]	n. 业余爱好者
*raconteur	[ˌrækɔnˈtəː]	n. 善于讲故事的人
saboteur	[ˌsæbəˈtəː]	n. 从事破坏活动者
hauteur	[əuˈtəː]	n. 傲慢
augur	[ˈɔːɡə]	n. 占卜师；v. 占卜
blur	[bləː]	n. 模糊不清的事物；v. 使…模糊
*slur	[sləː]	v. 含糊不清地讲
*demur	[diˈməː]	v. 表示异议，反对
*murmur	[ˈməːmə]	v. 柔声地说，喃喃而言
dour	[duə]	adj. 严厉的，脸色阴沉的
downpour	[ˈdaunpɔː]	n. 暴雨
detour	[ˈdiːtuə]	n. 弯路；绕行之路
devour	[diˈvauə]	v. 吞食；(一口气)读完
spur	[spəː]	v. 刺激，激励；用马刺刺马
zephyr	[ˈzefə]	n. 和风；西风
*martyr	[ˈmɑːtə]	n. 烈士，殉道者

核心词汇

S

*fracas	[ˈfrækɑː]	n. 喧嚷，吵闹

*pancreas	['pæŋkriəs]	n. 胰腺
*alias	['eiliəs]	n. 化名，别名
*canvas	['kænvəs]	n. 画布；帆布
*specifics	[spi'sifiks]	n. 细小问题，细节
*ethics	['eθiks]	n. 伦理学；道德规范
ceramics	[si'ræmiks]	n. 制陶业；陶器
*mechanics	[mi'kæniks]	n. 力学
mnemonics	[ni:'mɔniks]	n. 记忆法，记忆规则
*pediatrics	[,pi:di'ætriks]	n. 小儿科
*metaphysics	[,metə'fiziks]	n. 形而上学，玄学
*athletics	[æθ'letiks]	n. 运动，体育
*homiletics	[,hɔmi'letiks]	n. 讲道术，说教术
*genetics	[dʒi'netiks]	n. 遗传学
orthodontics	[,ɔ:θəu'dɔntiks]	n. 畸齿矫正学
*logistics	[lə'dʒistiks]	n. 后勤学；后勤
*linguistics	[liŋ'gwistiks]	n. 语言学
odds	[ɔdz]	n. 机会，可能性
proceeds	['prəusi:dz]	n. 收入
*rapid	['ræpid]	n. 急流，湍流
indices	['indisi:z]	n. 指数（index 的复数）
auspices	['ɔ:spisiz]	n. 资助，赞助
rabies	['reibi:z]	n. 狂犬病；恐水病
facilities	[fə'silətiz]	n. (使事情便利的)设备、工具
*securities	[si'kjuəritiz]	n. 证券
shambles	['ʃæmblz]	n. 凌乱景象，杂乱无章
mores	['mɔ:ri:z]	n. 风俗习惯，道德观念
diabetes	[,daiə'bi:ti:z]	n. 糖尿病
*minute	[mai'nju:t]	n. 会议记录
dregs	[dregz]	n. 糟粕，沉淀废物
filings	['failiŋz]	n. 锉屑
*shaving	['ʃeiviŋ]	n. 刨花
*tongs	[tɔŋz]	n. 夹子，钳子

核心词汇

proboscis	[prəuˈbɔsis]	n. (象)长鼻;(昆虫等)吸管
précis	[ˈpreisiː]	n. 摘要,大纲
aegis	[ˈiːdʒis]	n. 盾;保护,庇护
metropolis	[miˈtrɔpəlis]	n. 大城市
*epidermis	[ˌepiˈdəːmis]	n. 表皮,外皮
bourgeois	[bəˈdʒois]	adj. 中产阶级的;自私拜物的
debris	[ˈdebriː]	n. 废墟,残骸
*hubris	[ˈhjuːbris]	n. 过分自傲,目中无人
verdigris	[ˈvəːdigris]	n. 铜锈,铜绿
*oasis	[əuˈeisis]	n. 绿洲
*stasis	[ˈsteisis]	n. 停滞
homeostasis	[ˌhəumiəuˈsteisis]	n. 体内平衡
*thesis	[ˈθiːsis]	n. 论题,论文
antithesis	[ænˈtiθisis]	n. 对立;相对
*synthesis	[ˈsinθisis]	n. 综合,合成
*photosynthesis	[ˌfəutəuˈsinθəsis]	n. 光合作用
*hypothesis	[haiˈpɔθisis]	n. 假设,假说
genesis	[ˈdʒenisis]	n. 创始,起源
symbiosis	[ˌsimbaiˈəusis]	n. 共生(现象)
*osmosis	[ɔzˈməusis]	n. 渗透;潜移默化
prognosis	[prɔgˈnəusis]	n. 预后,对疾病的发作及结果的预言
*ellipsis	[iˈlipsis]	n. 省略
*synopsis	[siˈnɔpsis]	n. 摘要,概要
*catharsis	[kæˈθɑːsis]	n. 宣泄;净化
arthritis	[ɑːˈθraitis]	n. 关节炎
*axis	[ˈæksis]	n. 轴(常为虚构之线,如地球轴)
*annals	[ˈænəlz]	n. 编年史
*qualm	[kwɑːm]	n. 疑虑;(良心的)责备
*doldrums	[ˈdɔldrəmz]	n. 赤道无风带;情绪低落
remains	[riˈmeinz]	n. 遗址,废墟

核心词汇

核心词汇

*chaos	['keiɔs] *n.* 混乱	
kudos	['kju:dɔs] *n.* 荣誉	
ethos	['i:θɔs] *n.* （个人、团体或民族）道德风貌；思潮；信仰	
cosmos	['kɔzmɔs] *n.* 宇宙	
apropos	['æprəpəu] *adj./adv.* 适宜的（地）；有关	
*calipers	['kælipəz] *n.* 测径器，双脚规	
*amass	[ə'mæs] *v.* 积聚	
*compass	['kʌmpəs] *n.* 指南针，罗盘；界限，范围	
*encompass	[in'kʌmpəs] *v.* 包围，围绕	
*surpass	[sə:'pɑ:s] *v.* 超过	
*trespass	['trespəs] *v.* 侵犯，闯入私人领地	
*harass	['hærəs] *v.* 侵扰，烦忧	
*crass	[kræs] *adj.* 愚钝的，粗糙的	
*embarrass	[im'bærəs] *v.* 使怵怩，使难堪	
*canvass	['kænvəs] *v.* 细查；拉选票	
*access	['ækses] *n.* 通路；途径	
*recess	[ri'ses] *n.* 壁凹（墙上装的架子、柜子等凹处）；休假	
*excess	['ekses] *n.* 过分，过度	
*confess	[kən'fes] *v.* 承认，供认	
largess	['lɑ:dʒes] *n.* 赠送，赏赐；赠品；贺礼	
*guileless	['gaillis] *adj.* 厚道的，老实的	
spineless	['spainlis] *adj.* 没骨气的；懦弱的	
*feckless	['feklis] *adj.* 无目标的；无计划的	
peerless	['piəlis] *adj.* 无可匹敌的	
*shiftless	['ʃiftlis] *adj.* 没有决断力的；偷懒的；无能的	
relentless	[ri'lentlis] *adj.* 无情的，残酷的	
bootless	['bu:tlis] *adj.* 无益处的；无用的	
*artless	['ɑ:tlis] *adj.* 粗俗的；自然的	
*restless	['restlis] *adj.* 不停的；不安静的	

* listless	['listlis] *adj.* 无精打采的
* heavy-handedness	['hevi'hændidnis] *n.* 笨拙,粗劣
* responsiveness	[ris'pɔnsivnis] *n.* 应答,响应
* assertiveness	[ə'sə:tivnis] *n.* 过分自信
* restiveness	['restivnis] *n.* 倔强;难以驾御
oafishness	['əufiʃnis] *n.* 痴呆
* stinginess	['stiŋinis] *n.* 小气
* pithiness	['piθinis] *n.* 简洁
* tackiness	['tækinis] *n.* 胶粘性
* leisureliness	[le'ʒəlinis] *n.* 悠然,从容
shiftiness	['ʃiftinis] *n.* 奸诈
* testiness	['testinis] *n.* 易怒
harness	['hɑ:nis] *n.* 马具; *v.* 束以马具;利用
* ruthlessness	['ru:θlisnis] *n.* 无情,残忍
* judiciousness	[dʒu(:)'diʃəsnis] *n.* 明智
* gregariousness	[gre'gæəriəsnis] *n.* 群居;合群
* unscrupulousness	[ʌn'skru:pjuləsnis] *n.* 狂妄,肆无忌惮
* witness	['witnis] *n.* 目击者; *v.* 目击
fastness	['fɑ:stnis] *n.* 要塞,城堡
* caress	[kə'res] *n.* 爱抚,抚摸; *v.* 爱抚或抚摸某人
* address	[ə'dres] *v.* 处理,对付,着手解决;致词
* redress	[ri'dres] *n.* 改正,修正
* egress	['i:gres] *n.* 出去,出口
* regress	['ri:gres] *v.* 使倒退,复原,逆行
* digress	[dai'gres] *v.* 离题
* transgress	[træns'gres] *v.* 冒犯,违背
* press	[pres] *v.* 挤压
* compress	[kəm'pres] *v.* 压缩,浓缩
oppress	[ə'pres] *v.* 压迫,压制
cypress	['saipris] *n.* 柏树

核
心
词
汇

*distress	[dis'tres]	*n.* 痛苦,悲痛
*mattress	['mætris]	*n.* 床垫
*buttress	['bʌtris]	*n.* 拱墙,拱壁;*v.* 支持
duress	[djuə'res]	*n.* 胁迫
obsess	[əb'ses]	*v.* 迷住;使…困窘,使…烦扰
*assess	[ə'ses]	*v.* 确定,评定;估计…的质量
prowess	['prauis]	*n.* 勇敢;不凡的能力
*hiss	[his]	*v.* 作嘘声;(蛇等)发出嘶嘶声
*bliss	[blis]	*n.* 狂喜;福佑,天赐的福
remiss	[ri'mis]	*adj.* 疏忽的,不留心的
*emboss	[im'bɔs]	*v.* 加浮雕花纹于;使凸出
*gloss	[glɔs]	*n.* 光泽;注解
*cross	[krɔs]	*adj.* 生气的
*dross	[drɔs]	*n.* 浮渣;糟粕
gross	[grəus]	*adj.* 总的;粗野的;*n.* 整个,全部
*engross	[in'grəus]	*v.* 全神贯注于
*toss	[tɔs]	*v.* 投,掷;使摇动
*fuss	[fʌs]	*n.* 大惊小怪
truss	[trʌs]	*n.* 桁架,支架;干草的一捆
artifacts	['ɑ:tifæks]	*n.* 史前古器物
*outskirts	['autskə:ts]	*n.* 郊区,郊外
syllabus	['siləbəs]	*n.* 教学纲要
rebus	['ri:bəs]	*n.* (以音、画等提示的)字谜,画谜
*incubus	['iŋkjubʌs]	*n.* 恶梦;梦魇般的精神压力,负担
locus	['ləukəs]	*n.* 地点,所在地
*caucus	['kɔ:kəs]	*n.* 政党高层会议
*exodus	['eksədəs]	*n.* 大批离去,成群外出
*nucleus	['nju:kliəs]	*n.* (原子)核
*esophagus	[i(:)'sɔfəgəs]	*n.* 食道,食管
asparagus	[əs'pærəgəs]	*n.* [植] 芦笋,龙须菜(可作蔬菜)

核心词汇

154

*bogus	['bəugəs] adj. 假装的，假的	
*radius	['reidjəs] n. 半径	
*nonplus	['nɔn'plʌs] v. 使窘困迷惑；n. 迷惑，窘境	
*surplus	['sə:pləs] adj. 过剩的；盈余的	
calculus	['kælkjuləs] n. 微积分学；结石	
stimulus	['stimjuləs] n. 刺激物，激励	
*cumulus	['kju:mjuləs] n. 积云	
stylus	['stailəs] n. 铁笔	
*isthmus	['isməs] n. 地峡	
animus	['æniməs] n. 敌意，憎恨	
genus	['dʒi:nəs] n. (动植物的)属	
*terminus	['tə:minəs] n. (火车，汽车)终点站	
*viscous	['viskəs] adj. 粘的	
*raucous	['rɔ:kəs] adj. (声音)沙哑的；粗糙的	
tremendous	[tri'mendəs] adj. 惊人的；巨大的	
hazardous	['hæzədəs] adj. 危险的	
*herbaceous	[hə:'beiʃəs] adj. 草本植物的	
hideous	['hidiəs] adj. 讨厌的，丑恶的	
*extemporaneous	[eks,tempə'reinjəs] adj. 即席的，没有准备的	
*extraneous	[eks'treinjəs] adj. 外来的；无关的	
*simultaneous	[,siməl'teinjəs] adj. 同时发生的	
instantaneous	[,instən'teinjəs] adj. 立即的；瞬间发生的	
*spontaneous	[spɔn'teinjəs] adj. 自发的；自然的	
*homogeneous	[,hɔməu'dʒi:njəs] adj. 同类的，相似的	
*heterogeneous	[,hetərəu'dʒi:niəs] adj. 异类的，不同的	
*igneous	['igniəs] adj. 火的，火绒的	
ligneous	['ligniəs] adj. 木质的，木头的	
*gaseous	['gæsiəs] adj. 似气体的	
osseous	['ɔsiəs] adj. 骨的，多骨的	
*analogous	[ə'næləgəs] adj. 类似的	

核心词汇

155

*amorphous	[ə'mɔ:fəs] *adj.*	无定形的
dubious	['dju:bjəs] *adj.*	可疑的；名声不大好的
efficacious	[ˌefi'keiʃəs] *adj.*	有效的
*perspicacious	[ˌpə:spi'keiʃəs] *adj.*	独具慧眼的
*mendacious	[men'deiʃəs] *adj.*	不真的；撒谎的
*audacious	[ɔː'deiʃəs] *adj.*	大胆的；愚勇的
sagacious	[sə'geiʃəs] *adj.*	聪明的，睿智的
*fallacious	[fə'leiʃəs] *adj.*	欺骗的；谬误的
*contumacious	[ˌkɔntju:'meiʃəs] *adj.*	违抗的，不服从的
tenacious	[ti'neiʃəs] *adj.*	坚韧不拔的
*pugnacious	[pʌg'neiʃəs] *adj.*	好斗的
pertinacious	[ˌpə:ti'neiʃəs] *adj.*	固执的；无法驾驭的；不妥协的
*rapacious	[rə'peiʃəs] *adj.*	强夺的；贪婪的
*veracious	[və'reiʃəs] *adj.*	诚实的，说真话的
*gracious	['greiʃəs] *adj.*	大方的；和善的；奢华的
*voracious	[və'reiʃəs] *adj.*	狼吞虎咽的，贪婪的
*loquacious	[ləu'kweiʃəs] *adj.*	多嘴的，饶舌的
*vivacious	[vi'veiʃəs] *adj.*	活泼的，快活的
*specious	['spi:ʃəs] *adj.*	似是而非的；华而不实的
*judicious	[dʒu(:)'diʃəs] *adj.*	有判断力的；明智的
*officious	[ə'fiʃəs] *adj.*	爱发命令的，好忠告的；过度殷勤的
*malicious	[mə'liʃəs] *adj.*	恶意的，怨毒的
*pernicious	[pə:'niʃəs] *adj.*	有害的，致命的
*auspicious	[ɔ:s'piʃəs] *adj.*	幸运的；吉兆的
*suspicious	[səs'piʃəs] *adj.*	怀疑的
*avaricious	[ˌævə'riʃəs] *adj.*	贪婪的，贪心的
*capricious	[kə'priʃəs] *adj.*	变化无常的；任性的
*meretricious	[ˌmeri'triʃəs] *adj.*	华而不实的，俗艳的
*vicious	['viʃəs] *adj.*	残酷的；危险的
*precocious	[pri'kəuʃəs] *adj.*	早熟的

核心词汇

*atrocious	[əˈtrəuʃəs] *adj.*	残忍的,凶恶的
*unconscious	[ʌnˈkɔnʃəs] *adj.*	不省人事的;未意识到的
*tedious	[ˈtiːdiəs] *adj.*	冗长的,沉闷的
*perfidious	[pəːˈfidiəs] *adj.*	不忠的,背信弃义的
*insidious	[inˈsidiəs] *adj.*	隐藏诡计的
*fastidious	[fæsˈtidiəs] *adj.*	难取悦的,挑剔的
*invidious	[inˈvidiəs] *adj.*	惹人反感的,导致伤害和仇恨的,招人嫉妒的
*odious	[ˈəudjəs] *adj.*	可憎的,讨厌的
*commodious	[kəˈməudiəs] *adj.*	宽敞的
*contagious	[kənˈteidʒəs] *adj.*	传染的;有感染力的
sacrilegious	[ˌsækriˈlidʒəs] *adj.*	亵渎神圣的
egregious	[iˈgriːdʒəs] *adj.*	(缺点等)过分的,惊人的
*prodigious	[prəˈdidʒəs] *adj.*	巨大的
prestigious	[presˈtiːdʒəs] *adj.*	有名望的,有威信的
*supercilious	[ˌsjuːpəˈsiliəs] *adj.*	目中无人的
*punctilious	[pʌŋkˈtiliəs] *adj.*	谨小慎微的
*rebellious	[riˈbeljəs] *adj.*	反抗的;难控制的
*abstemious	[æbˈstiːmjəs] *adj.*	有节制的,节俭的
*ingenious	[inˈdʒiːnjəs] *adj.*	聪明的,有发明天才的
*ignominious	[ignəˈminiəs] *adj.*	可耻的;耻辱的
*euphonious	[juːˈfəuniəs] *adj.*	悦耳的
*ceremonious	[ˌseriˈməunjəs] *adj.*	仪式隆重的
*acrimonious	[ˌækriˈməunjəs] *adj.*	尖刻的,严厉的
sanctimonious	[ˌsæŋktiˈməunjəs] *adj.*	假装神圣的
*impecunious	[ˌimpiˈkjuːnjəs] *adj.*	不名一文的,贫困的
*pious	[ˈpaiəs] *adj.*	虔诚的;尽责的
*copious	[ˈkəupjəs] *adj.*	丰富的,多产的
*precarious	[priˈkɛəriəs] *adj.*	不稳的;危险的

核心词汇

*vicarious	[vaiˈkɛəriəs] adj.	替代的，代理的
nefarious	[niˈfɛəriəs] adj.	邪恶的
gregarious	[greˈgɛəriəs] adj.	群居的；爱社交的
*hilarious	[hiˈlɛəriəs] adj.	充满欢乐的；引起大笑的
*uproarious	[ʌpˈrɔːriəs] adj.	骚动的，喧嚣的；令人捧腹的
*opprobrious	[əˈprəubriəs] adj.	辱骂的；恶名声的
*salubrious	[səˈljuːbriəs] adj.	有益健康的
*imperious	[imˈpiəriəs] adj.	傲慢的；专横的
*deleterious	[ˌdeliˈtiəriəs] adj.	（对身心）有害的，有毒的
delirious	[diˈliriəs] adj.	精神错乱的
*meritorious	[ˌmeriˈtɔːriəs] adj.	值得赞赏的
notorious	[nəuˈtɔːriəs] adj.	臭名昭著的
*industrious	[inˈdʌstriəs] adj.	勤劳的，勤勉的
injurious	[inˈdʒuəriəs] adj.	有害的
spurious	[ˈspjuəriəs] adj.	假的；伪造的
*luxurious	[lʌgˈzjuəriəs] adj.	奢侈的，豪华的
*fractious	[ˈfrækʃəs] adj.	（脾气）易怒的，好争吵的
*rambunctious	[ræmˈbʌŋkʃəs] adj.	骚乱的；（兴奋）控制不了的
*facetious	[fəˈsiːʃəs] adj.	轻浮的，好开玩笑的
*expeditious	[ekspiˈdiʃəs] adj.	迅速的，敏捷的
*propitious	[prəˈpiʃəs] adj.	吉利的；顺利的
*fictitious	[fikˈtiʃəs] adj.	假的；虚构的
adventitious	[ˌædvenˈtiʃəs] adj.	偶然的
*surreptitious	[ˌsʌrəpˈtiʃəs] adj.	鬼鬼祟祟的
licentious	[laiˈsenʃəs] adj.	纵欲的；放肆的
*tendentious	[tenˈdenʃəs] adj.	有偏见的
*conscientious	[ˌkɔnʃiˈenʃəs] adj.	尽责的；小心谨慎的
*pretentious	[priˈtenʃəs] adj.	自抬身价的
*unpretentious	[ʌnpriˈtenʃəs] adj.	不炫耀的

核心词汇

*contentious	[kən'tenʃəs] adj.	好辩的,善争吵的
abstentious	[əb'stenʃəs] adj.	节制的
*captious	['kæpʃəs] adj.	吹毛求疵的
bumptious	['bʌmpʃəs] adj.	傲慢的,自夸的
*obsequious	[əb'si:kwiəs] adj.	逢迎的,谄媚的
*obvious	['ɔbviəs] adj.	明显的,显而易见的
*devious	['di:vjəs] adj.	不正直的;弯曲的
*previous	['pri:vjəs] adj.	在先的,以前的
*oblivious	[ə'bliviəs] adj.	遗忘的,疏忽的
*pervious	['pə:viəs] adj.	可渗透的
*impervious	[im'pə:vjəs] adj.	不能渗透的;不为所动的
*noxious	['nɔkʃəs] adj.	有害的,有毒的
*obnoxious	[əb'nɔkʃəs] adj.	令人不愉快的;可憎的
*anomalous	[ə'nɔmələs] adj.	反常的;不规则的
perilous	['periləs] adj.	危险的,冒险的
scurrilous	['skʌriləs] adj.	下流的
*callous	['kæləs] adj.	结硬块的;无情的
frivolous	['frivələs] adj.	轻薄的,轻佻的
*nebulous	['nebjuləs] adj.	模糊不清的;云状的
*meticulous	[mi'tikjuləs] adj.	细心的,一丝不苟的
*credulous	['kredjuləs] adj.	轻信的,易信的
*sedulous	['sedjuləs] adj.	聚精会神的,勤勉的
populous	['pɔpjuləs] adj.	人口稠密的
*unscrupulous	[ʌn'skru:pjuləs] adj.	肆无忌惮的
*querulous	['kweruləs] adj.	抱怨的,多牢骚的
*garrulous	['gæruləs] adj.	唠叨的,多话的
pusillanimous	[pju:si'læniməs] adj.	胆小的
*magnanimous	[mæg'næniməs] adj.	宽宏大量的,慷慨的
*unanimous	[ju(:)'næniməs] adj.	全体意见一致的
autonomous	[ɔ:'tɔnəməs] adj.	自治的

核
心
词
汇

159

enormous	[i'nɔ:məs]	adj. 极大的,巨大的
*anonymous	[ə'nɔniməs]	adj. 匿名的
*diaphanous	[dai'æfənəs]	adj. 精致的;透明的
*indigenous	[in'didʒinəs]	adj. 土产的;本地的
*ravenous	['rævinəs]	adj. 饿极了的;贪婪的
mountainous	['mauntinəs]	adj. 多山的;巨大的
vicissitudinous	[vi,sisi'tju:dinəs]	adj. 有变化的;变迁的
*heinous	['heinəs]	adj. 十恶不赦的
*ominous	['ɔminəs]	adj. 预兆的,不祥的
coterminous	[kəu'tə:minəs]	adj. 毗连的,有共同边界的
*voluminous	[və'lju:minəs]	adj. 长篇的;多产的
*glutinous	['glu:tinəs]	adj. 粘的,胶状的
*cacophonous	[kə'kɔfənəs]	adj. 发音不和谐的,不协调的
*synchronous	['siŋkrənəs]	adj. 同时发生的
*poisonous	['pɔiznəs]	adj. 有毒的;有害的
*monotonous	[mə'nɔtənəs]	adj. 单调的,无聊的
*gluttonous	['glʌtənəs]	adj. 贪吃的,贪嘴的
*pompous	['pɔmpəs]	adj. 自大的
barbarous	['bɑ:bərəs]	adj. 野蛮的;残暴的
ludicrous	['lu:dikrəs]	adj. 荒唐可笑的
*anhydrous	[æn'haidrəs]	adj. 无水的
*slanderous	['slɑ:ndərəs]	adj. 诽谤的
*ponderous	['pɔndərəs]	adj. 笨重的,笨拙的
*treacherous	['tretʃərəs]	adj. 背叛的,叛逆的,奸诈的
*cantankerous	[kən'tæŋkərəs]	adj. 脾气坏的,好争吵的
*numerous	['nju:mərəs]	adj. 许多的,很多的
*onerous	['ɔnərəs]	adj. 繁重的,麻烦的
obstreperous	[əb'strepərəs]	adj. 吵闹的,难管束的
prosperous	['prɔspərəs]	adj. 繁荣富强的
*boisterous	['bɔistərəs]	adj. 喧闹的;猛烈的

核心词汇

*preposterous	[pri'pɔstərəs] *adj.* 荒谬的
dexterous	['dekstərəs] *adj.* 灵巧的,熟练的
*chivalrous	['ʃivəlrəs] *adj.* 武士精神的;对女人彬彬有礼的
*vigorous	['vigərəs] *adj.* 精力旺盛的,健壮的
*valorous	['vælərəs] *adj.* 勇敢的
dolorous	['dɔlərəs] *adj.* 悲哀的,忧愁的
*timorous	['timərəs] *adj.* 胆小的,胆怯的
*porous	['pɔːrəs] *adj.* 可渗透的;多孔的
*vaporous	['veipərəs] *adj.* 无实质的
*nonporous	['nɔn'pɔːrəs] *adj.* 无孔的,不渗透的
*herbivorous	[həː'bivərəs] *adj.* 食草的
carnivorous	[kɑː'nivərəs] *adj.* 肉食动物的
*ferrous	['ferəs] *adj.* 含铁的
*lustrous	['lʌstrəs] *adj.* 有光泽的
*ambidextrous	['æmbi'dekstrəs] *adj.* 十分灵巧的
*felicitous	[fi'lisitəs] *adj.* (话语等)适当的,得体的
*infelicitous	[,infi'lisitəs] *adj.* 不幸的;不妥当的
*solicitous	[sə'lisitəs] *adj.* 热切的;挂念的
*duplicitous	[dju'plisətəs] *adj.* 搞两面派的,奸诈的;双重的
*circuitous	[sə(ː)'kju(ː)itəs] *adj.* 迂回的,绕圈子的
*ubiquitous	[juː'bikwitəs] *adj.* 无所不在的
iniquitous	[i'nikwitəs] *adj.* 邪恶的,不公正的
*gratuitous	[grə'tju(ː)itəs] *adj.* 无缘无故的;免费的
*fortuitous	[fɔː'tju(ː)itəs] *adj.* 偶然的,意外的;幸运的
*momentous	[məu'mentəs] *adj.* 极重要的;严重的
*portentous	[pɔː'tentəs] *adj.* 凶兆的,有危险的
riotous	['raiətəs] *adj.* 暴乱的;蛮横的
*vacuous	['vækjuəs] *adj.* 发呆的,愚笨的

核心词汇

161

*conspicuous	[kən'spikjuəs] *adj.* 显著的，显而易见的	
perspicuous	[pə(:)'spikjuəs] *adj.* 明晰的；明了的	
*innocuous	[i'nɔkjuəs] *adj.* (行为、言论等)无害的	
*deciduous	[di'sidʒuəs] *adj.* 非永久的；短暂的；脱落的；落叶的	
*assiduous	[ə'sidjuəs] *adj.* 勤勉的；专心的	
*ambiguous	[ˌæm'bigjuəs] *adj.* 含糊的	
*contiguous	[kən'tigjuəs] *adj.* 接壤的，接近的	
*mellifluous	[me'lifluəs] *adj.* (音乐等)柔美流畅的	
*superfluous	[sjuː'pəːfluəs] *adj.* 多余的，累赘的	
*ingenuous	[in'dʒenjuəs] *adj.* 纯朴的，单纯的	
*tenuous	['tenjuəs] *adj.* 细薄的，稀薄的；空洞的	
*sinuous	['sinjuəs] *adj.* 蜿蜒的，迂回的	
*congruous	['kɔŋgruəs] *adj.* 一致的，符合的；[数]全等的	
*fatuous	['fætjuəs] *adj.* 愚昧而不自知的	
*unctuous	['ʌŋktjuəs] *adj.* 油质的；油腔滑调的	
*impetuous	[im'petjuəs] *adj.* 冲动的，鲁莽的	
*contemptuous	[kən'temptjuəs] *adj.* 鄙视的，表示轻蔑的	
sumptuous	['sʌmptjuəs] *adj.* 豪华的，奢侈的	
voluptuous	[və'lʌptjuəs] *adj.* 撩人的；沉溺于酒色的	
*virtuous	['vəːtjuəs] *adj.* 有美德的；自命清高的	
*tortuous	['tɔːtjuəs] *adj.* 弯弯曲曲的	
*tempestuous	[tem'pestjuəs] *adj.* 狂暴的	
*mischievous	['mistʃivəs] *adj.* 淘气的；有害处的	
*grievous	['griːvəs] *adj.* 严重伤害的	
rendezvous	['rɔndivuː] *n.* 约会；约会地点	
*virus	['vaiərəs] *n.* 病毒	
*walrus	['wɔːlrəs] *n.* 海象	
*chorus	['kɔːrəs] *n.* 合唱队，歌舞团	

核心词汇

*papyrus	[pə'paiərəs] n. 莎草；莎草纸
*census	['sensəs] n. 人口统计
*consensus	[kən'sensəs] n. 意见一致
*colossus	[kə'lɔsəs] n. 巨人；巨型雕像
hiatus	[hai'eitəs] n. 空隙，裂缝
*apparatus	[ˌæpə'reitəs] n. 仪器，设备
status	['steitəs] n. 身分，地位
fetus	['fi:təs] n. 胎儿
impetus	['impitəs] n. 推动力；刺激
*detritus	[di'traitəs] n. 碎屑；废墟
*eucalyptus	[ˌju:kə'liptəs] n. 桉树
*nexus	['neksəs] n. （看法等的）联系，连结

T

combat	['kɔmbət] n./v. 格斗，搏斗
*acrobat	['ækrəbæt] n. 特技演员，杂技演员
*beat	[bi:t] v. 心跳；搅拌
offbeat	[ɔf'bi:t] adj. 不规则的；不平常的
*browbeat	['braubi:t] v. 欺侮；吓唬
feat	[fi:t] n. 功绩，壮举
*pleat	[pli:t] n. （衣服上的）褶
*threat	[θret] n. 威胁，恐吓；凶兆
*retreat	[ri'tri:t] n./v. 撤退；隐居处
*entreat	[in'tri:t] v. 恳求
caveat	['keiviæt] n. 警告，告诫
*fiat	['faiæt] n. 命令
turncoat	['tə:nkəut] n. 背叛者，变节者
*gloat	[gləut] v. 幸灾乐祸地看，窃喜
*moat	[məut] n. 壕沟，护城河
*spat	[spæt] n. 口角，小争论

核心词汇

*brat	[bræt]	n. 孩子;顽童
technocrat	['teknəkræt]	n. 技术管理人员
*autocrat	['ɔ:təukræt]	n. 独裁者
habitat	['hæbitæt]	n. 自然环境,栖息地
hemostat	['hi:məstæt]	n. 止血器;止血剂
*squat	[skwɔt]	v. 蹲下;adj. 矮胖的
*cravat	[krə'væt]	n. 领巾,领结
*artifact	['ɑ:tifækt]	n. 人工制品
*enact	[i'nækt]	v. 制定(法律);扮演(角色)
*pact	[pækt]	n. 协定,条约
*impact	['impækt]	n. 冲击,影响
*compact	['kɔmpækt]	adj. 结实的;简洁的;n. 合同,协议
counteract	[,kauntə'rækt]	v. 消除,抵消
tract	[trækt]	n. 传单;大片土地
*subtract	[səb'trækt]	v. 减去,减掉
*retract	[ri'trækt]	v. 缩回,收回
*contract	['kɔntrækt, kən'trækt]	n. 合同;v. 订合同;收缩
*protract	['prɔtrækt]	v. 延长,拖长
*abstract	['æbstrækt]	n. 摘要;adj. 抽象的
*distract	[dis'trækt]	v. 分心,转移;使发狂
*extract	[iks'trækt]	v. 拔出;提取
*tact	[tækt]	n. 机智;圆滑
*intact	[in'tækt]	adj. 完整的,未动过的
*contact	['kɔntækt]	n./v. 接触;互通信息
*exact	[ig'zækt]	adj. 精确的;v. 强求,强索付款
*defect	[di'fekt]	n. 缺点,瑕疵;v. 变节,脱党
*disaffect	[,disə'fekt]	v. 使不满;使不忠
*disinfect	[,disin'fekt]	v. 杀菌,消毒
*abject	['æbdʒekt]	adj. 极可怜的;卑下的
*subject	['sʌbdʒikt]	n. 受支配的人,隶属

核心词汇

*dialect	['daiəlekt] *n.* 方言
*deflect	[di'flekt] *v.* 偏离,转向
*reflect	[ri'flekt] *v.* 反射;仔细考虑
*intellect	['intilekt] *n.* 智力,思维能力
*aspect	['æspekt] *n.* (问题等的)方面;面貌,外表
*prospect	[prə'spekt]*v.* 勘探; *n.* ['prɔspekt] 期望;前景
*suspect	[səs'pekt] *v.* 怀疑; *n.* 嫌疑犯; *adj.* 可疑的
*erect	[i'rekt] *adj.* 竖立的,笔直的,直立的
*redirect	['ri:di'rekt] *v.* 改寄(信件);改变方向
*resurrect	[,rezə'rekt] *v.* 使复活;复兴
*intersect	[,intə'sekt] *v.* 横截,横断
*dissect	[di'sekt] *v.* 解剖
*architect	['ɑ:kitekt] *n.* 建筑师
*contradict	[kɔntrə'dikt] *v.* 反驳,反斥
*addict	[ə'dikt] *v./n.* 沉溺;上瘾(者)
*indict	[in'dait] *v.* 控诉,起诉
interdict	[intə'dikt] *v.* 禁止;切断(补给线)
*verdict	['və:dikt] *n.* 判决,决定
*derelict	['derilikt] *adj.* 荒废的;玩忽职守的; *n.* 被遗弃的人
*afflict	[ə'flikt] *v.* 使痛苦,折磨
inflict	[in'flikt] *v.* 遭受
*conflict	['kɔnflikt, kən'flikt] *n./v.* 斗争,战斗;冲突,抵触
*depict	[di'pikt] *v.* 描绘,描画
*district	['distrikt] *n.* 地区,行政区,(美国各州的)众议院选区
*constrict	[kən'strikt] *v.* 压缩,收缩
*evict	[i(:)'vikt] *v.* (依法)驱逐
*convict	['kɔnvikt, kən'vikt] *v.* 定罪; *n.* 罪犯

核心词汇

165

*succinct	[sək'siŋkt] *adj.*	简明的,简洁的
*distinct	[dis'tiŋkt] *adj.*	清楚的,明显的
*extinct	[iks'tiŋkt] *adj.*	绝种的,不存在的
*adjunct	['ædʒʌŋkt] *n.*	附加物,附件
duct	[dʌkt] *n.*	管道,槽
viaduct	['vaiədʌkt] *n.*	高架桥
*deduct	[di'dʌkt] *v.*	减去,扣除;演绎
*aqueduct	['ækwi,dʌkt] *n.*	引水渠;高架渠;渡槽
*induct	[in'dʌkt] *v.*	使就职;使入伍
*conduct	['kɔndʌkt, kən'dʌkt] *n.*	品德,行为;
	v.	领导,引导
byproduct	['bai,prɔdʌkt] *n.*	副产品;副作用
*obstruct	[əb'strʌkt] *v.*	阻塞,截断
*construct	[kən'strʌkt] *v.*	建筑,构成
*abet	[ə'bet] *v.*	教唆;鼓励;帮助
facet	['fæsit] *n.*	(宝石等的)小平面;侧面
*lancet	['lɑːnsit] *n.*	手术刀
*faucet	['fɔːsit] *n.*	水龙头
*cadet	[kə'det] *n.*	军校或警官学校的学生
*meet	[miːt] *adj.*	合适的
*discreet	[dis'kriːt] *adj.*	言行谨慎的
*gadget	['gædʒit,'gædʒət] *n.*	小工具,小机械
*fidget	['fidʒit] *v.*	坐立不安;*n.* 烦躁之人
*budget	['bʌdʒit] *n.*	预算
*crochet	['krəuʃei] *n.*	钩针织物;*v.* 用钩针编织
*prophet	['prɔfit] *n.*	先知,预言家
*epithet	['epiθet] *n.*	(贬低人的)短语或形容词
*whet	[(h)wet] *v.*	磨快;刺激
*bracket	['brækit] *n.*	托架,支架
*thicket	['θikit] *n.*	树丛,灌木丛
*bucket	['bʌkit] *n.*	圆桶
*trinket	['triŋkit] *n.*	小装饰品;不值钱的珠宝

核心词汇

*musket	['mʌskit] *n.* 旧式步枪
*goblet	['gɔblit] *n.* 高脚酒杯
*bracelet	['breislit] *n.* 手镯,臂镯
*omelet	['ɔmlit] *n.* 煎蛋卷
*ringlet	['riŋlit] *n.* 卷发
pamphlet	['pæmflit] *n.* 小册子
*skillet	['skilit] *n.* 煎锅
*pullet	['pulit] *n.* 小母鸡
*violet	['vaiəlit] *adj.* 紫罗兰色的; *n.* 紫罗兰
*droplet	['drɔplit] *n.* 小水滴
*outlet	['autlet] *n.* 出口
*epaulet	['epəulet] *n.* 肩章,肩饰
*amulet	['æmjulit] *n.* 护身符
rivulet	['rivjulit] *n.* 小溪,小河
*helmet	['helmit] *n.* 头盔,钢盔
*plummet	['plʌmit] *v.* 垂直或突然坠下
*gourmet	['guəmei] *n.* 美食家
*planet	['plænit] *n.* 行星
tenet	['tenit] *n.* 信念;信条;教义
*cabinet	['kæbinit] *n.* 橱柜;内阁
bonnet	['bɔnit] *n.* 圆帽,扁平软帽
*sonnet	['sɔnit] *n.* 十四行诗
*trumpet	['trʌmpit] *n.* 喇叭,小号
minaret	['minəret] *n.* 清真寺的尖塔
*fret	[fret] *n./v.* (使)烦躁,焦虑
ferret	['ferit] *n.* 雪貂; *v.* 用雪貂猎取,搜寻
*turret	['tʌrit] *n.* 塔楼,角塔
beset	[bi'set] *v.* 镶嵌;困扰
offset	['ɔ:fset] *v.* 补偿,抵消
backset	['bækset] *n.* 倒退
onset	['ɔnset] *n.* (坏情况)开始发作
closet	['klɔzit] *n.* 壁橱; *adj.* 秘密的

*asset	['æset] n. 财产；可取之处
*cosset	['kɔsit] v. 宠爱，溺爱
*outset	['autset] n. 开始，开头
quartet	[kwɔ:'tet] n. 四重奏，四重唱
*duet	[dju:'et] n. 二重唱
minuet	[,minju'et] n. 小步舞
*tourniquet	['tuəniket] n. 止血带
*banquet	['bæŋkwit] n. 宴会，盛宴
*parquet	['pɑ:kei] n. 镶木地板
*bouquet	['bu(:)kei] n. 花束；芳香
*rivet	['rivit] n. 铆钉；v. 吸引（注意力）
*covet	['kʌvit] v. 贪求，妄想
daft	[dɑ:ft] adj. 傻的
*craft	[krɑ:ft] n. 行业；手艺
*draft	[drɑ:ft] n. 草稿，草案；汇票
*graft	[grɑ:ft] v./n. 嫁接；贪污
*waft	[wɑ:f] v. 飘浮，飘荡
*deft	[deft] adj. 灵巧的，熟练的
cleft	[kleft] n. 裂缝；adj. 劈开的
*bereft	[bi'reft] adj. 被剥夺的；缺少的
*shoplift	['ʃɔp,lift] v. 在商店里偷窃货品
*rift	[rift] n. 裂口，断裂；矛盾
*snowdrift	['snəudrift] n. 雪堆
*spendthrift	['spend,θrift] adj./n. 挥金如土的（人）
*sift	[sift] v. 筛，过滤
*swift	[swift] adj. 迅速的；敏捷的
*aloft	[ə'lɔft] adv. 在空中，在头顶上
*yacht	[jɔt] n. 帆船，游艇
freight	[freit] n. 货物；v. 装货于（船等）
blight	[blait] n. 植物枯萎病；v. 使…枯萎
*flight	[flait] n. 飞行，飞翔；逃跑

plight	[plait] *n.* 困境，苦境
*slight	[slait] *adj.* 微小的；*n./v.* 轻蔑
*forthright	['fɔːθrait] *adj.* 直率的
*upright	['ʌp'rait] *adj.* 垂直的；正直的
*foresight	['fɔːsait] *n.* 远见，深谋远虑
*airtight	['eətait] *adj.* 密闭的，不透气的
*fraught	[frɔːt] *adj.* 充满…的
*distraught	[dis'trɔːt] *adj.* 心神狂乱的
*drought	[draut] *n.* 干旱；干旱时期
*wrought	[rɔːt] *adj.* 做成的；精炼的
*overwrought	['əuvə'rɔːt] *adj.* 紧张过度的
*bait	[beit] *n.* 诱饵；*v.* 逗弄；激怒
gait	[geit] *n.* 步法，步态
*plait	[plæt] *n.* 发辫；*v.* 编成辫
*trait	[treit] *n.* 人的显著特性
*strait	[streit] *n.* 海峡；*adj.* 狭窄的
*bit	[bit] *n.* 钻头
*inhabit	[in'hæbit] *v.* 栖居于；占据
cohabit	[kəu'hæbit] *v.* 共栖
*inhibit	[in'hibit] *v.* 抑制
*tacit	['tæsit] *adj.* 心照不宣的
deficit	['defisit] *n.* 不足，赤字
*elicit	[i'lisit] *v.* 引出，探出
*illicit	[i'lisit] *adj.* 违法的
*solicit	[sə'lisit] *v.* 恳求；教唆
*implicit	[im'plisit] *adj.* 含蓄的，不言而喻的
*explicit	[iks'plisit] *adj.* 清楚明确的
*credit	['kredit] *n.* 赊购；信任；(电影)片头字幕
*discredit	[dis'kredit] *v.* 怀疑；*n.* 丧失名誉
*pundit	['pʌndit] *n.* 权威人士，专家
*audit	['ɔːdit] *v.* 审计，核对；旁听
plaudit	['plɔːdit] *v.* 喝彩，赞扬

核心词汇

169

albeit	[ɔːl'biːit] *conj.*	虽然，尽管
*deceit	[di'siːt] *n.*	欺骗，欺诈
*conceit	[kən'siːt] *n.*	自负，自大
*counterfeit	['kauntəfit] *v.*	伪造，仿造
*forfeit	['fɔːfit] *v.*	丧失，被罚没收；*n.* 丧失物
*surfeit	['səːfit] *n.*	（食物）过量，过度；*v.* 使过量
*discomfit	[dis'kʌmfit] *v.*	使懊恼；使难堪
*digit	['didʒit] *n.*	手指，足趾；数字，数码
*skit	[skit] *n.*	幽默讽刺短剧
*flit	[flit] *v.*	掠过，迅速飞过
*split	[split] *n.* /*v.*	分裂，裂开
*submit	[səb'mit] *v.*	屈服；提交，呈递
*emit	[i'mit] *v.*	放射（光、热、味等）
*delimit	[diː'limit] *v.*	定界，划界
commit	[kə'mit] *v.*	托付；承诺；犯罪
*omit	[əu'mit] *v.*	省略，遗漏；疏忽
hermit	['həːmit] *n.*	隐士，修道者
*transmit	[trænz'mit] *v.*	传送，传播
manumit	[ˌmænju'mit] *v.*	解放（奴隶）
*knit	[nit] *v.*	编织；密接，结合
*exploit	[iks'plɔit] *v.*	剥削；开发利用；*n.* 英勇行为
*adroit	[ə'drɔit] *adj.*	熟练的，灵巧的
*maladroit	[ˌmælə'drɔit] *adj.*	笨拙的
*decrepit	[di'krepit] *adj.*	衰老的，破旧的
inherit	[in'herit] *v.*	继承
merit	['merit] *v.*	值得
*grit	[grit] *n.*	沙粒；决心，勇气；*v.* 下定决心，咬紧牙关
*writ	[rit] *n.*	命令状，书面命令
*posit	['pɔzit] *v.*	断定，认为
circuit	['səːkit] *n.*	环行，环行道；线路；电路

核心词汇

conduit	['kɔndit] n. 渠道,引水道;水管
*acquit	[ə'kwit] v. 宣告无罪;免除责任;还清(债务)
*bruit	[bruːt] v. 散布(谣言)
*recruit	[ri'kruːt] n. 新兵;新成员; v. 征募
affidavit	[,æfi'deivit] n. 宣誓书
*wit	[wit] n. 智力,机智
outwit	[aut'wit] v. 以机智胜过
*exalt	[ig'zɔːlt] v. (高度)赞扬,歌颂
*silt	[silt] n. 淤泥,淤沙
*tilt	[tilt] v. (使)倾斜;n. 倾斜,斜坡
*guilt	[gilt] n. 罪行;内疚
wilt	[wilt] v. 使…凋谢,枯萎
*bolt	[bəult] v. 急逃;n. 螺栓,门栓
*dolt	[dəult] n. 傻瓜
*jolt	[dʒəult] v. 颠簸着移动;n. 震动,摇晃
*molt	[məult] v. 换羽,脱毛;n. 换羽(期),脱毛(期)
*revolt	[ri'vəult] v. 叛乱,造反;反感
*fault	[fɔːlt] n. 错误;(地质学)断层
*default	[di'fɔːlt] v./n. 拖债;未履行的责任
*assault	[ə'sɔːlt] n. 突然袭击;猛袭
*vault	[vɔːlt] n. 拱顶;地窖
cult	[kʌlt] n. 宗派;崇拜
*occult	[ɔ'kʌlt] adj. 秘密的,不公开的
tumult	['tjuːmʌlt] n. 乱哄哄
*exult	[ig'zʌlt] v. 欢腾,喜悦
*cant	[kænt] n. 斜坡,斜面;隐语,术语,黑话; v. 使倾斜
*recant	[ri'kænt] v. 改变,放弃(以前的信仰)
*mendicant	['mendikənt] adj. 行乞的; n. 乞丐
*significant	[sig'nifikənt] adj. 相当数量的;意义重大的

核心词汇

171

*applicant	['æplikənt] n. 申请人
*supplicant	['sʌplikənt] n. 乞求者,恳求者
*lubricant	['lu:brikənt] n. 润滑剂
*scant	[skænt] adj. 不足的,缺乏的
*pedant	['pedənt] n. 迂腐之人,书呆子
descendant	[di'send(ə)nt] n. 后代,后裔
*defendant	[di'fendənt] n. 被告
*abundant	[ə'bʌndənt] adj. 丰富的;盛产的
*redundant	[ri'dʌndənt] adj. 累赘的,多余的
*verdant	['və:dənt] adj. 青葱的,翠绿的
*mordant	['mɔ:dənt] adj. 讥讽的,尖酸的
*pageant	['pædʒənt] n. 壮观的游行;露天历史剧
*miscreant	['miskriənt] n. 恶棍,歹徒
*infant	['infənt] n. 婴儿
*litigant	['litigənt] n. 诉讼当事人
*arrogant	['ærəgənt] adj. 傲慢的,自大的
*chant	[tʃɑ:nt] n. 圣歌; v. 歌唱或背诵
*enchant	[in'tʃɑ:nt] v. 使迷醉;施魔法于
*penchant	['pentʃənt] n. 爱好,嗜好
*trenchant	['trentʃənt] adj. 一针见血的
*disenchant	[ˌdisin'tʃɑ:nt] v. 对…不再抱幻想;使清醒
*sycophant	['sikəfænt] n. 马屁精
insouciant	[in'su:siənt] adj. 漫不经心的
*valiant	['væljənt] adj. 勇敢的,英勇的
*pliant	['plaiənt] adj. 易受影响的;易弯的
*compliant	[kəm'plaiənt] adj. 服从的,顺从的
*suppliant	['sʌpliənt] adj. 恳求的,哀求的; n. 恳求者
*luxuriant	[lʌg'zjuəriənt] adj. 繁茂的;肥沃的
*deviant	['di:viənt] adj. 越出常规的
*nonchalant	['nɔnʃələnt] adj. 冷漠的

*sibilant	['sibilənt] *adj.* 发出咝咝声的
*vigilant	['vidʒilənt] *adj.* 机警的,警惕的
*gallant	['gælənt] *adj.* 勇敢的;(向女人)献殷勤的
*implant	[im'plɑ:nt] *v.* 注入;灌输
*supplant	[sə'plɑ:nt] *v.* 排挤,取代
slant	[slɑ:nt] *v.* 倾斜;*n.* 斜面;看法
*coagulant	[kəu'ægjulənt] *n.* 凝结剂;凝血剂
*stimulant	['stimjulənt] *n.* 兴奋剂,刺激物
*petulant	['petjulənt] *adj.* 性急的,暴躁的
adamant	['ædəmənt] *adj.* 强硬的;固执的
*dormant	['dɔ:mənt] *adj.* 冬眠的;静止的
tenant	['tenənt] *n.* 房客
*covenant	['kʌvinənt] *n.* 契约;*v.* 立书保证
*stagnant	['stægnənt] *adj.* 停滞的
pregnant	['pregnənt] *adj.* 怀孕的;充满的
*indignant	[in'dignənt] *adj.* 愤慨的,愤愤不平的
*poignant	['pɔinənt] *adj.* 伤心的;尖锐的
*repugnant	[ri'pʌgnənt] *adj.* 令人厌恶的
*dominant	['dɔminənt] *adj.* 显性的;优势的
*predominant	[pri'dɔminənt] *adj.* 有势力的
determinant	[di'tə:minənt] *n.* 决定因素;*adj.* 决定性的
ruminant	['ru:minənt] *adj.* (动物)反刍的;沉思的
*remnant	['remnənt] *n.* 残余物;零头布料
pennant	['penənt] *n.* (船上用的)信号旗
*resonant	['rezənənt] *adj.* (声音)洪亮的;共鸣的
*consonant	['kɔnsənənt] *adj.* 调和的,一致的
dissonant	['disənənt] *adj.* 不和谐的,不一致的
*rampant	['ræmpənt] *adj.* 蔓生的;猖獗的
*flippant	['flipənt] *adj.* 无礼的;轻率的
*rant	[rænt] *v.* 咆哮;口出狂言

核心词汇

核
心
词
汇

*vibrant	['vaibrənt] adj. 振动的;明快的;生机勃勃的	
hydrant	['haidrənt] n. (消防)水龙头;消防栓	
*protuberant	[prə'tju:bərənt] adj. 突出的,隆起的	
*exuberant	[ig'zju:bərənt] adj. (人)充满活力的;(植物)茂盛的	
itinerant	[i'tinərənt] adj. 巡回的,流动的	
*grant	[grɑ:nt] v. 同意给予	
*flagrant	['fleigrənt] adj. 臭的,恶名昭彰的;公然的	
*fragrant	['freigrənt] a. 芳香的;愉快的	
vagrant	['veigrənt] adj. 漂泊的;n. 流浪汉,无赖	
aspirant	[əs'paiərənt] n. 有抱负者	
*ignorant	['ignərənt] adj. 无知的,愚昧的	
*warrant	['wɔrənt] n. 正当理由;许可证	
*aberrant	[æ'berənt] adj. 越轨的;异常的	
*recalcitrant	[ri'kælsitrənt] adj. 顽抗的	
tyrant	['taiərənt] n. 暴君	
*complaisant	[kəm'pleizənt] adj. 顺从的,讨好的	
conversant	[kən'və:sənt] adj. 精通的,熟知的	
incessant	[in'sesnt] adj. 无间断的,连续的	
puissant	['pju:isənt] adj. 强有力的,强大的	
*blatant	['bleitənt] adj. 厚颜无耻的;显眼的;炫耀的	
*reactant	[ri'æktənt] n. 反应物	
disinfectant	[disin'fekt(ə)nt] n. 消毒剂	
inhabitant	[in'hæbitənt] n. 居民;栖息的动物	
*exorbitant	[ig'zɔ:bitənt] adj. 过分的,过度的	
*incogitant	[in'kɔdʒitənt] adj. 无思想的;考虑不周的	
concomitant	[kən'kɔmitənt] adj. 伴随而来的	
*precipitant	[pri'sipitənt] n. 沉淀剂	
*unrepentant	['ʌnri'pentənt] adj. 不悔悟的,不后悔的	

174

*distant	['distənt] adj. 疏远的,冷淡的
*constant	['kɔnstənt] adj. 稳定的,不变的; n. 常数
*extant	[eks'tænt] adj. 现存的,传世的
*sextant	['sekstənt] n. 六分仪(航海定向仪器)
*piquant	['pi:kənt] adj. 辛辣的,开胃的;兴奋的
*savant	['sævənt] n. 博学之士,大学士
*want	[wɔnt] n. 缺乏,贫困;需要
*flamboyant	[flæm'bɔiənt] adj. 艳丽的,炫耀的
*buoyant	['bɔiənt] adj. 有浮力的;快乐的
cognizant	['kɔgnizənt] adj. 知道的,认识的
*bent	[bent] n. 特长,爱好;adj. 弯曲的
*recumbent	[ri'kʌmbənt] adj. 侧卧的;休息的
*incumbent	[in'kʌmbənt] n. 在职者,现任者; adj. 义不容辞的
*adjacent	[ə'dʒeisənt] adj. 接近的,毗连的
*complacent	[kəm'pleisnt] adj. 自满的,得意的
*decent	['di:snt] adj. 适当的,可接受的;得体的
magnificent	[mæg'nifisnt] adj. 壮丽的,宏伟的;高尚的
*reticent	['retisənt] adj. 沉默不语的
*nascent	['næsnt] adj. 初生的,萌芽的
descent	[di'sent] n. 降落;侵袭;血统
*iridescent	[,iri'desnt] adj. 闪彩光的;灿烂辉煌的
quiescent	[kwai'esənt] adj. 不动的,静止的
*convalescent	[,kɔnvə'lesnt] adj./n. 康复中的(病人)
adolescent	[,ædəu'lesnt] adj. 青春期的; n. 青少年
obsolescent	[,ɔbsə'lesnt] adj. 即将过时的
*evanescent	[,i:və'nesnt] adj. 迅速消失的,短暂的
fluorescent	[fluə'resənt] adj. 萤光的,发光的
translucent	[trænz'lju:snt] adj. (半)透明的
dent	[dent] n. 缺口,凹痕; v. 弄凹

核心词汇

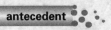

*antecedent	[ˌænti'si:dənt] n. 前事；前辈；adj. 先行的
*diffident	['difidənt] adj. 缺乏自信的
*strident	['straidnt] adj. 尖声的，刺耳的
*resident	['rezidənt] n. 居民；adj. 定居的，常驻的
*dissident	['disidənt] n. 唱反调者
*provident	['prɔvidənt] adj. 深谋远虑的；节俭的
*improvident	[im'prɔvidənt] adj. 无远见的；不节俭的
transcendent	[træn'sendənt] adj. 超越的，卓越的，出众的
*resplendent	[ris'plendənt] adj. 华丽的，辉煌的
*indent	[in'dent] v. 切割成锯齿状
despondent	[dis'pɔndənt] adj. 失望的，意气消沉的
respondent	[ris'pɔndənt] n. 被告
*correspondent	[ˌkɔris'pɔndənt] adj. 符合的；n. 记者
*ardent	['ɑ:dənt] adj. 热心的，热烈的
*impudent	['impjudənt] adj. 鲁莽的，无礼的
*prudent	['pru:dənt] adj. 审慎的，三思而后行的；精明的；节俭的
*imprudent	[im'pru:dənt] adj. 轻率的；不智的
*reagent	[ri(:)'eidʒənt] n. 试剂（导致化学反应）
*indigent	['indidʒənt] adj. 贫穷的，贫困的
*intransigent	[in'trænsidʒənt] adj. 不妥协的
*exigent	['eksidʒənt] adj. 需要立即采取行动的
*refulgent	[ri'fʌldʒənt] adj. 辉煌的，灿烂的
effulgent	[i'fʌldʒ(ə)nt] adj. 灿烂的
plangent	['plændʒənt] adj. 轰鸣的；悲哀的
*stringent	['strindʒənt] adj. （规定）严格的，苛刻的；缺钱的
*astringent	[əs'trindʒənt] adj. 止血的，收缩的；n. 收缩剂，止血剂
contingent	[kən'tindʒənt] adj. 意外的；视情况或条件而定的

176

*pungent	['pʌndʒənt] *adj.*	味道刺激的;苛刻的
*cogent	['kəudʒənt] *adj.*	有说服力的
*detergent	[di'tə:dʒənt] *adj.*	净化的; *n.* 清洁剂
divergent	[dai'və:dʒənt] *adj.*	分叉的,岔开的,背道而驰的
*convergent	[kən'və:dʒənt] *adj.*	会聚的
*urgent	['ə:dʒənt] *adj.*	迫切的,紧急的
*insurgent	[in'sə:dʒənt] *adj.*	叛乱的,起事的; *n.* 叛乱分子
*sufficient	[sə'fiʃənt] *adj.*	足够的
*insufficient	[,insə'fiʃənt] *adj.*	不足的
*proficient	[prə'fiʃənt] *adj.*	熟练的,精通的
omniscient	[ɔm'nisiənt] *adj.*	无所不知的,博识的
*obedient	[ə'bi:djənt] *adj.*	服从的,顺从的
*expedient	[iks'pi:diənt] *n.*	权宜之计,临时手段; *adj.* (指行动)有用的
*ingredient	[in'gri:diənt] *n.*	成分
*salient	['seiljənt] *adj.*	显著的,突出的
*resilient	[ri'ziliənt] *adj.*	有弹性的;能恢复活力的,适应力强的
*emollient	[i'mɔliənt] *n.*	润肤剂
lenient	['li:njənt] *adj.*	宽大的;仁慈的
sapient	['seipiənt] *adj.*	有智慧的
recipient	[ri'sipiənt] *n.*	接受者,收受者
*incipient	[in'sipiənt] *adj.*	初期的,刚出现的
orient	['ɔ:riənt] *adj.*	上升的; *v.* 确定方向;使熟悉情况
*nutrient	['nju:triənt] *n.*	滋养物质
*transient	['trænziənt] *adj.*	短暂的,转瞬即逝的
*sentient	['senʃənt] *adj.*	有知觉的;知悉的
*insentient	[in'senʃənt] *adj.*	无知觉的,无生命的
*ambivalent	[æm'bivələnt] *adj.*	(对人或物)有矛盾看法的

核心词汇

177

核心词汇

*equivalent	[i'kwivələnt] *adj.*	相等的,等值的
*relent	[ri'lent] *v.*	动怜悯心;减弱
pestilent	['pestilənt] *adj.*	致死的;有害的
*repellent	[ri'pelənt] *adj.*	令人厌恶的
*redolent	['redəulənt] *adj.*	芬芳的,芳香的
*indolent	['indələnt] *adj.*	懒惰的
*insolent	['insələnt] *adj.*	粗野的,无礼的
*malevolent	[mə'levələnt] *adj.*	有恶意的,恶毒的
*benevolent	[bi'nevələnt] *adj.*	善心的,仁心的
*turbulent	['tə:bjulənt] *adj.*	导致动乱的;骚乱的
*truculent	['trʌkjulənt] *adj.*	残暴的,凶狠的
*fraudulent	['frɔ:djulənt] *adj.*	欺骗的,不诚实的
opulent	['ɔpjulənt] *adj.*	富裕的;充足的
*virulent	['virulənt] *adj.*	剧毒的;恶毒的
*predicament	[pri'dikəmənt] *n.*	困境,窘境
*lament	[lə'ment] *v./n.*	悲伤;哀悼
*tournament	['tuənəmənt] *n.*	比赛;(旧时)骑士比武大会
testament	['testəmənt] *n.*	遗嘱;证明
*amendment	[ə'mendmənt] *n.*	改正,修正;[法]修正案
*cement	[si'ment] *n.* 水泥;胶粘剂; *v.* 粘合,巩固
*commencement	[kə'mensmənt] *n.*	开始;(大学的)毕业典礼
*rapprochement	[ræ'prɔʃmɑ̃] *n.*	和好,和睦
*clement	['klemənt] *adj.*	仁慈的;温和的
*inclement	[in'klemənt] *adj.*	(天气)严酷的;严厉的
befuddlement	[bi'fʌdəlmənt] *n.*	迷惑不解
*implement	['implimənt] *n.* 工具,器具; *v.* 实现,实施
supplement	['sʌplimənt] *v./n.*	增补,补充
*embezzlement	[im'bezlmənt] *n.*	贪污,盗用
*increment	['inkrimənt] *n.*	增值,增加

procurement	[prə'kjuəmənt] *n.* 获得，接收
*understatement	[ˌʌndə'steitmənt] *n.* 轻描淡写的陈述，不充分的陈述
*denouement	[dei'nu:moŋ] *n.* (小说的)结尾，结局
*movement	['mu:vmənt] *n.* (交响乐)乐章
*fragment	['frægmənt] *n.* 碎片；分裂
*segment	['segmənt] *n.* 部分
figment	['figmənt] *n.* 虚构的东西
*pigment	['pigmənt] *n.* 天然色素；干粉颜料
*augment	[ɔ:g'ment] *v.* 增大，增值
*blandishment	['blændiʃmənt] *n.* 奉承，逢迎，讨好
impediment	[im'pedimənt] *n.* 妨碍，阻碍物
*sediment	['sedimənt] *n.* 沉淀物，渣
*compliment	['kɔmplimənt] *n./v.* 恭维，称赞
*sentiment	['sentimənt] *n.* 多愁善感；思想感情
*containment	[kən'teinmənt] *n.* 阻止，遏制
attainment	[ə'teinmənt] *n.* 成就
*foment	[fəu'ment] *v.* 煽动，助长(坏事)
moment	['məumənt] *n.* 瞬间；重要
*garment	['gɑ:mənt] *n.* 衣服
*ferment	['fə:mənt] *v./n.* 使发酵；骚动
*torment	['tɔ:ment] *n.* 折磨，痛苦
*assessment	[ə'sesmənt] *n.* 估计，评价
*resentment	[ri'zentmənt] *n.* 愤恨，怨恨
*ointment	['ɔintmənt] *n.* 油膏，软膏
compartment	[kəm'pɑ:tmənt] *n.* 隔间，车厢
*vestment	['vestmənt] *n.* (作礼拜时教士的)法衣，官服
*document	['dɔkjumənt] *v.* 为…提供书面证明
immanent	['imənənt] *adj.* 内在的；普遍存在的
*permanent	['pə:mənənt] *adj.* 长久的，永久的
*impermanent	[im'pə:mənənt] *adj.* 暂时的

核心词汇

179

eminent	['eminənt] *adj.* 著名的；显著的
preeminent	[pri(:)'eminənt] *adj.* 出类拔萃的
*imminent	['iminənt] *adj.* 即将发生的，逼近的
*prominent	['prɔminənt] *adj.* 显著的；著名的
continent	['kɔntinənt] *adj.* 自制的；*n.* 大陆
*pertinent	['pə:tinənt] *adj.* 有关的，相关的
*component	[kəm'pəunənt] *n.* 成分；零部件
*opponent	[ə'pəunənt] *n.* 对手，敌手
exponent	[eks'pəunənt] *n.* 说明者；支持者；指数
*rent	[rent] *n.* 裂缝；(意见)分歧
*transparent	[træns'pɛərənt] *adj.* 透明的；直率的
*indifferent	[in'difərənt] *adj.* 不感兴趣的，漠不关心的
*adherent	[əd'hiərənt] *n.* 拥护者，信徒
*coherent	[kəu'hiərənt] *adj.* 连贯的，一致的
abhorrent	[əb'hɔrənt] *adj.* 可恨的，讨厌的
*torrent	['tɔrənt] *n.* 洪流，急流
*resent	[ri'zent] *v.* 憎恶，愤恨
*misrepresent	['mis,repri'zent] *v.* 误传，歪曲
omnipresent	[ɔmni'prezənt] *adj.* 无处不在的
*consent	[kən'sent] *v.* 同意，允许
*assent	[ə'sent] *v.* 同意，赞成
*dissent	[di'sent] *v.* 不同意，持异议
*latent	['leitənt] *adj.* 潜伏的
*patent	['peitənt] *adj.* 显而易见的；*n.* 专利权(证书)
incompetent	[in'kɔmpitənt] *adj.* 无能力的，不能胜任的
*penitent	['penitənt] *adj.* 后悔的，忏悔的
*impenitent	[im'penitənt] *adj.* 不悔悟的
*intent	[in'tent] *adj.* 专心的，渴望的；*n.* 目的，意向

核心词汇

*content	[kən'tent] *adj.* 知足的，满意的；*n.* 内容；满意
*malcontent	['mælkən'tent] *adj.* 不满的；*n.* 不满分子，反抗者
omnipotent	[ɔm'nipətənt] *adj.* 全能的，万能的
*consistent	[kən'sistənt] *adj.* 前后一致的
*intermittent	[,intə(:)'mitənt] *adj.* 断断续续的，间歇的
*unguent	['ʌŋgwənt] *n.* 药膏，软膏
affluent	['æfluənt] *adj.* 富裕的，丰富的
*frequent	['fri:kwənt] *v.* 时常来访；*adj.* 惯常的
subsequent	['sʌbsikwənt] *adj.* 随后的，后来的，连续的
*delinquent	[di'liŋkwənt] *adj.* 失职的
*congruent	['kɔŋgruənt] *adj.* 全等的，一致的
constituent	[kən'stitjuənt] *n.* 成分；选区内的选民
vent	[vent] *v.* 发泄(情绪)；开孔；*n.* 孔，口
advent	['ædvənt] *n.* 到来，来临
*solvent	['sɔlvənt] *adj.* 有偿债能力的；*n.* 溶剂
*circumvent	[,sə:kəm'vent] *v.* 回避；用计谋战胜或规避
*restraint	[ris'treint] *n.* 克制
*constraint	[kən'streint] *n.* 强制，强迫；对感情的压抑
*quaint	[kweint] *adj.* 离奇有趣的
*acquaint	[ə'kweint] *v.* 使…熟知；通知
feint	[feint] *v.* /*n.* 佯攻，佯击
*lint	[lint] *n.* 绷带用麻布，皮棉
*flint	[flint] *n.* 打火石，燧石
*skinflint	['skinflint] *n.* 吝啬鬼
*splint	[splint] *n.* (固定断骨的)夹板，托板
mint	[mint] *n.* 大量；巨额；造币厂
*pinpoint	['pin,pɔint] *v.* 精确地找出或描述；*adj.* 非常精确的

核心词汇

181

*appoint	[əˈpɔint]	v. 任命,指定;约会
*blueprint	[ˈbluːˌprint]	n. 蓝图;方案
*imprint	[imˈprint]	v. 盖印,刻印
*tint	[tint]	n. 色泽;v. 给…淡淡地着色
*stint	[stint]	v. 吝惜,节省
squint	[skwint]	v. 斜视
*affront	[əˈfrʌnt]	v. 侮辱,冒犯
*confront	[kənˈfrʌnt]	v. 面临;对抗
*daunt	[dɔːnt]	v. 使胆怯,使畏缩
*haunt	[hɔːnt]	v. 常到;鬼魂出没;(事情)萦绕心头;n. 常去的地方
jaunt	[dʒɔːnt]	n. /v. 短程旅游
*flaunt	[flɔːnt]	v. 炫耀;张扬
*shunt	[ʃʌnt]	v. 使(火车)转到另一轨道,转移方向
*blunt	[blʌnt]	adj. 钝的;直率的;v. 变钝
*discount	[ˈdiskaunt]	n. 折扣
*paramount	[ˈpærəmaunt]	adj. 最重要的,最高权力的
tantamount	[ˈtæntəmaunt]	adj. 与…相等的
*surmount	[səˈmaunt]	v. 克服,战胜
brunt	[brʌnt]	n. 主要冲击力或影响
*stunt	[stʌnt]	v. 阻碍(成长);n. 特技,绝技
*bigot	[ˈbigət]	n. (宗教、政治等的)盲信者;心胸狭窄者
argot	[ˈɑːgəu]	n. 隐语,黑话
earshot	[ˈiəʃɔt]	n. 听力所及范围
riot	[ˈraiət]	v. 参加暴动
*patriot	[ˈpætriət]	n. 爱国者,爱国主义者
compatriot	[kəmˈpætriət]	n. 同胞,同国人
jot	[dʒɔt]	v. 摘要记录
lot	[lɔt]	n. 签;命运;v. 抽签,划分
*clot	[klɔt]	n. 凝块;v. 使凝结成块

核心词汇

*pilot	['pailət] *n.* 飞行员；领航员；领导人
*ballot	['bælət] *n.* /*v.* 投票
*plot	[plɔt] *n.* 情节；阴谋；策划
slot	[slɔt] *n.* 狭孔
shoot	[ʃuːt] *n.* 嫩芽，新芽
*soot	[sut] *n.* 黑烟灰，油烟
*despot	['despɔt] *n.* 暴君
*apt	[æpt] *adj.* 易于…的，恰当的
*adapt	[ə'dæpt] *v.* 使…适应；修改
*rapt	[ræpt] *adj.* 专心致志的，全神贯注的
*precept	['priːsept] *n.* 箴言，格言
intercept	[,intə'sept] *v.* 中途拦截，截取
*adept	['ædept] *adj.* 老练的，精通的
inept	[i'nept] *adj.* 无能的；不适当的
*receipt	[ri'siːt] *n.* 收到，接到；发票，收据
*script	[skript] *n.* 剧本，脚本
*conscript	['kɔnskript] *v.* 强行征兵，征召
*manuscript	['mænjuskript] *n.* 手稿；手抄本
*sculpt	[skʌlpt] *v.* 雕刻
*preempt	[pri(ː)'empt] *v.* 以先买权取得；取代
unkempt	[,ʌn'kempt] *adj.* (衣服、头发)不整洁的
*contempt	[kən'tempt] *n.* /*v.* 轻视，鄙视
*exempt	[ig'zempt] *adj.* 被免除的；*v.* 使免除
*prompt	[prɔmpt] *v.* 促使，激起；*adj.* 敏捷的，迅速的
adopt	[ə'dɔpt] *v.* 收养；采纳
*erupt	[i'rʌpt] *v.* 爆发；喷出(熔岩、水、气体、泥浆等)
bankrupt	['bæŋkrʌpt] *adj.* 破产的
*interrupt	[,intə'rʌpt] *v.* 暂时中止；打断，打扰
*corrupt	[kə'rʌpt] *adj.* 堕落的，腐败的；文体有错误的

*disrupt	[dis'rʌpt]	v. 弄乱,扰乱
*dart	[dɑ:t]	n. 飞镖；v. 急驰；投射
*braggart	['brægət]	n. 吹牛者
*smart	[smɑ:t]	n. 痛苦；adj. 时髦的；聪明的
*rampart	['ræmpɑ:t]	n. 壁垒；城墙
*impart	[im'pɑ:t]	v. 传授,告知
*counterpart	['kauntəpɑ:t]	n. 相对应或具有相同功能的人或物
*tart	[tɑ:t]	adj. 酸的；尖酸的
*thwart	[θwɔ:t]	v. 阻挠,使…受挫
*stalwart	['stɔ:lwət]	adj. 健壮的,坚定的
disconcert	[,diskən'sə:t]	v. 使…尴尬
*alert	[ə'lə:t]	adj. 警惕的,机警的；n. 警报
*inert	[i'nə:t]	adj. 惰性的；行动迟钝的
*desert	[di'zə:t]	v. 放弃,离弃
*insert	[in'sə:t]	v. 插入
*assert	[ə'sə:t]	v. 断言,主张
*avert	[ə'və:t]	v. 避免,防止；避开
*subvert	[səb'və:t]	v. 颠覆,推翻
revert	[ri'və:t]	v. 恢复,回复到；重新考虑
*divert	[di'və:t]	v. 使某事物转向；使娱乐
*invert	[in'və:t]	v. 上下倒置
*convert	[kən'və:t, 'kɔnvə:t]	v. 使改变（信仰等）；n. 改变信仰的人
*overt	['əuvə:t]	adj. 公开的,非秘密的
*covert	['kʌvət]	adj. 秘密的,隐密的
controvert	['kɔntrə,və:t]	v. 反驳,驳斥
*extrovert	['ekstrəuvə:t]	n. 性格外向者
*exert	[ig'zə:t]	v. 运用（力量等）
skirt	[skə:t]	v. 环绕,逃避
*flirt	[flə:t]	v. 挑逗,调戏
*exhort	[ig'zɔ:t]	v. 力劝,勉励

`*deport`	[di'pɔːt] v. (将外国人、罪犯等)驱逐出境
import	[im'pɔːt, 'impɔːt] n./v. 进口,输入;意义
`*rapport`	[ræ'pɔː] n. 和睦,意见一致
`*sport`	[spɔːt] v. 炫耀,卖弄
`*transport`	[træns'pɔːt] v. 运输;n. 狂喜
resort	[ri'zɔːt] n. 度假胜地
`*retort`	[ri'tɔːt] v. 反驳
`*contort`	[kən'tɔːt] v. (使)扭曲;曲解
`*distort`	[dis'tɔːt] v. 扭曲,弄歪
`*extort`	[iks'tɔːt] v. 强索,敲诈
cavort	[kə'vɔːt] v. 腾跃,欢跃
`*curt`	[kəːt] adj. (言词、行为)简略而草率的
blurt	[bləːt] v. 脱口而出
`*court`	[kɔːt] n. 法庭,法院;宫廷,朝廷;v. 献殷勤;追求
`*bombast`	['bɔmbæst] n. 高调,夸大之辞
`*cast`	[kɑːst] n. 演员阵容;剧团;v. 扔;铸造
`*recast`	[,riː'kɑːst] v. 重铸;更换演员
`*forecast`	['fɔːkɑːst] v. 预报,预测;n. 预测
abreast	[ə'brest] adv. 并列,并排
`*yeast`	[jiːst] n. 酵母;兴奋
`*fast`	[fɑːst] n. 绝食,斋戒;adv. 很快地;紧紧地
`*steadfast`	['sted,fəst] adj. 忠实的;不变的
encomiast	[en'kəumiæst] n. 赞美者
`*blast`	[blɑːst] n. 一阵(大风);冲击波;v. 爆破;枯萎
`*iconoclast`	[ai'kɔnəklæst] n. 攻击传统观念或风俗的人
`*ballast`	['bæləst] n. (船等)压舱物
`*mast`	[mɑːst] n. 船桅,旗杆
`*boast`	[bəust] v./n. 自夸

核心词汇

contrast	['kɒntræst] v./n. 对比
*modest	['mɒdist] adj. 谦虚的,谨慎的;适度的
*manifest	['mænifest] adj. 显然的; n. 旅客名单;载货清单
*infest	[in'fest] v. 骚扰,扰乱
*ingest	[in'dʒest] v. 咽下,吞下
congest	[kən'dʒest] v. 使拥挤;充血
*jest	[dʒest] v./n. 说笑,玩笑
*earnest	['ɜːnist] adj. 认真的
*pest	[pest] n. 害虫;讨厌的人或物
*tempest	['tempist] n. 暴风雨;骚动
crest	[krest] n. 山顶;浪尖;羽冠
*arrest	[ə'rest] v. 依法逮捕;阻止,抑制
detest	[di'test] v. 深恶,憎恶
*contest	[kən'test] v. 竞争;对…表示怀疑
*protest	[prə'test, 'prəutest] v./n. 抗议,反对
attest	[ə'test] v. 证明
quest	[kwest] v. 搜寻,探求; n. 探求
bequest	[bi'kwest] n. 遗产,遗赠物
*request	[ri'kwest] n. 要求,请求; v. 要求,请求
*conquest	['kɒŋkwest] n. 征服;战利品
*divest	[dai'vest] v. 卸下盛装;剥夺
*zest	[zest] n. 刺激性;热心,兴趣
*pacifist	['pæsifist] n. 和平主义者,反战主义者
*gist	[dʒist] n. 要点,要旨
*suffragist	['sʌfrədʒist] n. 参政权扩大论者;妇女政权论者
*ecologist	[i'kɒlədʒist] n. 生态学家,生态学者
musicologist	[ˌmjuːzi'kɒlədʒist] n. 音乐学者
ornithologist	[ˌɔːni'θɒlədʒist] n. 鸟类学家,鸟类学者
*cardiologist	[ˌkɑːdi'ɒlədʒist] n. 心脏病专家
anthropologist	[ˌænθrə'pɒlədʒist] n. 人类学家

*dermatologist	[ˌdəːməˈtɔlədʒist]	n. 皮肤病学家
herpetologist	[ˌhəːpətəˈlɔdʒist]	n. 爬行动物学家
*anarchist	[ˈænəkist]	n. 无政府主义者
*list	[list]	v. /n. 倾斜
*vocalist	[ˈvəukəlist]	n. 流行歌手,声乐家
*instrumentalist	[instrəˈmentəlist]	n. 乐器演奏者
*philatelist	[fiˈlætəlist]	n. 集邮家
*pugilist	[ˈpjuːdʒilist]	n. 拳击手,拳师
*enlist	[inˈlist]	v. (使)入伍从军,征募
*extremist	[iksˈtriːmist]	n. 极端主义者
*optimist	[ˈɔptimist]	n. 乐观主义者
taxonomist	[tækˈsɔnəmist]	n. 分类学家
*conformist	[kənˈfɔːmist]	n. 尊奉者;英国国教徒
*nonconformist	[ˈnɔnkənˈfɔmist]	adj. /n. 不遵照传统生活的(人)
feminist	[ˈfeminist]	n. 女权运动者
*hedonist	[ˈhiːdəunist]	n. 享乐主义者
*protagonist	[prəuˈtægənist]	n. 提议者;支持者
percussionist	[pəˈkʌʃənist]	n. 敲击乐器的乐师
*hoist	[hɔist]	v. 吊高,升起;n. 起重机
*podiatrist	[pəuˈdaiətrist]	n. 足医
*wrist	[rist]	n. 腕,腕关节
*narcissist	[ˈnɑːsisist]	n. 自负的人,自恋者
*defeatist	[diˈfiːtist]	n. 失败主义者
*numismatist	[njuːˈmizmətist]	n. 钱币学家,钱币收藏家
*egotist	[ˈiːgəutist]	n. 自私自利者
*ventriloquist	[venˈtriləkwist]	n. 口技表演者,会口技的人
accost	[əˈkɔst]	v. 搭话
*boost	[buːst]	v. 往上推;增加,提高
compost	[ˈkɔmpɔst]	n. 混合肥料
*cloudburst	[ˈklaudbəːst]	n. 大暴雨,豪雨

核心词汇

187

*exhaust	[ig'zɔ:st] *n.* (机器排出的)废气,蒸汽; *v.* 使非常疲倦
*bust	[bʌst] *n.* 半身(雕)像
robust	[rə'bʌst] *adj.* 健壮的
*sawdust	['sɔ:dʌst] *n.* 锯屑
*gust	[gʌst] *n.* 阵风;一阵(情绪)
*disgust	[dis'gʌst] *n.* 反感,厌恶
august	[ɔ:'gʌst] *adj.* 威严的;高贵的
*adjust	[ə'dʒʌst] *v.* 整顿,整理;适应
lust	[lʌst] *n.* 强烈的欲望
*wanderlust	['wɔndəlʌst] *n.* 漫游癖;旅游热
oust	[aust] *v.* 驱逐;把…赶走
crust	[krʌst] *n.* 硬的表面;(一片)面包片;地壳
*thrust	[θrʌst] *v.* 猛力推;刺,戳
*entrust	[in'trʌst] *v.* 委托;托付
*catalyst	['kætəlist] *n.* 催化剂;促使事情发展的因素
*boycott	['bɔikət] *v.* (贸易)抵制
*butt	[bʌt] *v.* 用头撞;顶撞;*n.* 粗大的一端;烟蒂
*juggernaut	['dʒʌgənɔ:t] *n.* 摧毁一切的强大力量
*taut	[tɔ:t] *adj.* 绷紧的
*abut	[ə'bʌt] *v.* 接界,毗连
*debut	['deibju:] *n.* 初次登台,初次露面
undercut	['ʌndəkʌt] *v.* 削价与(竞争者)抢生意
*glut	[glʌt] *v./n.* 过多;供过于求
*bout	[baut] *n.* 一回合,一阵
*clout	[klaut] *n.* 用手猛击;权力,影响力
*flout	[flaut] *v.* 蔑视,违抗
pout	[paut] *v.* 噘嘴;板脸
sprout	[spraut] *v.* 长出,萌芽;*n.* 嫩芽
*tout	[taut] *v.* 招徕顾客;极力赞扬

188

stout	[staut] *adj.* 肥胖的；强壮的
*devout	[di'vaut] *adj.* 虔敬的；忠诚的，忠心的
*strut	[strʌt] *v.* 趾高气扬地走；*n.* 支柱
pretext	['priːtekst] *n.* 借口
context	['kɔntekst] *n.* (语句等的)上下文

U

*plateau	['plætəu] *n.* 高原；平稳的状态
*purlieu	['pəːljuː] *n.* 〔常作复数〕邻近地区
*guru	['guruː] *n.* 古鲁(印度的宗教领袖)；(受尊敬的)教师或权威
*impromptu	[im'prɔmptjuː] *adj.* 即席的，即兴的

W

guffaw	[gʌ'fɔː] *n.* /*v.* 哄笑，大笑
thaw	[θɔː] *v.* 解冻，溶化
*flaw	[flɔː] *n.* 瑕疵；*v.* 生裂缝；有瑕疵
*gnaw	[nɔː] *v.* 啃，咬
*withdraw	[wið'drɔː] *v.* 撤退，收回；隐居
*hew	[hjuː] *v.* 砍伐；遵守
*eschew	[is'tʃuː] *v.* 避开，戒绝
*preview	[priː'vjuː] *v.* /*n.* 预演，预展
*skew	[skjuː] *adj.* 不直的，歪斜的
*slew	[sluː] *v.* (使)旋转；*n.* 大量
*sinew	['sinjuː] *n.* 腱，肌肉；力量
*screw	[skruː] *n.* 螺丝钉，螺旋；吝啬鬼
strew	[struː] *v.* 撒，散播
*elbow	['elbəu] *n.* 肘
*cow	[kau] *v.* 威胁

foreshadow	[fɔːˈʃædəu] v. 预示	
overshadow	[ˌəuvəˈʃædəu] v. 遮蔽；使失色	
*endow	[inˈdau] v. 资助，捐助	
*sideshow	[ˈsaidʃəu] n. 杂耍，穿插表演	
know-how	[ˈnəuhau] n. 专业技能，知识	
*low	[ləu] v. 牛叫	
*overflow	[ˈəuvəˈfləu] v. 溢出；洋溢	
*glow	[gləu] v. /n. 光亮，发热；(脸)红	
*callow	[ˈkæləu] adj. (鸟)未生羽毛的；(人)未成熟的	
*fallow	[ˈfæləu] n. 休耕地；adj. (土地)休耕的	
*hallow	[ˈhæləu] v. 把…视为神圣，尊敬	
*swallow	[ˈswɔləu] v. 吞下，咽下；忍受	
willow	[ˈwiləu] n. 柳树	
*minnow	[ˈminəu] n. 鲦鱼，小淡水鱼	
*winnow	[ˈwinəu] v. 把(谷物)的杂质吹掉，扬去	
*highbrow	[ˈhaibrau] n. 自以为文化修养很高的人	
overthrow	[ˌəuvəˈθrəu] v. 推翻；终止；n. 推翻；终止	
*harrow	[ˈhærəu] n. 耙；v. 使痛苦	
*furrow	[ˈfʌrəu] n. 犁沟；皱纹	
*sow	[sau] n. 母猪；v. 播种	
*bestow	[biˈstəu] v. 给予，赐赠	
*avow	[əˈvau] v. 承认；公开宣称	

X

*flax	[flæks] n. 亚麻	
*climax	[ˈklaimæks] n. 顶点，高潮	
*anticlimax	[ˌæntiˈklaimæks] n. 令人扫兴的结局	
*coax	[kəuks] v. 哄诱，巧言诱哄	
*hoax	[həuks] n. /v. 骗局，欺骗	

核心词汇

*wax	[wæks]	n. 蜡;v. 给…打蜡;(月亮)变圆,增大
*apex	['eipeks]	n. 顶点,最高点
vertex	['vɜːteks]	n. (三角形等)顶角;顶点
*vex	[veks]	v./n. 恼火
convex	[kɔn'veks]	adj. 凸出的
*affix	[ə'fiks]	v. 粘上,贴上;在合同上添写某事物;n. 词缀
*prolix	['prəuliks]	adj. 罗嗦的,冗长的
phoenix	['fiːniks]	n. 凤凰;永生或再生的象征
*matrix	['meitriks]	n. 模子;矩阵
*paradox	['pærədɔks]	n. 矛盾;似矛盾而正确的说法
*orthodox	['ɔːθədɔks]	adj. 正统的
*heterodox	['hetərəudɔks]	adj. 异端的,非正统的
flux	[flʌks]	n. 不断的变动,动荡不定
*influx	['inflʌks]	n. 注入,涌入
crux	[krʌks]	n. 关键,症结所在

核心词汇

Y

*clay	[klei]	n. 黏土
*allay	[ə'lei]	v. 减轻,缓和
downplay	['daunplei]	v. 贬低,不予重视
*underplay	[ˌʌndə'plei]	v. 淡化…的重要性;表演(角色)不充分
interplay	[ˌintə(ː)'plei]	v./n. 相互影响
*dismay	[dis'mei]	n. 沮丧,气馁;v. 使气馁
*array	[ə'rei]	v. 部署;n. 陈列;大批
*disarray	[ˌdisə'rei]	n. 混乱,漫无秩序
*betray	[bi'trei]	v. 背叛;暴露
*portray	[pɔː'trei]	v. 描绘,描述

*stray	[strei] v. 偏离，迷路；adj. 迷了路的；零落的
astray	[əs'trei] adj. 迷路的，误入歧途的
*gainsay	[gein'sei] v. 否认
*assay	[ə'sei] v./n. 试验，测定
naysay	[neisei] v. 拒绝，说不
quay	[ki:] n. 码头
*stowaway	['stəuə,wei] n. (藏于轮船、飞机中的)偷乘者
headway	['hedwei] n. 进步，进展
*gangway	['gæŋwei] n. (上下船的)跳板
*sway	[swei] v. 摇动，摇摆；影响使改变；n. 摇动
*lullaby	['lʌləbai] n. 摇篮曲
*lobby	['lɔbi] n. 大厅，休息厅
*efficacy	['efikəsi] n. 功效，有效性
*delicacy	['delikəsi] n. 细嫩；精致，优雅
*intricacy	['intrikəsi] n. 错综，复杂，纷乱
*advocacy	['ædvəkəsi] n. 拥护，支持
*candidacy	['kændidəsi] n. 候选人的资格
*legacy	['legəsi] n. 遗产；遗留之物
*fallacy	['fæləsi] n. 谬误，错误
supremacy	[sju'preməsi] n. 至高无上；霸权
*obstinacy	['ɔbstinəsi] n. 固执，倔强，顽固
racy	['reisi] adj. 活泼的，生动的
*theocracy	[θi'ɔkrəsi] n. 神权政治
*gerontocracy	[dʒerən'tɔkrəsi] n. 老人统治的政府
*aristocracy	[,æris'tɔkrəsi] n. 贵族；贵族政府，贵族统治
*autocracy	[ɔ:'tɔkrəsi] n. 独裁政府
*plutocracy	[plu:'tɔkrəsi] n. 财阀统治
*bureaucracy	[bjuə'rɔkrəsi] n. 官僚政治
*confederacy	[kən'fedərəsi] n. 联盟或同盟

*conspiracy	[kən'spirəsi]	n. 共谋,阴谋
*accuracy	['ækjurəsi]	n. 精确,准确
*prophecy	['prɔfisi]	n. 预言
*ascendancy	[ə'sendənsi]	n. 统治权,支配力量
*redundancy	[ri'dʌndənsi]	n. 过剩;备份;似乎多余其实重要的后备力量
*dormancy	['dɔːmənsi]	n. 休眠状态
discrepancy	[dis'krepənsi]	n. 不同,矛盾
*vibrancy	['vaibrənsi]	n. 生机勃勃,活泼
*vagrancy	['veigrənsi]	n. 游荡,流浪
*inconstancy	[in'kɔnstənsi]	n. (指人)反复无常
truancy	['truːənsi]	n. 逃学,旷课
*complacency	[kəm'pleisənsi]	n. 满足;安心
*decency	['diːsnsi]	n. 正派,端庄
emergency	[i'məːdʒənsi]	n. 紧急事件
*deficiency	[di'fiʃənsi]	n. 缺陷;不足
expediency	[ik'spiːdiənsi]	n. 方便;权宜之计
*leniency	['liːniənsi]	n. 温和,宽容
*clemency	['klemənsi]	n. 温和;仁慈,宽厚
*latency	['leitənsi]	n. 潜伏期
*consistency	[kən'sistənsi]	n. 一致性;坚实度,可靠性;不矛盾
*frequency	['friːkwənsi]	n. 频率
delinquency	[di'liŋkwənsi]	n. 失职,过失
*insolvency	[in'sɔlvənsi]	n. 无力偿还;破产
*ready	['redi]	adj. 机敏的,迅速的
*toady	['təudi]	n. 诌媚者,马屁精
*eddy	['edi]	n. 漩涡,涡流
giddy	['gidi]	adj. 轻浮的,不严肃的
*shoddy	['ʃɔdi]	n. 劣质的,冒充好货的
needy	['niːdi]	adj. 贫穷的
tragedy	['trædʒidi]	n. 悲剧,惨事,灾难

核心词汇

*perfidy	['pə:fidi] n. 不忠，背叛
*subsidy	['sʌbsidi] n. 补助金
*tidy	['taidi] adj. 整齐的，整洁的
*unwieldy	[ʌn'wi:ldi] adj. 笨重的，笨拙的
*moldy	['məuldi] adj. 发霉的
dandy	['dændi] n. 花花公子；好打扮的人
windy	['windi] adj. 有风的；长篇累牍的
antibody	['ænti,bɔdi] n. 抗体（身体中的抗病物质）
embody	[im'bɔdi] v. (作品等)表达，体现
*melody	['melədi] n. 旋律；歌曲
*parody	['pærədi] n. 模仿性嘲弄文章或表演；拙劣的模仿
custody	['kʌstədi] n. 监管，保管
hardy	['ha:di] adj. 耐寒的；强壮的
*jeopardy	['dʒepədi] n. 危险
tardy	['ta:di] adj. 缓慢的，迟缓的
*sturdy	['stə:di] adj. (身体)强健的；结实的
gaudy	['gɔ:di] adj. 俗丽的
*understudy	['ʌndə,stʌdi] n. 预备演员，替角；v. 充当…的替角
*bawdy	['bɔ:di] adj. 淫猥的，好色的
*jockey	['dʒɔki] n. 骑师；v. 用计谋获取
*off-key	['ɔ:fki:] adj. 走调的，不和谐的
medley	['medli] n. 混合歌曲；混杂；各种各样的集团
*galley	['gæli] n. 船上的厨房
volley	['vɔli] n. 齐发，群射；v. 齐发，群射；(足球、网球)截击
*pulley	['puli] n. 滑轮；滑车
motley	['mɔtli] adj. 混杂的；杂色的
*kidney	['kidni] n. 肾
*attorney	[ə'tə:ni] n. 律师

核心词汇

194

prey	[prei] *n.* 被捕食的动物
odyssey	['ɔdisi:] *n.* 长途的冒险旅行
*convey	[kən'vei] *v.* 运载,运送;表达
purvey	[pəː'vei] *v.* (大量)供给,供应
*defy	[di'fai] *v.* 违抗,藐视
*liquefy	['likwifai] *v.* (使)液化,(使)溶解
fluffy	['flʌfi] *adj.* 有绒毛的;空洞的
*stuffy	['stʌfi] *adj.* (空气)不新鲜的,闷气的
*pacify	['pæsifai] *v.* 使安静,抚慰
edify	['edifai] *v.* 陶冶,启发
*solidify	[sə'lidifai] *v.* 巩固,(使)凝固,(使)团结
*codify	['kɔdifai] *v.* 将法律、规则等编成法典
*modify	['mɔdifai] *v.* 修改,变更
deify	['di:ifai] *v.* 奉为神;崇拜
*vilify	['vilifai] *v.* 辱骂,诽谤
*mollify	['mɔlifai] *v.* 安慰,安抚
*nullify	['nʌlifai] *v.* 使无效,取消
*amplify	['æmplifai] *v.* 放大;详述
exemplify	[ig'zemplifai] *v.* 是…的典型
ramify	['ræmifai] *v.* 分支,分叉
*magnify	['mægnifai] *v.* 放大;赞美
*signify	['signifai] *v.* 表示;有重要性
*indemnify	[in'demnifai] *v.* 赔偿,偿付
*unify	['ju:nifai] *v.* 统一,使成一体;使相同
*clarify	['klærifai] *v.* 澄清
*verify	['verifai] *v.* 证明,证实
*petrify	['petri,fai] *v.* 石化;吓呆
vitrify	['vitrifai] *v.* 使成玻璃
*purify	['pjuərifai] *v.* 使洁净,净化
emulsify	[i'mʌlsifai] *v.* 使乳化
*intensify	[in'tensifai] *v.* 加剧
*classify	['klæsifai] *v.* 分类,归类

核心词汇

195

ossify	['ɔsifai] v.	硬化,骨化;使(传统)僵化
*gratify	['grætifai] v.	使高兴,使满足
*stratify	['strætifai] v.	(使)层化
*rectify	['rektifai] v.	改正,调正;提纯
sanctify	['sæŋktifai] v.	使神圣
stultify	['stʌltifai] v.	使变得荒谬可笑;使无用
*fortify	['fɔ:tifai] v.	加强防卫
*mortify	['mɔ:tifai] v.	使屈辱,使痛心
*testify	['testifai] v.	见证,证实
*justify	['dʒʌstifai] v.	证明…是正当的
demystify	[di:'mistifai] v.	弄清楚
*stodgy	['stɔdʒi] adj.	乏味的
*elegy	['elidʒi] n.	哀歌,挽歌
flaggy	['flægi] adj.	枯萎的;松软无力的
*soggy	['sɔgi] adj.	湿透的
*prodigy	['prɔdidʒi] n.	奇事;奇才
tangy	['tæŋi] adj.	有浓烈气味的,扑鼻的
*dingy	['dindʒi] adj.	肮脏的;褪色的
*stingy	['stindʒi] adj.	吝啬的,小气的
*spongy	['spʌndʒi] adj.	像海绵的;不坚实的
*pedagogy	['pedəgogi] n.	教育学,教学法
*genealogy	[,dʒi:ni'ælədʒi] n.	家谱学
analogy	[ə'nælədʒi] n.	相似;类比
*trilogy	['trilədʒi] n.	三部曲
pharmacology	[,fɑ:mə'kɔlədʒi] n.	药理学,药物学
archaeology	[,ɑ:ki'ɔlədʒi] n.	考古学
*ideology	[,aidi'ɔlədʒi] n.	思想体系,思想意识,意识形态
psychology	[sai'kɔlədʒi] n.	心理学,心理状态
*pathology	[pə'θɔlədʒi] n.	病理学
ornithology	[,ɔ:ni'θɔlədʒi] n.	鸟类学
*anthology	[æn'θɔlədʒi] n.	诗集,文选

核心词汇

etymology	[,eti'mɔlədʒi] *n.* 语源学	
ethnology	[,eθ'nɔlədʒi] *n.* 人种学,人类文化学	
terminology	[,tə:mi'nɔlədʒi] *n.* 术语,术语学	
*meteorology	[,mi:tjə'rɔlədʒi] *n.* 气象学	
petrology	[pi'trɔlədʒi] *n.* 岩石学	
*astrology	[ə'strɔlədʒi] *n.* 占星术;占星学	
neurology	[njuə'rɔlədʒi] *n.* 神经学	
paleontology	[,pæliɔn'tɔlədʒi] *n.* 古生物学	
*gerontology	[,dʒerən'tɔlədʒi] *n.* 老人病学	
histology	[his'tɔlədʒi] *n.* 细胞组织学	
cytology	[sai'tɔlədʒi] *n.* [生] 细胞学	
*eulogy	['ju:lədʒi] *n.* 颂词,颂文	
*lethargy	['leθədʒi] *n.* 昏睡;倦怠;呆滞懒散	
*allergy	['ælədʒi] *n.* 过敏症;厌恶	
paunchy	['pɔ:ntʃi] *adj.* 大肚子的	
oligarchy	['ɔligɑ:ki] *n.* 寡头政治	
*anarchy	['ænəki] *n.* 无政府;政治上的混乱	
monarchy	['mɔnəki] *n.* 君主制	
*hierarchy	['haiərɑ:ki] *n.* 阶层;等级制度	
starchy	['stɑ:tʃi] *adj.* 含淀粉的;刻板的	
*sketchy	['sketʃi] *adj.* 概略的,粗略的	
*touchy	['tʌtʃi] *adj.* 敏感的;易发脾气的	
*calligraphy	[kə'ligrəfi] *n.* 书法	
*discography	[dis'kɔgrəfi] *n.* 唱片分类目录;录音音乐研究	
*choreography	[,kɔ(:)ri'ɔgrəfi] *n.* 舞蹈;舞蹈编排	
*autobiography	[,ɔ:təbai'ɔgrəfi] *n.* 自传	
*bibliography	[,bibli'ɔgrəfi] *n.* 文献学;参考书目	
*demography	[di:'mɔgrəfi] *n.* 人口统计,人口学	
*trophy	['trəufi] *n.* 奖品,战利品	
*atrophy	['ætrəfi] *n.* 萎缩,衰退	
*antipathy	[æn'tipəθi] *n.* 反感,厌恶	

核心词汇

*empathy	['empəθi]	n. 心意相通,(感情等)融为一体
pithy	['piθi]	adj. (讲话或文章)简练的
frothy	['frɔθi]	adj. 起泡的;空洞的
*earthy	['ə:θi]	adj. 粗俗的,粗陋的
*trustworthy	['trʌst,wə:ði]	adj. 值得信赖的,可靠的
*finicky	['finiki]	adj. 苛求的,过分讲究的
*stocky	['stɔki]	adj. 矮胖的,粗壮的
sulky	['sʌlki]	adj. 生气的
*cranky	['kræŋki]	adj. 怪癖的,任性的;动摇不稳的
perky	['pə:ki]	adj. 神气的;活泼的
*murky	['mə:ki]	adj. 黑暗的;朦胧的
frisky	['friski]	adj. 活泼的,快活的
husky	['hʌski]	adj. 声音沙哑的
*anomaly	[ə'nɔməli]	n. 异常,反常
unworldly	[ʌn'wə:ldli]	adj. 非世俗的;精神上的
spindly	['spindli]	adj. 细长的,纤弱的
*timely	['taimli]	adj. 适时的,及时的
*untimely	[ʌn'taimli]	adj. 过早的;不适时的
*comely	['kʌmli]	adj. 动人的,美丽的
*philately	[fi'lætəli]	n. 集邮
*gadfly	['gædflai]	n. 虻,牛虻;讨厌的人
firefly	['faiəflai]	n. 萤火虫
*ugly	['ʌgli]	adj. 难看的,可怕的
*harshly	['hɑ:ʃli]	adv. 严酷地,无情地
earthly	['ə:θli]	adj. 现世的,尘世的
*unearthly	[ʌn'ə:θli]	adj. 奇异的
*readily	['redili]	adv. 不迟疑地;迅速地;轻易地
*summarily	['sʌmərəli]	adv. 概括地;仓促地
*perfunctorily	[pə'fʌŋktrərili]	adv. 敷衍地,潦草地;表面地
*wily	['waili]	adj. 狡猾的

*dally	['dæli] v. 闲荡，嬉戏	
*exponentially	[,ekspəu'nenʃəli] adv. 指数地；迅速增长地	
rally	['ræli] v. 召集，集会；n. 召集；集会	
tally	['tæli] v. (使)一致，符合	
*filly	['fili] n. 小母马	
folly	['fɔli] n. 愚蠢；愚蠢的行为、思想或做法	
*bully	['buli] v. 以强欺弱，威胁；n. 欺负别人者	
gully	['gʌli] n. 雨水冲成的沟壑	
*seemly	['si:mli] adj. 得体的，适宜的	
*unseemly	[ʌn'si:mli] adj. 不适当的，不宜的	
*ungainly	[ʌn'geinli] adj. 笨拙的	
melancholy	['melənkəli] adj. 忧郁的；令人悲伤的	
*monopoly	[mə'nɔpəli] n. 专利权，垄断	
*multiply	['mʌltipli] v. 乘；增加；繁殖	
*comply	[kəm'plai] v. 遵循，顺从	
gingerly	['dʒindʒəli] adj. /adv. 小心的(地)；谨慎的(地)	
*miserly	['maizəli] adj. 吝啬的，贪婪的	
*surly	['sə:li] adj. 脾气暴躁的；阴沉的	
sly	[slai] adj. 狡猾的，鬼鬼祟祟的	
measly	['mi:zli] adj. 患麻疹的；小得可怜的	
*grisly	['grizli] adj. 恐怖的，可怕的	
expressly	[iks'presli] adv. 清楚地；特意地	
sprightly	['spraitli] adj. 愉快的，活泼的	
inadvertently	[,inəd'və:təntli] adv. 不小心地，非故意地	
*saintly	['seintli] adj. 圣徒似的，极为圣洁的	
*unjustly	[ʌn'dʒʌstli] adv. 不义地，不法地	
drizzly	['drizli] adj. 毛毛细雨的	
*seamy	['si:mi] adj. 肮脏的；恶劣的	
monogamy	[mɔ'nɔgəmi] n. 一夫一妻制	

核心词汇

199

*alchemy	['ælkimi]	n. 炼金术
*blasphemy	['blæsfimi]	n. 亵渎,渎神
*balmy	['bɑːmi]	adj. (气候)温和的;芳香的
palmy	['pɑːmi]	adj. 繁荣的;棕榈的
*dummy	['dʌmi]	n. 人体模型,假人
*agronomy	[əg'rɔnəmi]	n. 农学,农艺学
*autonomy	[ɔ:'tɔnəmi]	n. 自治,独立
*gloomy	['gluːmi]	adj. 阴暗的;没有希望的;阴郁的
smarmy	['smɑːmi]	adj. 虚情假意的
accompany	[ə'kʌmpəni]	v. 伴随,陪伴
*botany	['bɔtəni]	n. 植物学
progeny	['prɔdʒini]	n. 后代,子女
ignominy	['ignəmini]	n. 羞耻,屈辱
*spiny	['spaini]	adj. 针状的;多刺的,棘手的
calumny	['kæləmni]	n. 诽谤,中伤
*canny	['kæni]	adj. 精明仔细的
uncanny	[ʌn'kæni]	adj. 神秘的,不可思议的
*tyranny	['tirəni]	n. 暴政,专制统治;暴行
*agony	['ægəni]	n. 极大痛苦
*symphony	['simfəni]	n. 交响乐,交响曲
*cacophony	[kæ'kɔfəni]	n. 难听的声音
felony	['feləni]	n. 重罪
*colony	['kɔləni]	n. 菌群;殖民地
*hegemony	[hi(ː)'geməni]	n. 霸权,领导权
*ceremony	['seriməni]	n. 典礼,仪式
*acrimony	['ækriməni]	n. 尖刻,刻薄
patrimony	['pætriməni]	n. 祖传的财产
*parsimony	['pɑːsiməni]	n. 过分节俭,吝啬
*testimony	['testiməni]	n. 证言,证明
*harmony	['hɑːməni]	n. 相符,一致;协调,匀称

核心词汇

irony	['aiərəni] n. 反话;出人意料的事情或情况
*monotony	[mə'nɒtəni] n. 单调,千篇一律
puny	['pju:ni] adj. 弱小的,发育不良的
*coy	[kɔi] adj. 腼腆的,忸怩的
*killjoy	['kildʒɔi] n. 令人扫兴的人
*ploy	[plɔi] n. 花招,策略
*annoy	[ə'nɔi] v. 惹恼;打搅,骚扰
*toy	[tɔi] v. 不认真考虑,玩弄
*buoy	[bɔi] n. 浮标;救生圈;v. 支持,鼓励
*canopy	['kænəpi] n. 蚊帐,华盖
*scrappy	['skræpi] adj. 碎片的;好斗的;坚毅的
*sloppy	['slɒpi] adj. 邋遢的,不整洁的
*raspy	['rɑːspi] adj. (声音)刺耳的;恼人的
*espy	[is'pai] v. (从远处等)突然看到
apothecary	[ə'pɒθikəri] n. 药剂师
*quandary	['kwɒndəri] n. 困惑,进退两难
*dreary	['driəri] adj. 沉闷的,乏味的
*weary	['wiəri] adj. 疲劳的,令人厌倦的;v. 厌烦
*vagary	['veigəri] n. 奇想,异想天开
*chary	['tʃɛəri] adj. 小心的,审慎的
intermediary	[,intə'miːdiəri] n. 仲裁者;中间物;adj. 中间的,媒介的
subsidiary	[səb'sidjəri] adj. 辅助的;次要的
incendiary	[in'sendjəri] adj. 放火的,纵火的
*auxiliary	[ɔːg'ziljəri] adj. 辅助的,协助的
apiary	['eipjəri] n. 养蜂场,蜂房
*aviary	['eivjəri] n. 大鸟笼,鸟舍
ancillary	[æn'siləri] adj. 辅助的;n. 助手
*capillary	[kə'piləri] n. 毛细血管
*exemplary	[ig'zempləri] adj. 可作楷模的

核心词汇

*summary	['sʌməri]	n. 摘要,概要; adj. 摘要的,简略的
customary	['kʌstəməri]	adj. 合乎习俗的
canary	[kə'nɛəri]	n. 金丝雀;女歌星
*mercenary	['mə:sinəri]	adj. 惟利是图的; n. 雇佣兵
*culinary	['kʌlinəri]	adj. 厨房的;烹调的
*seminary	['seminəri]	n. 神学院
*preliminary	[pri'liminəri]	adj. 预备的;初步的,开始的
*luminary	['lju:minəri]	n. 杰出人物,名人
veterinary	['vetərinəri]	adj. 兽医的
visionary	['viʒənəri]	adj. 有远见的;幻想的; n. 空想家
stationary	['steiʃənəri]	adj. 静止的,不动的
*reactionary	[ri(:)'ækʃənəri]	adj. 保守的,反动的
*functionary	['fʌŋkʃənəri]	n. 小官,低级公务员
discretionary	[dis'kreʃənəri]	adj. 自由决定的
hoary	['hɔ:ri]	adj. (头发)灰白的;古老的
*itinerary	[ai'tinərəri]	n. 行程表;旅行路线
*arbitrary	['ɑ:bitrəri]	adj. 专横的;不理智的
*emissary	['emisəri]	n. 密使,特使
*glossary	['glɔsəri]	n. 词汇表;难词表
proprietary	[prə'praiətəri]	adj. 私有的
monetary	['mʌnitəri]	adj. 货币的
*hereditary	[hi'reditəri]	adj. 祖传的,世袭的
*solitary	['sɔlitəri]	adj. 孤独的; n. 隐士
*sedentary	['sedəntəri]	adj. 久坐的
elementary	[,eli'mentəri]	adj. 初级的
complementary	[kɔmplə'mentəri]	adj. 互补的
rudimentary	[ru:di'mentəri]	adj. 初步的,未充分发展的
alimentary	[,æli'mentəri]	adj. 饮食的,营养的

核心词汇

commentary	['kɔməntəri] *n.* 实况报道;(对书等的)集注
* involuntary	[in'vɔləntəri] *adj.* 无意的
votary	['vəutəri] *n.* 崇拜者,热心支持者
* salutary	['sæljutəri] *adj.* 有益的,有益健康的
* statuary	['stætjuəri] *n.* 雕像;雕塑艺术
obituary	[ə'bitjuəri] *n.* 讣闻,讣告
* mortuary	['mɔ:tjuəri] *n.* 停尸间,太平间
* wary	['wɛəri] *adj.* 谨慎的,小心翼翼的
decry	[di'krai] *v.* 责难;贬低(价值)
descry	[dis'krai] *v.* 远远看到,望见
husbandry	['hʌzbəndri] *n.* 耕种,务农
tawdry	['tɔ:dri] *adj.* 华而不实的,俗丽的
sorcery	['sɔ:səri] *n.* 巫术,魔法
leery	['liəri] *adj.* 机警的,怀疑的
drudgery	['drʌdʒəri] *n.* 苦工,苦活
* forgery	['fɔ:dʒəri] *n.* 伪造(物)
periphery	[pə'rifəri] *n.* 不重要的部分;外围
* crockery	['krɔkəri] *n.* 陶器,瓦器
* cutlery	['kʌtləri] *n.* (刀、叉、匙等)餐具
* chicanery	[ʃi'keinəri] *n.* 诡计,狡诈
* refinery	[ri'fainəri] *n.* 提炼厂,精炼厂
* slippery	['slipəri] *adj.* 滑的;狡猾的
* effrontery	[e'frʌntəri] *n.* 厚颜无耻
* artery	['ɑ:təri] *n.* 动脉,命脉
* lottery	['lɔtəri] *n.* 彩票,抽彩给奖法
* pottery	['pɔtəri] *n.* 制陶;陶器
* inquiry	[in'kwaiəri] *n.* 询问
* cavalry	['kævəlri] *n.* 骑兵部队,装甲部队
rivalry	['raivəlri] *n.* 竞争,对抗
revelry	['revlri] *n.* 狂欢
* allegory	['æligəri, 'æligɔ:ri] *n.* 寓言

核心词汇

核心词汇

*category	['kætigəri]	n. 类别，范畴
*pillory	['piləri]	n. 颈手枷；示众；嘲弄
*armory	['ɑ:məri]	n. 军械库
provisory	[prə'vaizəri]	adj. 有附带条件的
*cursory	['kə:səri]	adj. 粗略的，草率的
*accessory	[æk'sesəri]	adj. 附属的，次要的
*illusory	[i'lu:səri]	adj. 虚幻的
*mandatory	['mændətəri]	adj. 命令的，强迫的
*obligatory	[ɔ'bligətəri]	adj. 强制性的，义务的
derogatory	[di'rɔgətəri]	adj. 不敬的，诽谤的
purgatory	['pə:gətəri]	n. 炼狱；受苦受难的地方
*nugatory	['nju:gətəri]	adj. 无价值的，琐碎的
conciliatory	[kən'siliətəri]	adj. 抚慰的，调和的
*dilatory	['dilətəri]	adj. 慢吞吞的，磨蹭的
*minatory	['minətəri]	adj. 威胁的，恫吓的
discriminatory	[di'skriminətəri]	adj. 歧视的，差别待遇的
*anticipatory	[æn'tisipeitəri]	adj. 预想的，预期的
*migratory	['maigrətəri]	adj. 迁移的，流浪的
*oratory	['ɔrətəri]	n. 演讲术
compensatory	[kəm'pensətəri]	adj. 补偿性的，报酬的
*gustatory	['gʌstətəri]	adj. 味觉的，品尝的
*observatory	[əb'zə:vətəri]	n. 天文台
*conservatory	[kən'sə:vətəri]	n. 温室；音乐学院
*refractory	[ri'fræktəri]	adj. 倔强的；反应迟钝的
*refectory	[ri'fektəri]	n. （学院）餐厅，食堂
trajectory	[trə'dʒekətəri]	n. （抛射物）弹道，轨道
*contradictory	[ˌkɔntrə'diktəri]	adj. 反驳的，反对的，抗辩的
valedictory	[ˌvæli'diktəri]	adj. 告别的，离别的
*perfunctory	[pə'fʌŋktəri]	adj. 草率的，敷衍的
*transitory	['trænsitəri]	adj. 短暂的

expository	[iks'pɔzi,təri] *adj.* 说明的
*desultory	['desəltəri] *adj.* 不连贯的,散漫的
*inventory	['invəntəri] *n.* 详细目录;存货清单
*peremptory	[pə'remptəri] *adj.* 不容反抗的;专横的
*statutory	['stætjutəri] *adj.* 法定的;受法令所约束的
*ivory	['aivəri] *n.* 象牙,长牙
*pry	[prai] *v.* 刺探;撬开
harry	['hæri] *v.* 掠夺;袭扰;折磨
*parry	['pæri] *v.* 挡开,避开(武器,问题等)
*quarry	['kwɔri] *n.* 猎物
*scurry	['skʌri] *v.* 急跑,疾行
*symmetry	['simitri] *n.* 对称;均衡
paltry	['pɔ:ltri] *adj.* 无价值的,微不足道的
sultry	['sʌltri] *adj.* 闷热的;(人)风骚的
*infantry	['infəntri] *n.* 步兵
*pantry	['pæntri] *n.* 食品室
*entry	['entri] *n.* 条目;登录;报关手续;入口
gentry	['dʒentri] *n.* 绅士,上等人
*zealotry	['zelətri] *n.* 狂热行为
pastry	['peistri] *n.* 糕点,点心
ancestry	['ænsistri] *n.* 家系
*tapestry	['tæpistri] *n.* 挂毯
*forestry	['fɔristri] *n.* 森林学;林产;林地
*sophistry	['sɔfistri] *n.* 诡辩
*artistry	['ɑ:tistri] *n.* 艺术技巧
*augury	['ɔ:gjuri] *n.* 预言,征兆,占卜
*perjury	['pə:dʒəri] *n.* 作伪证,发假誓
*penury	['penjuri] *n.* 贫穷;吝啬
*usury	['ju:ʒuri] *n.* 放高利贷
*luxury	['lʌkʃəri] *n.* 奢侈(品)
*wry	[rai] *adj.* 扭曲的;冷嘲性幽默的

核心词汇

205

awry	[əˈrai] *adj.* 扭曲的，走样的
*fantasy	[ˈfæntəsi] *n.* 想象，幻想
*ecstasy	[ˈekstəsi] *n.* 狂喜；激情状态
*apostasy	[əˈpɒstəsi] *n.* 背教，脱党
*heresy	[ˈherəsi] *n.* 异端邪说
whimsy	[ˈhwimzi] *n.* 古怪，异想天开
*flimsy	[ˈflimzi] *adj.* 轻而薄的；脆弱的
*clumsy	[ˈklʌmzi] *adj.* 笨拙的；拙劣的
brassy	[ˈbrɑːsi] *adj.* 厚脸皮的，无礼的
*glossy	[ˈglɒsi] *adj.* 光泽的，光滑的
fussy	[ˈfʌsi] *adj.* 爱挑剔的
*jealousy	[ˈdʒeləsi] *n.* 猜忌，嫉妒
*treaty	[ˈtriːti] *n.* 条约；协议
*entreaty	[inˈtriːti] *n.* 恳求，哀求
nicety	[ˈnaisiti] *n.* 准确，精确
*sobriety	[sə(u)ˈbraiəti] *n.* 节制；庄重
*propriety	[prəˈpraiəti] *n.* 礼貌；适当
rickety	[ˈrikiti] *adj.* 不牢靠的，摇摇欲坠的
*entirety	[inˈtaiəti] *n.* 整体，全面
*lofty	[ˈlɔ(ː)fti] *adj.* 崇高的，高尚的
mighty	[ˈmaiti] *adj.* 强有力的，强大的
haughty	[ˈhɔːti] *adj.* 傲慢的，自大的
laity	[ˈleiiti] *n.* 俗信徒，俗人阶级；外行
*probity	[ˈprəubiti] *n.* 刚直，正直
*mendacity	[menˈdæsiti] *n.* 虚假
*tenacity	[tiˈnæsiti] *n.* 坚持，固执
*opacity	[əuˈpæsiti] *n.* 不透明性；晦涩
*veracity	[vəˈræsiti] *n.* 真实性；诚实
voracity	[vəˈræsiti] *n.* 贪婪
infelicity	[ˌinfiˈlisiti] *n.* 不幸；不恰当
multiplicity	[ˌmʌltiˈplisiti] *n.* 多样性
*duplicity	[djuˈ(ː)plisiti] *n.* 欺骗，口是心非

核心词汇

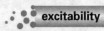

*authenticity	[ˌɔːθenˈtisiti]	n. 确实性,真实性
*inelasticity	[ˌinilæsˈtisiti]	n. 无弹性,无伸缩性
*velocity	[viˈlɔsiti]	n. 速度;迅速
atrocity	[əˈtrɔsiti]	n. 残暴,暴行
*scarcity	[ˈskeəsiti]	n. 不足,缺乏
*paucity	[ˈpɔːsiti]	n. 小量,缺乏
*frigidity	[friˈdʒiditi]	n. 寒冷;冷淡
*timidity	[tiˈmiditi]	n. 胆怯
*humidity	[hjuːˈmiditi]	n. 湿度,湿气
*cupidity	[kju(ː)ˈpiditi]	n. 贪婪
*fecundity	[fiˈkʌndəti]	n. 多产,富饶;繁殖力,生殖力
commodity	[kəˈmɔditi]	n. 商品
*crudity	[ˈkruːditi]	n. 粗糙;生硬
*spontaneity	[ˌspɔntəˈniːiti]	n. 自然,自发
homogeneity	[ˌhɔməudʒeˈniːiti]	n. 同种,同质
*superficiality	[sjuːpəˌfiʃiˈæliti]	n. 浅薄
*partiality	[ˌpɑːʃiˈæliti]	n. 偏袒,偏心
*conviviality	[kənˌviviˈæliti]	n. 欢乐;交游
*formality	[fɔːˈmæliti]	n. 遵循的规范;拘泥形式;正式
*originality	[əˌridʒiˈnæliti]	n. 创造性,独特性
*municipality	[mjuːˌnisiˈpæliti]	n. 市;市政当局(指城市行政区及管理者)
*liberality	[ˌlibəˈræliti]	n. 慷慨;心胸开阔
*generality	[ˌdʒenəˈræliti]	n. 概述
*mortality	[mɔːˈtæliti]	n. 死亡率
*impermeability	[imˌpəːmiəˈbiləti]	n. 不能渗透
*liability	[ˌlaiəˈbiliti]	n. 责任;债务
*viability	[ˌvaiəˈbiliti]	n. 生存能力,存活力
*indispensability	[ˈindisˌpensəˈbiləti]	n. 不可缺少
*tractability	[ˌtræktəˈbiliti]	n. 温顺
*excitability	[ikˌsaitəˈbiliti]	n. 易兴奋性,易激动性

核心词汇

核心词汇

accountability	[əˌkauntəˈbiliti] *n.*	负有责任
*incorrigibility	[inˌkɔridʒəˈbiliti] *n.*	无可救药
*intangibility	[inˌtændʒəˈbiləti] *n.*	无形,不可接触
*fallibility	[ˌfæliˈbiliti] *n.*	易于出错,出错性
*susceptibility	[səˌseptəˈbiliti] *n.*	易感性
*mobility	[məuˈbiliti] *n.*	可动性,流动性
*agility	[əˈdʒiliti] *n.*	敏捷
*humility	[hju(:)ˈmiliti] *n.*	谦逊,谦恭
*motility	[məuˈtiliti] *n.*	运动性
*hostility	[hɔsˈtiliti] *n.*	敌对,不友好,憎恨
futility	[fjuːˈtiləti] *n.*	无用,无益
tranquility	[træŋˈkwiliti] *n.*	宁静,安静
*civility	[siˈviliti] *n.*	彬彬有礼,斯文
incredulity	[ˌinkriˈdjuːliti] *n.*	怀疑,不相信
*sedulity	[siˈdjuːliti] *n.*	勤奋,勤勉
*garrulity	[gəˈruːliti] *n.*	唠叨,饶舌
*amity	[ˈæməti] *n.*	(人与人或国与国之间的)友好关系
calamity	[kəˈlæmiti] *n.*	大灾祸,不幸之事
*magnanimity	[ˌmægnəˈnimiti] *n.*	慷慨
*equanimity	[ˌiːkwəˈnimiti] *n.*	镇定,沉着
*enmity	[ˈenmiti] *n.*	敌意,仇恨
comity	[ˈkɔmiti] *n.*	礼让,礼仪
*conformity	[kənˈfɔːmiti] *n.*	一致,遵从;顺众
*enormity	[iˈnɔːmiti] *n.*	极恶;暴行;巨大
*anonymity	[ˌænəˈnimiti] *n.*	无名,匿名
*sanity	[ˈsæniti] *n.*	神志清楚
*vanity	[ˈvæniti] *n.*	虚荣,自负
*amenity	[əˈmiːniti] *n.*	礼仪;使人感到舒适的事物
*dignity	[ˈdigniti] *n.*	尊严,尊贵
*indignity	[inˈdigniti] *n.*	侮辱,轻蔑;侮辱性的言行
vicinity	[viˈsiniti] *n.*	附近,接近

208

*affinity	[ə'finiti]	n. 密切关系；吸引力
*infinity	[in'finiti]	n. 无限的时间或空间
indemnity	[in'demniti]	n. 赔偿；保证
*solemnity	[sə'lemniti]	n. 庄严，肃穆
*immunity	[i'mju:niti]	n. 免疫；豁免
*impunity	[im'pju:niti]	n. 免除惩罚
*solidarity	[,sɔli'dæriti]	n. 团结，一致
*charity	['tʃæriti]	n. 仁慈；施舍
*familiarity	[fə,mili'æriti]	n. 精通；亲近；不拘礼仪
*clarity	['klæriti]	n. 清楚
polarity	[pəu'læriti]	n. 极端性，二极分化
singularity	[,siŋgju'læriti]	n. 独特；奇点（天文学上密度无穷大、体积无穷小的点）
*insularity	[,insju'læræti]	n. 岛国状态，岛屿生活状况，与外界隔绝的生活状况；（思想，观点等的）偏狭；性僵化
parity	['pæriti]	n. （水平，地位，数量等的）同等，相等
*disparity	[dis'pæriti]	n. 不同，差异
*celebrity	[si'lebriti]	n. 名声；知名人士
*alacrity	[ə'lækriti]	n. 乐意，欣然；敏捷，活泼
*mediocrity	[,mi:di'ɔkriti]	n. 平庸，碌碌无为
insincerity	[,insin'seriti]	n. 伪善
*temerity	[ti'meriti]	n. 鲁莽，大胆
*asperity	[æs'periti]	n. 严酷；粗鲁
*prosperity	[prɔs'periti]	n. 繁荣；幸运；健康
*austerity	[ɔs'teriti]	n. 朴素，艰苦
*dexterity	[deks'teriti]	n. 纯熟，灵巧
*integrity	[in'tegriti]	n. 正直，诚实；完整
*superiority	[sju:piəri'ɔriti]	n. 优越（感）
*priority	[prai'ɔriti]	n. 在先，居前；优先权
*obscurity	[əb'skjuəriti]	n. 费解，不出名
*purity	['pjuriti]	n. 纯洁，纯净；纯度

核心词汇

209

*maturity	[mə'tjuəriti]	n. 成熟，完备
immensity	[i'mensiti]	n. 巨大之物；无限
*propensity	[prə'pensiti]	n. 嗜好，习性
*animosity	[ˌæni'mɔsiti]	n. 憎恶，仇恨
*pomposity	[pɔm'pɔsiti]	n. 自大的行为，傲慢，自命不凡
*generosity	[ˌdʒenə'rɔsiti]	n. 慷慨，大方
*virtuosity	[ˌvə:tju'ɔsiti]	n. 精湛技巧，高超
*diversity	[dai'və:siti]	n. 多样，千变万化
*entity	['entiti]	n. 实体；统一体
*nonentity	[nɔ'nentiti]	n. 不重要之人或事
*acuity	[ə'kjuiti]	n. （尤指思想或感官）敏锐
*perspicuity	[ˌpə:spi'kju(:)iti]	n. 明晰；聪明睿智
*superfluity	[ˌsju:pə'fluiti]	n. 多余的量
*ingenuity	[ˌindʒi'nju:iti]	n. 巧思，聪敏
*equity	['ekwiti]	n. 公平，公正
*inequity	[in'ekwiti]	n. 不公正，不公平
iniquity	[i'nikwiti]	n. 邪恶，不公正
antiquity	[æn'tikwiti]	n. 古；古人；古迹
*incongruity	[ˌinkɔn'gru(:)iti]	n. 不协调，不相称
*fatuity	[fə'tju(:)iti]	n. 愚蠢，愚昧
*gratuity	[grə'tju(:)iti]	n. 赏钱，小费
cavity	['kæviti]	n. （牙齿等的）洞，腔
*gravity	['græviti]	n. 严肃，正经
*depravity	[di'præviti]	n. 堕落，恶习
*longevity	[lɔn'dʒeviti]	n. 长寿
*levity	['leviti]	n. 轻率；轻浮
*hyperactivity	[ˌhaipəræk'tiviti]	n. 活动过强，极度亢奋
*productivity	[ˌprɔdʌk'tiviti]	n. 生产力；生产率
*sensitivity	[ˌsensi'tiviti]	n. 敏感，灵敏性
*prolixity	[prəu'liksəti]	n. 罗嗦
*penalty	['penlti]	n. 刑罚，处罚

casualty	[ˈkæʒjuəlti] n. 伤亡事故；伤亡者
*royalty	[ˈrɔiəlti] n. 版税
*novelty	[ˈnɔvəlti] n. 新奇（的事物）
*guilty	[ˈgilti] adj. 有罪的
*faculty	[ˈfækəlti] n. 全体教员；官能
*warranty	[ˈwɔrənti] n. 保证；辩解；有正当理由；批准
sovereignty	[ˈsɔvrinti] n. 主权，统治权
*dainty	[ˈdeinti] n. 精美食品；adj. 娇美的；挑剔的
*certainty	[ˈsəːtənti] n. 确定的事情
*jaunty	[ˈdʒɔːnti] adj. 愉快的，满足的
flaunty	[ˈflɔːnti] adj. 炫耀的，张扬的
*liberty	[ˈlibəti] n. 随意，冒失
*hasty	[ˈheisti] adj. 急急忙忙的
*tasty	[ˈteisti] adj. 味道好的
*amnesty	[ˈæmnesti] n. 大赦，特赦
testy	[ˈtesti] adj. 性急的，暴躁的
*travesty	[ˈtrævisti] v./n. 歪曲模仿，曲解
fusty	[ˈfʌsti] adj. 陈腐的，霉臭的
*natty	[ˈnæti] adj. 整洁的；潇洒的
tatty	[ˈtæti] adj. 简陋的，不整洁的
petty	[ˈpeti] adj. 琐碎的；小心眼的
*ditty	[ˈditi] n. 小曲，小调
knotty	[ˈnɔti] adj. 有节疤的；困难的
*deputy	[ˈdepjuti] n. 代表，副警长
*guy	[gai] n. （铁塔等的）支索，牵索
obloquy	[ˈɔbləkwi] n. 大骂，斥责
*levy	[ˈlevi] v./n. 征税；征兵
*scurvy	[ˈskəːvi] adj. 卑鄙的，可鄙的
savvy	[ˈsævi] adj. 有见识和精明能干的
billowy	[ˈbiləui] adj. 如波浪般翻滚的

核
心
词
汇

willowy	['wiləui] *adj.* 苗条的
*galaxy	['gæləksi] *n.* (银河)星群；显赫的人群
*frenzy	['frenzi] *n.* 极度激动的状态，狂暴

Z

| ersatz | [εə'zɑ:tz] *adj.* 代用的，假的 |
| *jazz | [dʒæz] *n.* 爵士乐；喧闹 |

核
心
词
汇

GRE 考试最新词汇

A

*replica	['replikə] *n.*	复制品
saga	['sɑːgə] *n.*	英雄故事,长篇小说
phobia	['fəubjə] *n.*	恐惧症
xenophobia	[,zenə'fəubiə] *n.*	仇外,排外
fascia	['fæʃiə] *n.*	饰带;(商店上挂的)招牌
megalomania	['megələu'meinjə] *n.*	自大狂
pyromania	[pairəu'meiniə] *n.*	纵火狂
dipsomania	[,dipsəu'meiniə] *n.*	嗜酒症
fantasia	[fæn'teizjə] *n.*	幻想曲;组合乐曲
*trivia	['trivjə] *n.*	琐事;无价值之物
asphyxia	[æs'fiksiə] *n.*	窒息
sequela	[si'kwiːlə] *n.*	后继者;后遗症
miasma	[mi'æzmə] *n.*	瘴气;不健康的环境或影响
penumbra	[pi'nʌmbrə] *n.*	半明半暗之处;边缘部分
tundra	['tʌndrə] *n.*	(北极地区的)冻原,苔原
aurora	[ɔː'rɔːrə] *n.*	极光(南北极夜晚所放彩光)
cantata	[kæn'tɑːtə] *n.*	清唱剧;大合唱
plaza	['plɑːzə] *n.*	广场;集市
piazza	[pi'ætsə] *n.*	阳台;广场

B

scab	[skæb] n.	创口上所结的疤、痂
gab	[gæb] n.	饶舌,爱说话;v. 空谈,瞎扯;
stab	[stæb] v.	刺伤,戳
*adlib	[æd'lib] v.	临时讲话,即兴表演
*snob	[snɔb] n.	势利小人
daub	[dɔːb] v.	涂抹;乱画
hubbub	['hʌbʌb] n.	嘈杂,喧哗

C

pharisaic	[,færi'seiik] adj.	伪善的,伪装虔诚的
encyclopedic	[en,saikləu'piːdik] adj.	广博的,知识渊博的
spasmodic	[spæz'mɔdik] adj.	痉挛的;间歇性的
beatific	[biːə'tifik] adj.	祝福的;快乐的
chic	[ʃi(ː)k] adj.	漂亮的,时髦的
cephalic	[se'fælik] adj.	头的,头部的
diabolic	[,daiə'bɔlik] adj.	恶魔(一样)的;魔鬼性格的
frolic	['frɔlik] v./n.	嬉戏;雀跃
panoramic	[,pænə'ræmik] adj.	全景的,全貌的;概论的
anemic	[ə'niːmik] adj.	贫血的,患贫血症的
gnomic	['nəumik] adj.	格言的,精辟的
hypodermic	[,haipəu'dəːmik] adj.	皮下注射的
satanic	[sə'tænik] adj.	穷凶恶极的
eugenic	[juː'dʒenik] adj.	优生学的

最新词汇

214

hedonic	[hi:'dɔnik] *adj.* 享乐的；*n.* 享乐主义学说
sardonic	[sɑ:'dɔnik] *adj.* 嘲笑的
embryonic	[,embri'ɔnik] *adj.* 胚胎的；萌芽期的
kaleidoscopic	[kə,laidə'skɔpik] *adj.* 千变万化的
concentric	[kɔn'sentrik] *adj.* (指数个圆)有同一中心的
gastric	['gæstrik] *adj.* 胃的，胃部的
forensic	[fə'rensik] *adj.* 法庭的；辩论的
extrinsic	[eks'trinsik] *adj.* 外来的，外在的，外部的
astigmatic	[,æstig'mætik] *adj.* 散光的，乱视的
achromatic	[,ækrəu'mætik] *adj.* 非彩色的，无色的
numismatic	[,nju:miz'mætik] *adj.* 钱币学的
pathetic	[pə'θetik] *adj.* 引起怜悯的；令人难过的
*peptic	['peptik] *adj.* 产生胃酶的，助消化的
pleonastic	[,pli:əu'næstik] *adj.* 罗嗦的
periphrastic	[,peri'fræstik] *adj.* 迂回的，冗赘的
sadistic	[sə'distik] *adj.* 施虐狂的，性施虐狂的

D

proofread	['pru:fri:d] *v.* 校对
*tread	[tred] *v.* 踩踏；*n.* 步履；车轮胎面
self-absorbed	[,selfəb'sɔ:bd] *adj.* 自恋的
closed-minded	['kləuzd'maindid] *adj.* 倔强的，顽固的
unguarded	[ʌn'gɑ:did] *adj.* 不留神的；没有防备的
screed	[skri:d] *n.* 冗长的演说，长篇大论的文章
henpecked	['henpekt] *adj.* 顺从妻子的，惧内的
unbridled	[ʌn'braidld] *adj.* 放纵的
brindled	['brind(ə)ld] *adj.* 有棕色斑纹的

215

disheveled	[di'ʃevəld] adj. （指毛发或衣服）凌乱的	
bedraggled	[bi'dræg(ə)ld] adj. （衣服、头发等）弄湿的；凌乱不堪的	
mistimed	[ˌmis'taimd] adj. 不合时机的	
thick-skinned	['θik'skind] adj. 厚颜无耻的，对批评毫不在意的	
quadruped	['kwɔdruped] n. 四足兽	
vinegared	['vinigəd] adj. 酸的；尖酸的	
lowbred	[ˌləu'bred] adj. 粗野的，鲁莽的	
checkered	['tʃekəd] adj. 盛衰无常的	
*even-tempered	['i:vən'tempəd] adj. 性情平和的；不易生气的	
tattered	['tætəd] adj. 衣衫褴褛的；破旧的	
shred	['ʃred] n. 碎片，破布；些许；v. 撕碎	
star-crossed	['stɑ:'krɔst] adj. 时运不济的	
bemused	[bi'mju:zd] adj. 茫然的，困惑的	
bloated	['bləutid] adj. 肿胀的；傲慢的	
sated	['seitid] adj. 厌腻的	
superannuated	[sju:pə'rænjueitid] adj. 老迈的	
infatuated	[in'fætjueitid] adj. 迷恋（人）的	
demented	[di'mentid] adj. 疯狂的	
fainthearted	[ˌfeint'hɑ:tid] adj. 懦弱的；无精神的；胆小的	
stouthearted	[ˌstaut'hɑ:tid] adj. 刚毅的，大胆的	
mermaid	['mə:meid] n. 美人鱼	
orchid	['ɔ:kid] n. 兰花	
tumid	['tju:mid] adj. 肿起的，肿胀的	
arachnid	[ə'ræknid] n. 蜘蛛类节肢动物	
anthropoid	['ænθrəpɔid] adj. 像人类的；n. 类人猿	
sangfroid	['sɑ:ŋ'frwɑ:] n. 沉着，临危不惧	
*torrid	['tɔrid] adj. 酷热的	

最新词汇

216

putrid	['pju:trid] *adj.* 腐臭的
livid	['livid] *adj.* （被打得）青灰色的；（脸色）苍白的；狂怒的
piebald	['paibɔ:ld] *adj.* 花斑的，斑驳的
scald	[skɔ:ld] *v.* 烫，用沸水消毒；*n.* 烫伤
herald	['herəld] *n.* 传令官；预示，先驱
emerald	['emərəld] *n.* 翡翠；*adj.* 翠绿色的
behold	[bi'həuld] *v.* 目睹，看见
foothold	['futhəuld] *n.* 立足点，根据地
disband	[dis'bænd] *v.* 解散（团体）
garland	['gɑ:lənd] *n.* （作为胜利标志的）花环；奖品
hinterland	['hintələnd] *n.* 内地；穷乡僻壤
firebrand	['faiəbrænd] *n.* 燃烧的木块；引起（社会或政治的）动乱的人
*fiend	[fi:nd] *n.* 恶魔；魔鬼
impend	[im'pend] *v.* 进行威胁；即将发生
portend	[pɔ:'tend] *v.* 预兆，预示
purblind	['pə:blaind] *adj.* 愚钝的；视力不佳的
vagabond	['vægəbɔnd] *n.* 浪子，流浪者；*adj.* 流浪的
almond	['ɑ:mənd] *n.* 杏树，杏仁
fecund	['fi:kənd] *adj.* 肥沃的；多产的
abound	[ə'baund] *v.* 充满；富于
dumbfound	[dʌm'faund] *v.* 使…惊讶，使发愣
rotund	[rəu'tʌnd] *adj.* （人）圆胖的；（声音）洪亮的
orotund	['ɔ(:)rəutʌnd] *adj.* （声音）洪亮的；夸张的
hardihood	['hɑ:dihud] *n.* 大胆，鲁莽
haggard	['hægəd] *adj.* 憔悴的，消瘦的
laggard	['lægəd] *adj.* 缓慢的；落后的；*n.* 落后者

niggard	['nigəd] *n.* 吝啬鬼
dullard	['dʌləd] *n.* 愚人,笨蛋
canard	[kæ'nɑːd] *n.* 谣言,假新闻
dastard	['dæstəd] *n.* 懦夫,胆小的人
vanguard	['vængɑːd] *n.* 前卫
leeward	['liːwəd] *adj.* 顺风的
weird	[wiəd] *adj.* 古怪的,荒唐的
foreword	['fɔːwəːd] *n.* 前言,序
curd	[kəːd] *n.* 凝乳
maraud	[mə'rɔːd] *v.* 抢劫,掠夺
scud	[skʌd] *v.* 疾行,疾驶

E

subscribe	[səb'skraib] *v.* 捐助;订购
interlace	[ˌintə(ː)'leis] *v.* 编织;交错
fleece	[fliːs] *n.* 生羊皮,羊毛; *v.* 骗取
orifice	['ɔrifis] *n.* 小开口,小孔
malice	['mælis] *n.* 恶意,怨恨
cornice	['kɔːnis] *n.* 檐口装饰线(在房柱顶端的突出装饰线)
invoice	['invɔis] *n.* 发票,发货清单; *v.* 给开发票
auspice	['ɔːspis] *n.* 预兆,吉兆;赞助,支持
interstice	[in'təːstis] *n.* 细裂缝,空隙
crevice	['krevis] *n.* 缺口,裂缝
insouciance	[in'suːsjəns] *n.* 漠不关心,漫不经心
dalliance	['dæliəns] *n.* 虚度光阴;调情
askance	[ə'skæns] *adv.* 侧目而视,瞟
surveillance	[səː'veiləns] *n.* 监视,盯梢
consonance	['kɔnsənəns] *n.* 一致,调和;和音

最新词汇

governance	['gʌvənəns] n. 统治，支配
prance	[praːns] v. 昂首阔步
remonstrance	[ri'mɔnstrəns] n. 抗议，抱怨
remittance	[ri'mitəns] n. 汇款
observance	[əb'zəːvəns] n. 遵守，奉行（法律、习俗）
iridescence	[ˌiri'desəns] n. 彩虹色
intumescence	[ˌintju(ː)'mesns] n. 肿大，肿胀
florescence	[flɔː'resns] n. 繁花时期
cadence	['keidəns] n. 抑扬顿挫；节奏，韵律
jurisprudence	[ˌdʒuəris'pruːdəns] n. 法律学，法学
ambience	['æmbiəns] n. 环境，气氛
flatulence	['flætjuləns] n. 肠胃气胀
quintessence	[kwin'tesns] n. 完美的榜样；精华
pretence	[pri'tens] n. 虚伪；借口
dunce	[dʌns] n. 笨人
traduce	[trə'djuːs] v. 中伤，诽谤
adduce	[ə'djuːs] v. 给予（理由）；举出（例证）
cavalcade	[ˌkævəl'keid] n. 骑兵队伍
brocade	[brə'keid] n. 织锦
cascade	[kæs'keid] n. 小瀑布
serenade	[ˌseri'neid] n. 夜曲
wade	[weid] v. 涉水；跋涉
backslide	['bækslaid] v. 故态复萌
bode	[bəud] v. 预示
episode	['episəud] n. 一段情节
seclude	[si'kluːd] v. 和别人隔离
*nude	[njuːd] adj. 赤裸的；n. 裸体者
obtrude	[əb'truːd] v. 突出；强加
protrude	[prə'truːd] v. 突出，伸出
extrude	[eks'truːd] v. 挤出，逐出；突出
desuetude	[di'sjuːitjuːd] n. 废止，不用

最新词汇

219

vicissitude	[vi'sisitju:d]	n. 变化，变迁；荣枯，盛衰
multitude	['mʌltitju:d]	n. 多数；大众，平民
plentitude	['plentitju:d]	n. 充分
incertitude	[in'sə:titju:d]	n. 疑惑，不确定
perigee	['peridʒi:]	n. 近地点
glee	[gli:]	n. 欢喜，高兴
decree	[di'kri:]	n. 命令，法令；v. 颁布命令
jamboree	[,dʒæmbə'ri:]	n. 快乐、喧闹的集会
safe	[seif]	n. 保险柜；冷藏室，饭橱
fail-safe	[feil'seif]	n. 自动防故障装置
appendage	[ə'pendidʒ]	n. 附加物
wreckage	['rekidʒ]	n. 残骸
tutelage	['tju:tilidʒ]	n. 监护，指导
pillage	['pilidʒ]	v./n. 抢劫，掠夺
personage	['pə:sənidʒ]	n. 名人；(戏剧)角色
carnage	['ka:nidʒ]	n. 大屠杀，残杀
entourage	[,ɔntu'ra:ʒ]	n. 随从；环境
visage	['vizidʒ]	n. 脸，面貌
envisage	[in'vizidʒ]	v. 正视；想像
dotage	['dəutidʒ]	n. 老年糊涂；溺爱
reportage	[,repɔ:'ta:dʒ]	n. 报道，报道的消息；报告文学
sledge	[sledʒ]	n. 雪橇
porridge	['pɔridʒ]	n. 麦片粥
grudge	[grʌdʒ]	v. 吝啬；不满
estrange	[is'treindʒ]	v. 使疏远
constringe	[kən'strindʒ]	v. 使收缩，使收敛，压缩
tinge	[tindʒ]	v. 染色；使带气息
verge	[və:dʒ]	n. 边缘
resurge	[ri'sə:dʒ]	v. 复活
upsurge	[ʌp'sə:dʒ]	n. (情绪)高涨
cliché	['kli:ʃei]	adj. 陈腐的

niche	[nitʃ] *n.* (放艺术品等的)壁龛；合适的位置
gauche	[ɡəuʃ] *adj.* 笨拙的，不会社交的
scathe	[skeið] *n. / v.* 烧伤，烧焦；严厉批评
wreathe	[ri:ð] *v.* 盘绕；把…做成花环
bonhomie	[bɔnˈɔmi:] *n.* 好性情，温和，和蔼
eerie	[ˈiəri] *adj.* 可怕的，阴森恐怖的
fake	[feik] *v.* 伪造；佯装
gale	[geil] *n.* 狂风；一阵(笑声)
explicable	[ˈeksplikəbl] *adj.* 可解释的
ineffaceable	[ˌiniˈfeisəbl] *adj.* 抹不掉的
perishable	[ˈperiʃəbl] *adj.* 易腐败的；*n.* 易腐败的东西
sociable	[ˈsəuʃəbl] *adj.* 好交际的；友好的，合群的
inexpiable	[inˈekspiəbl] *adj.* 不能补偿的
presumable	[priˈzju:məb(ə)l] *adj.* 可能的，可假定的
finable	[ˈfainəbl] *adj.* 应罚款的
exceptionable	[ikˈsepʃənəbl] *adj.* 会引起反感的
insuperable	[inˈsju:pərəbl] *adj.* 难以克服的
habitable	[ˈhæbitəbl] *adj.* 可居住的
lamentable	[ˈlæməntəbl] *adj.* 令人惋惜的，悔恨的
portable	[ˈpɔ:təbl] *adj.* 轻便的，手提式的
detestable	[diˈtestəbl] *adj.* 嫌恶的，可憎的，可厌恶的
undisputable	[ˌʌndisˈpju:təbl] *adj.* 无可争辩的，毫无疑问的
gabble	[ˈɡæbl] *v.* 急促而不清楚地说
dribble	[ˈdribl] *v.* (液体)往下滴、淌
hobble	[ˈhɔbl] *v.* 蹒跚；跛行
bubble	[ˈbʌbl] *v.* 起泡；*n.* 气泡，水泡
rubble	[ˈrʌbl] *n.* (一堆)碎石，瓦砾

legible	['ledʒəbl] *adj.* 易读的
illegible	[i'ledʒəbl] *adj.* 难读的,难认的
ineligible	[in'elidʒəbl] *adj.* 没有资格的
destructible	[dis'trʌktəbl] *adj.* 可破坏的
comestible	[kə'mestibl] *n.* 食物,食品;*adj.* 可吃的
scramble	['skræmbl] *v.* 攀登;争夺
nimble	['nimbl] *adj.* 敏捷的,灵活的
bumble	['bʌmbl] *v.* 说话含糊;拙劣地做
rumble	['rʌmbl] *v.* 发出低沉的隆隆声音
ennoble	[i'nəubl] *v.* 授予爵位,使高贵
warble	['wɔːbl] *v.* (尤指鸟)叫出柔和的颤音
bauble	['bɔːbl] *n.* 花哨的小玩意儿;没价值的东西
manacle	['mænəkl] *n.* 手铐
ladle	['leidl] *n.* (用于舀水或汤的)长柄勺子
addle	['ædl] *v.* 使腐坏;使昏乱
twaddle	['twɔdl] *n.* 胡说八道,瞎扯
peddle	['pedl] *v.* 兜售
cuddle	['kʌdl] *n.* /*v.* 搂抱,拥抱
befuddle	[bi'fʌdl] *v.* 使迷惑,使为难;使酒醉昏迷
huddle	['hʌdl] *v.* 挤成一堆;*n.* 一堆人(杂物)
muddle	['mʌdl] *n.* 混乱,迷惑
sidle	['saidl] *v.* (偷偷地)侧身而行
fondle	['fɔnd(ə)l] *v.* 抚弄,抚摸
girdle	['gəːdl] *n.* 腰带;环形物;*v.* 环绕
baffle	['bæfl] *v.* 使困惑,难倒
riffle	['rifl] *n.* 涟漪
shuffle	['ʃʌfl] *v.* 拖步走;支吾;洗牌
reshuffle	[,riː'ʃʌfl] *v.* 再洗牌;改组
haggle	['hægl] *v.* 讨价还价

straggle	['strægl] v. 迷路；落伍；蔓延
wiggle	['wigl] v. 扭动，蠕动
goggle	['gɔgl] n. 护目镜；v. 瞪眼看
snuggle	['snʌgl] v. 挨近，依偎
dangle	['dæŋgl] v. 悬荡，吊胃口
spangle	['spæŋgl] n. （缝在衣服上的）金属片；v. 闪光
quadrangle	[kwɔ'dræŋgl] n. 四边形
wrangle	['ræŋgl] v. 争吵，吵架
wangle	['wæŋgl] v. 用巧计或花言巧语获得某事物
imbecile	['imbisail] n. 心智能力极低的人
simile	['simili] n. 明喻
facsimile	[fæk'simili] n. 复制本，摹本
senile	['si:nail] adj. 年老的
febrile	['fi:brail] adj. 发烧的，热病的
virile	['virail] adj. 有男子气的，雄健的
prehensile	[pri'hensail] adj. 能抓物的，能缠绕东西的
tensile	['tensail] adj. 张力的，可伸展的
fissile	['fisail] adj. 易分裂的
ductile	['dʌktail] adj. 易拉长的，易变形的；可塑的
motile	['məutail] adj. 能动的，有自动力的
beguile	[bi'gail] v. 欺骗，诱骗
wile	[wail] n. 诡计，花言巧语
prickle	['prikl] n. （动物或者植物上的）刺，棘；v. 刺痛
buckle	['bʌkl] n. 皮带扣环；v. 扣紧
crinkle	['kriŋkl] v. （使）变皱；n. 皱纹
winkle	['wiŋkl] v. （使）起皱
condole	[kən'dəul] v. 向…吊慰
aureole	['ɔ:riəl] n. 日冕，光轮

最
新
词
汇

223

rigmarole	['rigmərəul]	n. 冗长的废话
steeple	['sti:pl]	n. 尖塔,尖阁
cripple	['kripl]	n. 跛子; v. (使)残废
tipple	['tipl]	v. 酗酒; n. 烈酒
hassle	['hæsl]	n. 激烈的辩论
tousle	['tauz(ə)l]	v. 弄乱(头发)
footle	['fu:tl]	v. 胡闹;浪费(时间))
chortle	['tʃɔ:tl]	v./n. 开心地笑
nestle	['nesl]	v. 舒适地坐定;依偎
rustle	['rʌs(ə)l]	v. (使某物)发出沙沙的声音
mottle	['mɔtl]	v. 使成杂色
throttle	['θrɔtl]	v. 掐脖子;扼杀; n. 节流阀
scuttle	['skʌtl]	n. 舷窗,舱口盖
guttle	['gʌtl]	v. 狼吞虎咽
shuttle	['ʃʌtl]	v. (使)穿梭移动,往返运送
granule	['grænju:l]	n. 小粒,微粒
bamboozle	[bæm'bu:zl]	v. 欺骗,隐瞒
defame	[di'feim]	v. 诽谤,中伤
gnome	[nəum]	n. 地下宝藏的守护神,地精;格言
frolicsome	['frɔliksəm]	adj. 快活的,欢乐的
mettlesome	['metlsəm]	adj. 勇敢的,精神饱满的
gruesome	['gru:səm]	adj. 令人毛骨悚然的;恶心的
exhume	[eks'hju:m]	v. 掘出,发掘
ultramundane	[ˌʌltrə'mʌndein]	adj. 超俗的,世界之外的
pane	[pein]	n. 窗格玻璃
insane	[in'sein]	adj. 疯狂的
hygiene	['haidʒi:n]	n. 卫生学;卫生
gangrene	['gæŋgri:n]	n. 坏疽
convene	[kən'vi:n]	v. 集合;召集

porcine	['pɔ:sain] *adj.* 猪的,似猪的	
recline	[ri'klain] *v.* 斜倚,躺卧	
feline	['fi:lain] *adj.* 猫科的	
aquiline	['ækwilain] *adj.* 鹰的,似鹰的	
asinine	['æsinain] *adj.* 愚笨的	
vulpine	['vʌlpain] *adj.* 狐狸般的,狡猾的	
saccharine	['sækərain] *adj.* (态度)娇媚的;(说话声)娇滴滴的	
enshrine	[in'ʃrain] *v.* 奉为神圣	
ursine	['ə:sain] *adj.* 熊的,像熊的	
serpentine	['sə:pəntain] *adj.* 似蛇般绕曲的,蜿蜒的	
intestine	[in'testin] *n.* 肠;*adj.* 内部的	
bovine	['bəuvain] *adj.* (似)牛的;迟钝的	
entwine	[in'twain] *v.* 使缠绕,交织	
atone	[ə'təun] *v.* 赎罪,补偿	
monotone	['mɔnəutəun] *adj.* 单调的	
touchstone	['tʌtʃstəun] *n.* 试金石;检验标准	
anodyne	['ænəudain] *n.* 止痛药	
agape	[ə'geip] *adj./adv.* (嘴)大张着的/地	
jape	[dʒeip] *v.* 开玩笑或讽刺	
scrape	[skreip] *v.* 刮擦,擦掉	
swipe	[swaip] *n./v.* 猛击	
interlope	[ˌintə(:)'ləup] *v.* (为图私利)干涉他人之事;闯入	
mope	[məup] *v./n.* 抑郁不乐,生闷气	
heliotrope	['heljətrəup] *n.* 向阳植物	
scare	[skɛə] *n./v.* 惊吓,受惊,威吓	
fanfare	['fænfɛə] *n.* 夸耀性游行;嘹亮的喇叭声	
blare	[blɛə] *v.* 高声鸣叫	
ensnare	[in'snɛə] *v.* 诱入陷阱,进入罗网	

225

calibre	['kæləbə] n. (枪等)口径;(人或事)品德,才能
lucre	['lu:kə] n. (贬义)钱,利益
backfire	[bæk'faiə] n. 逆火;产生意外的结果。
quagmire	['kwægmaiə] n. 沼泽地;困境
vampire	['væmpaiə] n. 吸血鬼
attire	[ə'taiə] v. 穿着;装饰;n. 好衣服
chore	[tʃɔ:] n. 家务琐事;讨厌的工作
lore	[lɔ:] n. 知识;传说
prefigure	[.pri:'figə] v. 预示;预想
lure	[ljuə] n. 诱惑力;v. 引诱
demure	[di'mjuə] adj. 严肃的,矜持的
closure	['kləuʒə] n. 关闭;终止
cynosure	['sinəzjuə] n. 注意的焦点
ligature	['ligətʃuə] n. 绑缚之物(尤指系住血管以免失血的线)
signature	['signitʃə] n. 签名,签字
juncture	['dʒʌŋktʃə] n. 危机关头;结合处
forfeiture	['fɔ:fitʃə] n. (名誉等)丧失
investiture	[in'vestitʃə] n. (宗教)任职仪式,授权仪式
aperture	['æpətjuə] n. 孔隙,窄的缺口
torture	['tɔ:tʃə] n. 酷刑,折磨;v. 对…施以苦刑
vesture	['vestʃə] n. 衣服;覆盖物
azure	['æʒə] n. 天蓝色;adj. 蔚蓝的
abase	[ə'beis] v. 降低自己,贬抑,使卑下
blasé	['blɑ:zei] adj. 厌倦享乐的;冷漠的
disfranchise	[dis'fræntʃaiz] v. 剥夺…的权利(尤指选举权或公民权)
counterpoise	['kauntəpɔiz] n./v. 平均,平衡
rinse	[rins] v. 以清水冲洗,漂洗
otiose	['əuʃiəus] adj. 不必要的,多余的

foreclose	[fɔː'kləuz] v. 排除；取消抵押品的赎回权
noose	[nuːs] n. 绳套，绞索(刑)
glimpse	[glimps] n./v. 瞥见，看一眼
hoarse	[hɔːs] adj. 嘶哑的，粗哑的
perverse	[pə(ː)'vəːs] adj. 不正当的；刚愎自用的；故意作对的
purse	[pəːs] v. 缩拢或撅起；n. 钱包
transfuse	[træns'fjuːz] v. 输血；充满
souse	[saus] v. 浸在水中，使湿透
browse	[brauz] v. 吃嫩叶或草；浏览；n. 嫩叶；嫩芽
celibate	['selibit] n. 独身者；adj. 不结婚的
medicate	['medikeit] v. 用药医治；加入药物
adjudicate	[ə'dʒuːdikeit] v. 充当裁判；判决
prognosticate	[prəg'nɒstikeit] v. 预测，预示
defalcate	['diːfælkeit] v. 盗用公款
demarcate	[di'mɑːkeit] v. 划分，划界
coruscate	['kɔrəskeit] v. 闪亮
antedate	['ænti,deit] v. (在信、文件上)写上较早日期；早于
procreate	['prəukrieit] v. 生育
divagate	['daivəgeit] v. 离题；飘泊
denunciate	[di'nʌnsieit] v. 公开指责，公然抨击，谴责
renunciate	[ri'nʌnsieit] v. 放弃
dissociate	[di'səuʃieit] v. 分离，游离，分裂
excruciate	[iks'kruːʃieit] v. 施酷刑，拷问，折磨
irradiate	[i'reidieit] v. 使明亮，生辉
ciliate	['silit] adj. 有纤毛的；有睫毛的
defoliate	[di:'fəulieit] v. (使)落叶
opiate	['əupiit] n. 安眠药，鸦片制剂
inebriate	[i'niːbrieit] v. 使…醉；n. 酒鬼，酒徒

expropriate	[eks'prəuprieit] v. 充公；没收
expatriate	[eks'pætrieit] v. 驱逐出国；脱离国籍
expatiate	[eks'peiʃieit] v. 细说，详述
invigilate	[in'vidʒileit] v. 监考
mutilate	['mju:tileit] v. 残害；切断(肢体)
flagellate	['flædʒeleit] v. 鞭打，鞭笞
scintillate	['sintileit] v. 闪烁；(谈吐)流露机智
percolate	['pə:kəleit] v. 过滤出；渗透
desolate	['desəlit] adj. 荒凉的；被遗弃的
insolate	['insəuleit] v. 使暴晒
ejaculate	[i'dʒækjuleit] v. 突然叫出或说出；射出
maculate	['mækjuleit] adj. 有斑点的
peculate	['pekjuleit] v. 挪用(公款)
matriculate	[mə'trikjuleit] v. 录取
gesticulate	[dʒes'tikjuleit] v. 做手势表达
emasculate	[i'mæskjuleit] v. 削弱；阉割；adj. 柔弱的
undulate	['ʌndjuleit] v. 波动，起伏
pullulate	['pʌljuleit] v. 繁殖；剧增
sublimate	['sʌblimeit] v. (使)升华；净化
designate	['dezigneit] v. 指明，指出；任命，指派；adj. (官职)已任命但还未就职的
cognate	['kɔgneit] adj. 同词源的；同类的
fascinate	['fæsineit] v. 迷惑，迷住
laminate	['læmineit] v. 切成薄板(片)
effeminate	[i'feminit] adj. 缺乏勇气的，柔弱的
denominate	[di'nɔmineit] v. 命名，取名
ruminate	['ru:mineit] v. 反刍；深思
neonate	['ni:əneit] n. 初生儿
detonate	['detəuneit] v. (使)爆炸，引爆
reincarnate	[ri:'inkɑ:neit] v. 使化身，转生
lucubrate	['lju:kju(:)breit] v. 刻苦攻读；埋头苦干

consecrate	['kɔnsikreit] v. 把…奉献
ulcerate	['ʌlsəreit] v. 溃烂,生恶疮
eviscerate	[i'visəreit] v. 取出肠及内脏
remunerate	[ri'mju:nəreit] v. 报酬,补偿
commiserate	[kə'mizəreit] v. 同情,怜悯
iterate	['itəreit] v. 重做;反复重申
alliterate	[ə'litəreit] v. 押头韵
disintegrate	[dis'intigreit] v. (使)分裂成小片,(使)瓦解
electorate	[i'lektərət] n. 选民,选区;有选举权者
sequestrate	[si'kwestreit] v. 扣押,没收
remonstrate	[ri'mɔnstreit] v. 抗议;规劝
pulsate	[pʌl'seit] v. 有规律的振动
vegetate	['vedʒiteit] v. 像植物般生活;无所事事
felicitate	[fi'lisiteit] v. 祝贺,庆祝
excogitate	[eks'kɔdʒiteit] v. 认真想出
gestate	['dʒesteit] v. 怀孕,孕育
intestate	[in'testeit] adj. 未留遗嘱的
amputate	['æmpju,teit] v. 截肢
infatuate	[in'fætjueit] v. 使迷恋;使糊涂
actuate	['æktjueit] v. 驱使,激励
extradite	['ekstrədait] v. 引渡回国,拿获归案
indite	[in'dait] v. 写,赋(诗文)
rote	[rəut] n. 死记硬背
cineaste	['siniæst] n. 影迷,热衷于电影的人
depute	[di'pju:t] v. 派…为代表或代理
impute	[im'pju:t] v. 归咎于
destitute	['destitju:t] adj. 贫乏的;穷困的
endue	[in'dju:] v. 赋予(才能)
eclogue	['eklɔg] n. 田园诗,牧歌
prorogue	[prə'rəug] v. 休会;延期
slue	[slu:] v. (使)旋转

最
新
词
汇

229

grotesque	[grəu'tesk] *adj.*（外形或方式）怪诞的,古怪的
heave	[hi:v] *v.* 用力举
bereave	[bi'ri:v] *v.* 丧亲;夺去
interweave	[,intə(:)'wi:v] *v.* 交织,编结
enslave	[in'sleiv] *v.* 奴役
waive	[weiv] *v.* 放弃;推迟考虑
pensive	['pensiv] *adj.* 沉思的;愁眉苦脸的
cursive	['kə:siv] *adj.* 草书的
missive	['misiv] *n.* 信件;(尤)公函
rebarbative	[ri'bɑ:bətiv] *adj.* 令人讨厌的,冒犯人的
superlative	[sju:'pə:lətiv] *adj.* 最佳的
formative	['fɔ:mətiv] *adj.* 形成的;影响发展的
uncooperative	[,ʌnkəu'ɔpərətiv] *adj.* 不愿合作的
restorative	[ri'stɔ:rətiv] *adj.* 恢复健康的
putative	['pju:tətiv] *adj.* 公认的,普遍认为的
retroactive	['retrəu'æktiv] *adj.* 溯及既往的,有追溯效力的
retentive	[ri'tentiv] *adj.* 有记忆力的
abortive	[ə'bɔ:tiv] *adj.* 无结果的,失败的
helve	[helv] *n.* 斧柄
devolve	[di'vɔlv] *v.*（指工作、职务）移交给某人
rove	[rəuv] *v.* 流浪,漂泊
daze	[deiz] *v.* 使茫然,使眩晕
gormandize	['gɔ:məndaiz] *v.* 拼命吃,贪吃
decentralize	[di:'sentrəlaiz] *v.* 分散,权力下放
capitalize	[kə'pitəlaiz] *v.* 资本化;获利;利用
idolize	['aidəlaiz] *v.* 将…当作偶像崇拜;极度喜爱或仰慕
monopolize	[mə'nɔpəlaiz] *v.* 垄断,独占
desalinize	[di:'sælinaiz] *v.* 除去盐分

sermonize	['sə:mənaiz] v. 说教，讲道	
bowdlerize	['baudləraiz] v. 删除，删改	
mesmerize	['mezməraiz] v. 对…催眠；迷住	
idolatrize	[ai'dɔlətraiz] v. 奉为偶像，盲目崇拜	
capsize	[kæp'saiz] v. 使船翻；倾覆	
sensitize	['sensitaiz] v. 使某人或某事物敏感	
deputize	['depjutaiz] v. 代替某人行事或说话	
doze	[dəuz] v. 瞌睡，假寐	
ooze	[u:z] v. 慢慢地流，渗出；(勇气)逐渐消失	
paralyze	['pærəlaiz] v. 使瘫痪；使无效	

F

sheaf	[ʃi:f] n. 一捆，一束	
riffraff	['rifræf] n. (贬)乌合之众，群氓	
buff	[bʌf] n. 软皮；v.(用软皮)抛光、擦亮	
cuff	['kʌf] n. 袖口；v. 上手铐	
bluff	[blʌf] n. 虚张声势；悬崖峭壁	
gruff	[grʌf] adj. (指人、声音)粗野的	

G

fag	[fæg] v. 苦干；n. 苦工	
crag	[kræg] n. 悬崖，峭壁	
prig	[prig] n. 自命不凡者；道学先生	
*wig	[wig] n. 假发	
icing	['aisiŋ] n. 糖衣，糖霜	
fencing	['fensiŋ] n. 剑术，击剑法	
boding	['bəudiŋ] n. 凶兆，前兆，预感；adj. 凶兆的	

231

scorching	['skɔ:tʃiŋ] *adj.*	酷热的
touching	['tʌtʃiŋ] *adj.*	引起同情的
earthshaking	['ə:θʃeikiŋ] *adj.*	极其重大或重要的
rollicking	['rɔlikiŋ] *adj.*	欢闹的
niggling	['nigliŋ] *adj.*	琐碎的
gangling	['gæŋgliŋ] *adj.*	瘦长得难看的
sapling	['sæpliŋ] *n.*	树苗；年轻人
sling	[sliŋ] *v.* 投掷，扔；*n.*	吊腕带，吊索
gosling	['gɔzliŋ] *n.*	小鹅；年轻无知的人
nestling	['nesliŋ] *n.*	尚未离巢的小鸟
gloaming	['gləumiŋ] *n.*	黄昏，薄暮
overweening	[ˌəuvə'wi:niŋ] *adj.*	自负的，过于自信的
winning	['winiŋ] *adj.*	迷人的；获胜的
nipping	['nipiŋ] *adj.*	尖酸的；刺骨的
seafaring	['si:feəriŋ] *adj.*	航海的，跟航海有关的
flavoring	['fleivəriŋ] *n.*	香料，调味品
hamstring	['hæmstriŋ] *v.*	切断腿筋使成跛腿，使残废
*prepossessing	[ˌpri:pə'zesiŋ] *adj.*	（个性等）给人好感的
everlasting	[ˌevə'lɑ:stiŋ] *adj.*	永恒的，持久的，无止境的；耐用的
jesting	['dʒestiŋ] *adj.*	滑稽的；爱开玩笑的
sidesplitting	['saidsp\litiŋ] *adj.*	令人捧腹大笑的
gnawing	['nɔ:iŋ] *adj.*	痛苦的，折磨人的
hedgehog	['hedʒhɔg] *n.*	刺猬

H

cheetah	['tʃi:tə] *n.*	猎豹
poach	[pəutʃ] *v.*	偷猎；窃取
beseech	[bi'si:tʃ] *v.*	祈求，恳求

belch	[beltʃ] *n.*/*v.* 打嗝；(火山)喷出
filch	[filtʃ] *v.* 偷(不贵重的东西)
gulch	[gʌltʃ] *n.* 深谷，峡谷
clench	[klentʃ] *v.* 握紧；咬紧(牙关等)
trench	[trentʃ] *n.* 沟，壕沟
entrench	[in'trentʃ] *v.* 挖壕沟；确立
lynch	[lintʃ] *v.* 私刑处死
brooch	[bru:tʃ] *n.* 胸针
oligarch	['ɔligɑ:k] *n.* 寡头政治的执政者
smirch	[smə:tʃ] *v.* 玷污；*n.* 污点
latch	[lætʃ] *n.* 门闩；*v.* 用门闩闩牢
ditch	[ditʃ] *n.* 沟，沟渠，壕沟
witch	[witʃ] *n.* 巫婆，女巫
botch	[bɔtʃ] *v.* (笨手笨脚地)弄坏某事
nonesuch	['nʌnsʌtʃ] *n.* 无匹敌的人
bough	[bau] *n.* 粗大的树枝或树干
holograph	['hɔləugrɑ:f] *n.* 亲笔信
homograph	['hɔməugrɑ:f] *n.* 同形异义字
monograph	['mɔnəugrɑ:f] *n.* 专题论文
nymph	[nimf] *n.* 年轻女神；少女
slapdash	['slæpdæʃ] *adv.*/*adj.* 马虎地(的)
leash	[li:ʃ] *n.* (系狗的)绳子
thrash	[θræʃ] *v.* 鞭打
stash	[stæʃ] *v.* 藏匿，隐藏
thresh	[θreʃ] *v.* 打谷，脱粒
furbish	['fə:biʃ] *v.* 磨光，刷新
brackish	['brækiʃ] *adj.* (指水)略咸的；不好吃的
squeamish	['skwi:miʃ] *adj.* 易受惊的；易恶心的
snappish	['snæpiʃ] *adj.* 脾气暴躁的
waspish	['wɔspiʃ] *adj.* 易怒的；尖刻的
currish	['kə:riʃ] *adj.* 下贱的；杂种的
fetish	['fetiʃ] *n.* (崇拜的)神物，偶像

最新词汇

233

brattish	['bræti∫] *adj.* (指小孩)讨厌的,宠坏的,不礼貌的
pettish	['peti∫] *adj.* 易怒的,使性子的
skittish	['skiti∫] *adj.* 轻浮的,轻佻的
*ravish	['rævi∫] *v.* 迷住;强夺
welsh	[wel∫] *v.* 赖债不还;失信
mackintosh	['mækinto∫] *n.* 雨衣;防水胶布
aftermath	['ɑːftəmæθ] *n.* 事件的后果;余波
polymath	['pɔlimæθ] *n.* 知识广博者
wrath	[rɔːθ] *n.* 愤怒,大怒
shibboleth	['∫ibələθ] *n.* 陈旧语句
wraith	[reiθ] *n.* 幽灵;骨瘦如柴的人

K

bespeak	[bi'spiːk] *v.* 显示,表示;预定
freak	[friːk] *n.* 怪物,奇事;*adj.* 反常的
wreak	[riːk] *v.* 发泄怒火,报仇
shack	[∫æk] *n.* 简陋的小屋,棚屋
sack	[sæk] *n.* 粗布袋;*v.* 掠夺
rucksack	['rʌksæk] *n.* (旅行等的)背包
tack	[tæk] *n.* 大头钉,图钉
fleck	[flek] *n.* 斑点;微粒
bottleneck	['bɔtl,nek] *n.* 瓶颈口,(喻)交通易阻塞的狭口;妨碍生产流程的一环
flick	[flik] *v.* /*n.* 轻打,轻弹
*prick	[prik] *n.* 小刺;刺痛;*v.* 刺伤;戳穿
heartsick	['hɑːtsik] *adj.* 失望的,沮丧的
dock	[dɔk] *v.* 剪短;扣除…的一部分工资
ruck	[rʌk] *n.* 皱褶;普通群众
peek	[piːk] *v.* 偷看
trek	[trek] *v.* 艰苦跋涉

mountebank	['mauntibæŋk] *n.* 江湖郎中,骗子
dank	[dæŋk] *adj.* 阴湿的,阴冷的
plank	[plæŋk] *n.* 厚木板;要点
swank	[swæŋk] *v.* 夸耀,炫耀
hunk	[hʌŋk] *n.* 大块(食物)
chunk	[tʃʌŋk] *n.* 短厚块状物;大量
skunk	[skʌŋk] *n.* 臭鼬,黄鼠狼; *v.* 欺骗
flunk	[flʌŋk] *v.* 考试不及格
spunk	[spʌŋk] *n.* 勇气,胆量
berserk	[bə(:)'sə:k] *adj.* 狂怒的,疯狂的
fretwork	['fretwə:k] *n.* 格子细工(在木头上雕出各种图案,格子的工艺)
obelisk	['ɔbilisk] *n.* 方尖碑
frisk	[frisk] *v.* /*n.* 欢跃;娱乐
kiosk	['kiːɔsk] *n.* 售货亭;电话亭

L

tautological	[,tɔ:tə'lɔdʒikəl] *adj.* 用语重复的
ecumenical	[,i:kju(:)'menikəl] *adj.* 世界范围的
sceptical	['skeptikəl] *adj.* 怀疑的,不相信的
lexical	['leksikəl] *adj.* 词汇的;词典的
piecemeal	['pi:smi:l] *adj.* 一件一件的,零碎的
oatmeal	['əutmi:l] *n.* 燕麦片
lineal	['liniəl] *adj.* 直系的,嫡系的
funereal	[fju(:)'niəriəl] *adj.* 适于葬礼的;忧郁的
incorporeal	[,inkɔ:'pɔ:riəl] *adj.* 无实体的,非物质的,灵魂的
regal	['ri:gəl] *adj.* 帝王的;华丽的
centrifugal	[sen'trifjugəl] *adj.* 离心的
conjugal	['kɔndʒugəl] *adj.* 婚姻的,夫妻之间的

connubial	[kə'nju:bjəl] *adj.* 婚姻的,夫妻的	
cordial	['kɔ:diəl] *adj.* 热诚的; *n.* 兴奋剂	
parochial	[pə'rəukiəl] *adj.* 教区的;地方性的;狭小的	
phial	['faiəl] *n.* 小瓶(药水瓶)	
filial	['filjəl] *adj.* 子女的	
menial	['mi:njəl] *adj.* 仆人的,卑微的; *n.* 家仆	
biennial	[bai'eniəl] *adj.* 两年一次的	
actuarial	[ˌæktju'ɛəriəl] *adj.* (保险)精算的,保险计算的	
piscatorial	[piskə'tɔ:riəl] *adj.* 捕鱼的,渔民的	
ambrosial	[æm'brəuzjəl] *adj.* 芬香的;特别美味的	
nuptial	['nʌpʃəl] *adj.* 婚姻的,婚礼的	
bacchanal	['bækənl] *n.* (行为放纵的)狂欢会	
aboriginal	[ˌæbə'ridʒənəl] *n.* 原始居民,土著	
fractional	['frækʃnl] *adj.* 微小的,极小的	
unexceptional	[ˌʌnik'sepʃənl] *adj.* 非例外的,普通的,平凡的	
infernal	[in'fə:nl] *adj.* 地狱的;可恶的	
fraternal	[frə'tə:nl] *adj.* 兄弟的;友善的	
vernal	['və:nl] *adj.* 春季的,春季似的	
illiberal	[i'libərəl] *adj.* 气量狭窄的	
visceral	['visərəl] *adj.* 内心深处的;内脏的	
unilateral	[ˌju:ni'lætərəl] *adj.* 单方面的	
amoral	[ei'mɔrəl] *adj.* 与道德无关的	
corporal	['kɔ:pərəl] *adj.* 肉体的,身体的	
littoral	['litərəl] *adj.* 海岸的; *n.* 海滨,沿海地区	
ventral	['ventrəl] *adj.* 腹部的	
mistral	['mistrəl] *n.* 寒冷干燥的强风	
nasal	['neizəl] *adj.* 鼻的;有鼻音的	
centripetal	[sen'tripitl] *adj.* 向心的	
congenital	[kən'dʒenitl] *adj.* (病等)先天的,天生的	

最新词汇

236

occidental	[ɔksi'dentəl] *n./adj.* 西方(的)
teetotal	[ti:'təutl] *adj.* 滴酒不沾的
immortal	[i'mɔːtl] *adj.* 不朽的,流芳百世的
festal	['festl] *adj.* 节日的;欢乐的
distal	['distəl] *adj.* 远离中心的,(神经)末梢的
lingual	['liŋgwəl] *adj.* 舌的;语言的
sensual	['sensjuəl] *adj.* 肉欲的,淫荡的
avowal	[ə'vauəl] *n.* 声明
trammel	['træməl] *v./n.* 束缚,妨碍;*n.* 鱼网
pummel	['pʌm(ə)l] *v.* (用拳)接连地打,打击
flannel	['flænl] *n.* 法兰绒(一种布)
dishevel	[di'ʃevəl] *v.* 使蓬乱,使头发凌乱
shrivel	['ʃrivl] *v.* (使)枯萎
blackmail	['blækmeil] *v./n.* 敲诈,勒索
wail	[weil] *v.* 哀号,痛哭
nonpareil	['nɔnpərəl] *adj./n.* 无匹敌的(人)
despoil	[dis'pɔil] *v.* 夺取,抢夺
broil	[brɔil] *v.* 烧烤
embroil	[im'brɔil] *v.* 牵连,卷入纠纷
imperil	[im'peril] *v.* 使陷于危险中,危及
utensil	[ju(:)'tensl] *n.* 工具,(厨房)用具
blackball	['blækbɔːl] *v.* 投反对票以阻止;排挤
windfall	['windfɔːl] *n.* 风吹落的果实;意外的好运
thrall	['θrɔːl] *n.* 奴隶,农奴
enthrall	[in'θrɔːl] *v.* 迷惑,迷住
standstill	['stændstil] *n.* 处于停顿状态,中止
knoll	[nəul] *n.* 小山;小圆丘
gull	[gʌl] *n.* 海鸥;易上当的人;*v.* 欺骗
idol	['aidl] *n.* 神像;偶像
spool	[spuːl] *n.* (缠录音带等的)卷盘(轴)

最新词汇

237

fitful	['fitful] *adj.* 一阵阵的；不安的
bawl	[bɔːl] *v.* 大叫，大喊
shawl	[ʃɔːl] *n.* （妇女用）披肩
sprawl	[sprɔːl] *v.* 伸展手脚而卧
trawl	[trɔːl] *n.* 拖网；*v.* 用拖网捕鱼；搜罗
growl	[graul] *v.* （动物）咆哮，吼叫

M

gleam	[gliːm] *n.* 亮光，闪光；*v.* 发闪光
logjam	['lɔgdʒæm] *n.* 浮木阻塞；阻塞状态；僵局
loam	[ləum] *n.* 沃土
teem	[tiːm] *v.* 充满，到处都是；*v.* 下倾盆大雨
mayhem	['meihem] *n.* 严重伤害罪
apothegm	['æpəθem] *n.* 格言，警句
maim	[meim] *v.* 使残废
brim	[brim] *n.* （杯）边，缘；*v.* 盈满
verbatim	[vəːˈbeitim] *adj.* 逐字的，照字面的
vim	[vim] *n.* 精力，活力
*maxim	['mæksim] *n.* 格言，普遍真理
psalm	[sɑːm] *n.* 赞美诗，圣诗
*qualm	[kwɑːm] *n.* 疑惧；紧张不安
helm	[helm] *n.* 舵，驾驶盘
*whelm	[(h)welm] *v.* 用…覆盖，淹没
serfdom	['səːfdəm] *n.* 农奴身份，农奴境遇
blossom	['blɔsəm] *n.* 花；*v.* （树木）开花
buxom	['bʌksəm] *adj.* 体态丰满的
swarm	[swɔːm] *n.* （蜜蜂）一群；一群（人）
atheism	['eiθiizəm] *n.* 无神论，不信神

nihilism	['naiilizəm] *n.* 虚无主义(生存无意义);民粹主义(消灭一切旧体系建立新制度)
chauvinism	['ʃəuvinizəm] *n.* 沙文主义;盲目爱国主义
hedonism	['hi:dənizəm] *n.* 享乐主义;享乐
egoism	['i:gəuiz(ə)m] *n.* 利己主义
mesmerism	['mezmərizəm] *n.* 催眠术,催眠状态
truism	['tru:izm] *n.* 自明之理;真理
millennium	[mi'leniəm] *n.* 一千年;(未来的)太平盛世
sanatorium	[ˌsænə'tɔ:riəm] *n.* 疗养院,休养所
symposium	[sim'pəuziəm] *n.* 专题讨论会
desideratum	[diˌzidə'reitəm] *n.* 必需品
substratum	['sʌb'strɑ:təm] *n.* 基础;地基
dictum	['diktəm] *n.* 格言,声明
acronym	['ækrənim] *n.* 首字母缩略词

N

scan	[skæn] *v.* 细查,细看;浏览,扫描;分析韵律
lean	[li:n] *v.* 倾斜;斜靠;*adj.* 瘦骨嶙峋的
epicurean	[ˌepikjuə'ri(:)ən] *adj.* 好享乐的;享乐主义的
empyrean	[ˌempai'ri(:)ən] *n.* 天空;天神居处
procrustean	[prəu'krʌstiən] *adj.* 强求一致的
plebeian	[pli'bi(:)ən] *n.* 平民;*adj.* 平民的
bohemian	[bəu'hi:mjən] *adj./n.* 放荡不羁的(人)
simian	['simiən] *adj.* 猿的,猴的;*n.* 猴,类人猿

239

thespian	[ˈθespiən] *adj.* 戏剧的，演戏的
valetudinarian	[ˌvæliˌtjuːdiˈnɛəriən] *n.* 体弱的人；过分担心生病的人
equestrian	[iˈkwestriən] *n.* 骑师；*adj.* 骑马的
fustian	[ˈfʌstiən] *n.* 空洞的话，无意义的高调
yeoman	[ˈjəumən] *n.* 自耕农；乡下人
herdsman	[ˈhəːdzmən] *n.* 牧人
layman	[ˈleimən] *n.* 普通信徒（有别于神职人员）；门外汉
diocesan	[daiˈɔsisən] *adj.* 主教管区的
artisan	[ɑːtiˈzæn] *n.* 技工
unbidden	[ˌʌnˈbidn] *adj.* 未经邀请的
beholden	[biˈhəuldən] *adj.* 感激某人的；欠人情的
warden	[ˈwɔːdn] *n.* 看守人，管理员
sheen	[ʃiːn] *n.* 光辉，光泽
careen	[kəˈriːn] *v.* （船）倾斜；使倾斜
tureen	[təˈriːn] *n.* 有盖的汤碗
mien	[miːn] *n.* 风采；态度
betoken	[biˈtəukən] *v.* 预示，表示
cognomen	[kɔgˈnəumen] *n.* 姓
dishearten	[disˈhɑːtən] *v.* 使…灰心
chasten	[ˈtʃeisn] *v.* （通过惩罚而使坏习惯等）改正；磨炼
hardbitten	[ˈhɑːdˈbitən] *adj.* 不屈的，顽强的
coven	[ˈkʌvən] *n.* （尤指十三个）女巫的集会
sloven	[ˈslʌvən] *n.* 不修边幅的人
bedizen	[biˈdaizn] *v.* 把…装饰得艳丽而俗气
wizen	[ˈwizn] *adj.* 凋谢的，枯萎的
arraign	[əˈrein] *v.* 传讯；指责
condign	[kənˈdain] *adj.* 罪有应得的；适宜的
distain	[disˈtein] *v.* 贬损，伤害名誉
skein	[skein] *n.* 一束（线或纱）

urchin	['ə:tʃin] *n.* 顽童;[动物] 海胆
vermin	['və:min] *n.* 害虫;寄生虫
rejoin	[ri:'dʒɔin] *v.* 回答,答辩
damn	[dæm] *v.* 严厉地批评,谴责;*adj.* 该死的
pantechnicon	[pæn'teknikən] *n.* 家具仓库;家具搬运车
lexicon	['leksikən] *n.* 词典
bludgeon	['blʌdʒən] *n.* 大头棒;*v.* 用棒打击
pantheon	['pænθiən] *n.* 万神殿
rapscallion	[ræp'skæljən] *n.* 流氓,恶棍
bullion	['buliən] *n.* 金条,银条
lesion	['li:ʒən] *n.* 伤口;损害
prevision	[pri(:)'viʒən] *n.* 先见,预感
expulsion	[iks'pʌlʃən] *n.* 驱逐,开除
revulsion	[ri'vʌlʃən] *n.* 厌恶,憎恶;剧烈反应
pension	['penʃən] *n.* 养老金,退休金
reversion	[ri'və:ʃən] *n.* 返回(原状,旧习惯);逆转
scission	['siʒən] *n.* 切断;分离,分裂
remission	[ri'miʃən] *n.* 宽恕,赦免
percussion	[pə:'kʌʃən] *n.* 敲击乐器
imprecation	[impri'keiʃ(ə)n] *n.* 祈求,诅咒
vindication	[,vindi'keiʃən] *n.* 洗冤;证实
avocation	[ævə'keiʃ(ə)n] *n.* 副业;嗜好
depredation	[depri'deiʃ(ə)n] *n.* 劫掠,蹂躏
dilapidation	[dilæpi'deiʃ(ə)n] *n.* 破旧,荒废
abnegation	[,æbni'geiʃən] *n.* 放弃;自我牺牲
expiation	[,ekspi'eiʃən] *n.* 赎罪,补偿
oblation	[əu'bleiʃən] *n.* 宗教的供品,祭品
tribulation	[,tribju'leiʃən] *n.* 苦难,灾难
reticulation	[ritikju'leiʃ(ə)n] *n.* 网目,网状
strangulation	[,stræŋgju'leiʃn] *n.* 扼杀,勒死

最新词汇

241

automation	[ˌɔːtəˈmeiʃən]	n. 自动装置
declination	[ˌdekliˈneiʃən]	n. 倾斜；衰微
execration	[ˌeksiˈkreiʃən]	n. 憎恨，厌恶
laceration	[ˌlæsəˈreiʃən]	n. 撕裂；裂口
penetration	[peniˈtreiʃən]	n. 穿透；洞察力
pulsation	[pʌlˈseiʃən]	n. 脉动，跳动，有节奏的鼓动
natation	[neiˈteiʃən]	n. 游泳，游泳术
delectation	[ˌdiːlekˈteiʃən]	n. 享受，愉快
citation	[saiˈteiʃən]	n. 引证，引用文；传票
capitation	[ˌkæpiˈteiʃən]	n. 人头税
augmentation	[ˌɔːgmenˈteiʃən]	n. 增加
incrustation	[ˌinkrʌsˈteiʃən]	n. 硬壳；外层
imputation	[ˌimpju(ː)ˈteiʃən]	n. 归咎，归罪
optimization	[ˌɔptimaiˈzeiʃən]	n. 最优化
dissection	[diˈsekʃən]	n. 解剖；剖析
malediction	[ˌmæliˈdikʃən]	n. 诅咒
infliction	[inˈflikʃən]	n.（强加于人身的）痛苦；刑罚
sedition	[siˈdiʃən]	n. 煽动叛乱
rendition	[renˈdiʃən]	n. 表演，扮演，演奏，演唱
attrition	[əˈtriʃən]	n. 摩擦，磨损
parturition	[ˌpɑːtjuəˈriʃən]	n. 生产，分娩
disquisition	[ˌdiskwiˈziʃən]	n. 长篇演讲；专题论文
superstition	[ˌsjuːpəˈstiʃən]	n. 迷信；盲目恐惧
retention	[riˈtenʃən]	n. 保留，保持
distention	[disˈtenʃən]	n. 膨胀
subvention	[səbˈvenʃən]	n. 补助金，津贴
inscription	[inˈskripʃən]	n. 铭刻；题献
self-assertion	[ˌselfəˈsəːʃən]	n. 坚持己见；自信
locution	[ləuˈkjuːʃən]	n. 语言风格；惯用语
complexion	[kəmˈplekʃən]	n. 肤色；外表特征

beckon	['bekən] *v.* 召唤某人,示意	
reckon	['rekən] *v.* 推断,估计;猜想,设想	
carillon	[kə'riljən] *n.* 编钟,钟琴	
tycoon	[tai'ku:n] *n.* 有钱有势的企业家,大亨	
lagoon	[lə'gu:n] *n.* 泻湖	
typhoon	[tai'fu:n] *n.* 台风	
harpoon	[hɑ:'pu:n] *n.* (捕鲸的)鱼叉	
croon	['kru:n] *v.* 低声歌唱	
poltroon	[pɔl'tru:n] *n.* 懦夫	
bassoon	[bə'su:n] *n.* 低音管,巴松管	
baron	['bærən] *n.* 贵族;巨头	
gridiron	['gridaiən] *n.* 烤架;橄榄球场	
moron	['mɔ:rɔn] *n.* 极蠢之人,低能儿	
unison	['ju:nisn] *n.* 齐奏,齐唱;一致的或协调的行动	
wanton	['wɔntən] *adj.* 无节制的,放纵的;顽皮的	
mutton	['mʌtn] *n.* 羊肉	
emblazon	[im'bleizən] *v.* 以纹章或其他方式装饰	
greenhorn	['gri:nhɔ:n] *n.* 初学者;容易受骗的人	
forlorn	[fə'lɔ:n] *adj.* 孤独的;凄凉的	
timeworn	['taimwɔ:n] *adj.* 陈旧的,老朽的	
sojourn	['sɔdʒə:n] *v./n.* 逗留,寄居	
spurn	[spə:n] *n.* 拒绝,摈弃	
stun	[stʌn] *v.* 使晕倒,使惊吓,打晕	
pawn	[pɔ:n] *n./v.* 典当,抵押;*n.* 被利用的小人物	

O

limbo	['limbəu] *n.* 不稳定,中间状态	

最新词汇

243

desperado	[ˌdespəˈrɑːdəu] *n.* 亡命之徒
torpedo	[tɔːˈpiːdəu] *n.* 鱼雷
credo	[ˈkriːdəu] *n.* 信条
libido	[liˈbaidəu] *n.* 性欲；生命力
diminuendo	[diˌminjuˈendəu] *n.* （音乐、演奏）渐弱
virago	[viˈrɑːgəu] *n.* 泼妇，好骂人或好支配人的女人
doggo	[ˈdɔgəu] *adv.* （俚）（一动不动地）隐藏着
studio	[ˈstjuːdiəu] *n.* 工作室，画室，演播室
albino	[ælˈbiːnəu] *n.* 白化病者，白化变种
boo	[buː] *v.* 作嘘声，用嘘声表示不满、蔑视或反对
bugaboo	[ˈbʌgəbuː] *n.* 吓人的东西；妖怪
maestro	[ˈmaistrəm] *n.* 艺术大师；音乐大师
torso	[ˈtɔːsəu] *n.* （人体的）躯干；躯干像
memento	[meˈmentəu] *n.* 纪念品
gusto	[ˈgʌstəu] *n.* 爱好；兴致勃勃

P

madcap	[ˈmædkæp] *adj.* 卤莽的，狂妄的
wiretap	[ˈwaiəˌtæp] *n.* 窃听器；窃听
peep	[piːp] *n. / v.* 瞥见，偷看；初现
rip	[rip] *v.* 撕裂，撕破
quip	[kwip] *adj.* 俏皮话，妙语
whelp	[(h)welp] *n.* 犬科的幼兽
decamp	[diˈkæmp] *v.* （士兵）离营；匆忙秘密地离开
tramp	[træmp] *v.* 重步走；长途跋涉
bump	[bʌmp] *v.* 碰撞；*n.* 碰撞声
plump	[plʌmp] *adj.* 颇胖的，丰满的

最新词汇

slump	[slʌmp] v. 猛然落下；暴跌
fop	[fɔp] n. (喜好精致服装的)花花公子
gallop	['gæləp] v./n. (马)飞奔；疾驰
wallop	['wɔləp] n./v. 重击，猛打
stoop	[stu:p] v. 俯身；降低身份
scarp	[skɑ:p] n. 悬崖，陡坡
chirp	[tʃə:p] v. (鸟或虫)唧唧叫
rasp	[ra:sp] v. 发出刺耳的声音

R

debar	[di'bɑ:] v. 阻止
scar	[skɑ:] n. 伤痕，伤疤
forebear	['fɔ:bɛə] n. 祖宗，祖先
swear	[swɛə] v. 诅咒
forswear	[fɔ:'swɛə] v. 誓绝，放弃
oracular	[ɔ'rækjulə] adj. 神谕的；意义模糊的
auricular	[ɔ:'rikjulə] adj. 耳的
avuncular	[ə'vʌŋkjulə] adj. 伯(叔)父的
˙ocular	['ɔkjulə] adj. 眼睛的；视觉的
crepuscular	[kri'pʌskjulə] adj. 朦胧的，微明的
oar	[ɔ:] n. 桨；v. 划(船)
nectar	['nektə] n. 琼浆玉液；花蜜
slobber	['slɔbə] n. 口水；v. 流口水；粗俗地表示
cumber	['kʌmbə] v. 拖累；妨碍
fodder	['fɔdə] n. 草料
gander	['gændə] n. 雄鹅；笨人
rejoinder	[ri'dʒɔində] n. 回答，反驳
racketeer	[,ræki'tiə] n. 敲诈者，获取不正当钱财的人
queer	[kwiə] adj. 奇怪的，疯狂的
coffer	['kɔfə] n. 保险柜

最新词汇

245

buffer	['bʌfə]	v. 缓冲，为…充当缓冲器
pilfer	['pilfə]	v. 偷窃
stagger	['stægə]	v. 蹒跚，摇晃
versemonger	['və:s,mʌŋgə]	n. 拙劣诗人，打油诗人
auger	['ɔgə]	n. 螺丝钻，钻孔机
archer	['ɑ:tʃə]	n. (运动或战争中的)弓箭手，射手
encipher	[in'saifə]	v. 译成密码
bather	['beiðə(r)]	n. 入浴者，浴疗者
weather	['weðə]	v. 经受风雨
*pier	[piə]	n. 桥墩；码头
flicker	['flikə]	v. 闪烁，摇曳
snicker	['snikə]	v./n. 窃笑，暗笑
canker	['kæŋkə]	n. 溃疡病；祸害
hawker	['hɔ:kə]	n. 沿街叫卖之小贩
dabbler	['dæblə]	n. 涉猎者；(业余)爱好者
potboiler	['pɔtbɔilə(r)]	n. 粗制滥造的文艺作品
rustler	['rʌslə]	n. 偷牛(马)贼
howler	['haulə]	n. 嚎叫的人或动物；滑稽可笑的错误
sizzler	['sizlə]	n. 炎热天气，大热天
disclaimer	[dis'kleimə]	n. 否认，拒绝
sledgehammer	['sledʒ,hæmə]	n. 长柄大锤
shimmer	['ʃimə]	v. 闪烁，微微发亮
informer	[in'fɔ:mə]	n. 告发者，告密者
mariner	['mærinə]	n. 水手，海员
caper	['keipə]	v./n. 雀跃，欢蹦
scamper	['skæmpə]	v. 奔跑，快跑
damper	['dæmpə]	n. 起抑制作用的因素；节气闸；断音装置
pamper	['pæmpə]	v. 纵容；过分关怀
interloper	['intələupə]	n. 闯入者

treasurer	['treʒərə] n.	司库,财务员,出纳员
hawser	['hɔ:zə] n.	粗绳,大钢索
backwater	['bækwɔ:tə(r)] n.	死水;闭塞地区
loiter	['lɔitə] v.	游荡;徘徊
reconnoiter	[,rekə'nɔitə] v.	侦察,勘察
scooter	['sku:tə] n.	滑行车,踏板车
daubster	['dɔ:bstə] n.	拙劣的画家
sinister	['sinistə] adj.	不吉祥的;险恶的
roister	['rɔistə] v.	喝酒喧哗
barrister	['bæristə] n.	律师
embitter	[im'bitə] v.	使痛苦,使难受
jitter	['dʒitə] v.	紧张不安,神经过敏
glitter	['glitə] v.	闪烁,闪耀;n. 灿烂的光华;诱惑力,魅力
fritter	['fritə] v.	(在无意义上的小事上)愚蠢地浪费(时间和金钱);切碎
scutter	['skʌtə] v.	疾走
exchequer	[iks'tʃekə] n.	国库;财源
cadaver	[kə'deivə] n.	尸体
palaver	[pə'lɑ:və] v./n.	空谈;奉承
slaver	['sleivə] v.	流口水;奉承;n. 口水
gloss-over	[glɔs'əuvə] v.	潦草地或敷衍地处理某事
layover	['leiəuvə] n.	旅途中的短暂停留
maneuver	[mə'nu:və] v./n.	(军队)调遣;策略,操纵
bower	['bauə] n.	凉亭,树荫下凉快之处
naysayer	['nei,seiə] n.	怀疑者,否定者
flair	[flɛə] n.	天赋,本领,才华
debonair	[,debə'nɛə] adj.	迷人的;友好的
elixir	[i'liksə] n.	万灵药,长生不老药
matador	['mætədɔ:] n.	斗牛士
condor	['kɔndə] n.	秃鹰;神鹰

malodor	[mæˈləudə] *n.* 恶臭
ulterior	[ʌlˈtiəriə] *adj.* 较晚的,较远的;不可告人的
posterior	[pɔsˈtiəriə] *adj.* (在时间、次序上)较后的
*valor	[ˈvælə] *n.* 勇武,英勇
moor	[muə] *n.* 旷野地,荒野;*v.* 使(船)停泊
spoor	[spuə] *n.* (野兽的)足迹
incisor	[inˈsaizə] *n.* 门牙
dictator	[dikˈteitə] *n.* 独裁者
malefactor	[ˈmælifæktə] *n.* 罪犯,作恶者
progenitor	[prəˈdʒenitə] *n.* 祖先,始祖
pastor	[ˈpɑːstə] *n.* 牧师;牧人
interlocutor	[ˌintə(ː)ˈlɔkjutə] *n.* 对话者,谈话者
scour	[ˈskauə] *v.* 擦洗,擦亮;四处搜索
demeanour	[diˈmiːnə] *n.* 举止,行为

S

dietetics	[ˌdaiəˈtetiks] *n.* 饮食学,营养学
aeronautics	[ˌɛərəˈnɔːtiks] *n.* 航空学
*scads	[skædz] *n.* 大量,巨额
viands	[ˈvaiəndz] *n.* (复数)食品,食物
blinds	[blaindz] *n.* 百页窗
throes	[θrəuz] *n.* 剧痛
tresses	[ˈtresiz] *n.* (复数)女人的长发
belongings	[biˈlɔŋiŋz] *n.* 所有物,财产
palings	[ˈpeiliŋs] *n.* 篱笆,木栅栏
necropolis	[neˈkrɔpəlis] *n.* 大墓地,公墓
nemesis	[niˈmisis] *n.* 报应,天罚
apotheosis	[əˌpɔθiˈəusis] *n.* 神化;典范

neurosis	[njuə'rəusis] *n.* 神经官能症,精神神经病	
ecdysis	['ekdisis] *n.* (动物)蜕皮;换羽毛	
gratis	['greitis] *adj.* 不付款的,免费的	
nephritis	[ne'fraitis] *n.* 肾炎	
gastritis	[gæs'traitis] *n.* 胃炎	
hepatitis	[,hepə'taitis] *n.* 肝炎	
alms	[ɑ:mz] *n.* 施舍物,救济品	
environs	['envirənz] *n.* 郊外,郊区	
*pathos	['peiθɔs] *n.* 感伤,哀婉,悲怆	
pincers	['pinsəz] *n.* 钳子,镊子	
bleachers	['bli:tʃəz] *n.* (球场的)露天座位	
pliers	['plaiəz] *n.* 钳子	
nippers	['nipəz] *n.* 钳子,镊子	
morass	[mə'ræs] *n.* 沼泽地;困境;*v.* 陷入困境	
pitiless	['pitilis] *adj.* 无情的,冷酷的,无怜悯心的	
gutless	['gʌtlis] *adj.* 没有勇气的,怯懦的	
positiveness	['pɔzitivnis] *n.* 肯定,确信	
ingress	['ingres] *n.* 进入	
amiss	[ə'mis] *adv.* 有毛病地;出差错地	
double-cross	['dʌbl'krɔs] *v.* 欺骗,叛卖	
lineament	['liniəmənt] *n.* (面部等的)特征;轮廓	
oddment	['ɔdmənt] *n.* 残余物,零头	
muniment	['mju:nimənt] *n.* 契据,房契	
callus	['kæləs] *n.* 老茧;胼胝	
hippopotamus	[,hipə'pɔtəməs] *n.* 河马	
onus	['əunəs] *n.* 义务;负担	
stupendous	[stju(:)'pendəs] *adj.* 巨大的,大得惊人的	
horrendous	[hɔ'rendəs] *adj.* 可怕的,令人惊惧的	
curvaceous	[kə:'veiʃəs] *adj.* 婀娜多姿的;曲线的	

最
新
词
汇

249

gorgeous	['gɔ:dʒəs] *adj.* 美丽的；极好的
vitreous	['vitriəs] *adj.* 玻璃的，玻璃状的
bounteous	['bauntiəs] *adj.* 慷慨的；丰富的
capacious	[kə'peiʃəs] *adj.* 容量大的，宽敞的
spacious	['speiʃəs] *adj.* 广阔的，宽敞的
sequacious	[si'kweiʃəs] *adj.* 盲从的
lubricious	[lju:'briʃəs] *adj.* 光滑的；好色的
ferocious	[fə'rəuʃəs] *adj.* 凶猛的，残暴的
luscious	['lʌʃəs] *adj.* 美味的；肉感的
bilious	['biljəs] *adj.* 胆汁质的；坏脾气的
multifarious	[,mʌlti'fɛəriəs] *adj.* 多种的，各式各样的
uxorious	[ʌk'sɔ:riəs] *adj.* 宠爱妻子的
illustrious	[i'lʌstriəs] *adj.* 著名的，显赫的
seditious	[si'diʃəs] *adj.* 煽动性的
factitious	[fæk'tiʃəs] *adj.* 人为的；不真实的
sententious	[sen'tenʃəs] *adj.* 好说教的；简要的
scrumptious	['skrʌmpʃəs] *adj.* (食物)很可口的
libelous	['laibələs] *adj.* 诽谤的
parlous	['pɑ:ləs] *adj.* 靠不住的；危险的
fabulous	['fæbjuləs] *adj.* 难以置信的；寓言里的
bibulous	['bibjuləs] *adj.* 高度吸收的；嗜酒的
miraculous	[mi'rækjuləs] *adj.* 奇迹的，不可思议的
tremulous	['tremjuləs] *adj.* 颤动的，不安的
villainous	['vilənəs] *adj.* 邪恶的，恶毒的
tendinous	['tendinəs] *adj.* 腱的
numinous	['nju:minəs] *adj.* 庄严的，神圣的
mutinous	['mju:tinəs] *adj.* 叛变的；反抗的
acarpous	[ei'kɑ:pəs] *adj.* 不结果实的
scabrous	['skeibrəs] *adj.* 粗糙的
saliferous	[sə'lifərəs] *adj.* 含盐的，产盐的
odoriferous	[,əudə'rifərəs] *adj.* 有气味的

desirous	[di'zaiərəs] *adj.* 渴望的	
glamorous	['glæmərəs] *adj.* 迷人的,富有魅力的	
sonorous	[sə'nɔrəs] *adj.* (声音)洪亮的	
omnivorous	[ɔm'nivərəs] *adj.* 杂食的;兴趣杂的	
monstrous	['mɔnstrəs] *adj.* 巨大的;可怕的	
necessitous	[ni'sisitəs] *adj.* 贫困的;急需的	
exiguous	[eg'zigjuəs] *adj.* 太少的,不足的	
opus	['əupəs] *n.* 巨著;(尤指)音乐作品	
corpus	['kɔ:pəs] *n.* 全集;全部资料	
cactus	['kæktəs] *n.* 仙人掌	
conspectus	[kən'spektəs] *n.* 概要,大纲	
gallows	['gæləuz] *n.* 绞刑架,绞台	

T

éclat	['eiklɑ:] *n.* 辉煌成就	
gnat	[næt] *n.* 对小事斤斤计较,琐事	
carat	['kærət] *n.* (宝石重量单位)克拉;(金子)开	
aristocrat	['æristəkræt] *n.* 贵族	
*detract	[di'trækt] *v.* 减去;贬低;转移	
genuflect	['dʒenju(:)flekt] *v.* 曲膝半跪(以示敬意);屈从	
sect	[sekt] *n.* (宗教等)派系	
edict	['i:dikt] *n.* 法令;命令	
mulct	[mʌlkt] *n.* 罚金;*v.* 处以罚金;诈取,诈骗	
defunct	[di'fʌŋkt] *adj.* 死亡的	
concoct	[kən'kɔkt] *v.* 调制;捏造	
abduct	[æb'dʌkt] *v.* 绑架,拐走	
dulcet	['dʌlsit] *adj.* 美妙的	
beet	[bi:t] *n.* 甜菜	

251

fleet	[fli:t] *adj.* 快速的；*v.* 消磨，疾驰；飞逝，掠过
midget	['midʒit] *n.* 侏儒
beget	[bi'get] *v.* 产生，引起
cachet	['kæʃei] *n.* 赞同的标志，优越的标志；印章；胶囊
hatchet	['hætʃit] *n.* 短柄小斧
skyrocket	[,skai'rokit] *v.* 陡升，猛涨
eaglet	['i:glit] *n.* 小鹰
mallet	['mælit] *n.* 木槌，大头锤
fillet	['filit] *n.* 束发带；鱼肉片
cygnet	['signit] *n.* 小天鹅
cornet	['ko:nit] *n.* 短号；圆锥形蛋卷
garret	['gærit] *n.* 阁楼，顶楼小室
haft	[hɑ:ft] *n.* 柄，把柄
makeshift	['meikʃift] *n./adj.* 代用品（的）；权宜之计（的）
loft	[loft] *n.* 阁楼，顶楼
sleight	[slait] *n.* 巧妙手法，巧计；灵巧
shipwright	['ʃiprait] *n.* 造船者
oversight	['əuvəsait] *n.* 疏忽，失察，勘漏
uptight	[,ʌp'tait] *adj.* 焦虑不安的
onslaught	['onslo:t] *n.* 猛攻，猛袭
distrait	[dis'trei] *adj.* 心不在焉的
licit	['lisit] *adj.* 不禁止的，合法的
whit	[(h)wit] *n.* 一点儿，少量
slit	[slit] *v.* 撕裂；*n.* 裂缝
remit	[ri'mit] *v.* 免除；宽恕；汇款
vomit	['vomit] *n.* 呕吐；呕吐物；催吐剂
pulpit	['pulpit] *n.* 讲坛
culprit	['kʌlprit] *n.* 犯罪者
deposit	[di'pozit] *v.* 存放；使淤积

asphalt	['æsfælt] *n.* 沥青
pelt	[pelt] *v.* 扔；*n.* 毛皮
hilt	[hilt] *n.* （剑或刀之）柄
colt	[kəult] *n.* 小雄驹
catapult	['kætəpʌlt] *n.* 弹弓；弹射器
decant	[di'kænt] *v.* 轻轻倒出
confidant	[ˌkɔnfi'dænt] *n.* 心腹朋友，知己
defoliant	[di:'fəuliənt] *n.* 脱叶剂，落叶剂
jubilant	['dʒu:bilənt] *adj.* 喜悦的，欢呼的
malignant	[mə'lignənt] *adj.* 恶毒的，充满恨意的
*preponderant	[pri'pɔndərənt] *adj.* 主要的；优势的；压倒性的
depressant	[di'presənt] *adj.* 有镇静作用的；*n.* 镇静剂
militant	['militənt] *adj.* 好战的，好暴力的
exultant	[ig'zʌltənt] *adj.* 非常高兴的，欢跃的
truant	['tru:ənt] *adj.* 逃避责任的；*n.* 逃学者，逃避者
clairvoyant	[klɛə'vɔiənt] *adj.* 透视的，有洞察力的
maleficent	[mə'lefisnt] *adj.* 有害的，犯罪的
renascent	[ri'næsnt] *adj.* 再生的，复活的
trident	['traidənt] *n.* 三叉戟；三叉鱼叉
*pendent	['pendənt] *adj.* 吊着的，悬挂的
regent	['ri:dʒənt] *n.* 摄政者(代国王统治者)
inexpedient	[ˌiniks'pi:diənt] *adj.* 不适当的，不明智的
somnolent	['sɔmnələnt] *adj.* 思睡的；催眠的
corpulent	['kɔ:pjulənt] *adj.* 肥胖的
filament	['filəmənt] *n.* 灯丝；细丝
sacrament	['sækrəmənt] *n.* 圣礼，圣事
bombardment	[bɔm'bɑ:dmənt] *n.* 炮炸，炮轰
derangement	[di'reindʒmənt] *n.* 精神错乱

最新词汇

253

self-abasement	[ˌselfəˈbeismənt]	n. 自卑，自谦
retrenchment	[riˈtrentʃmənt]	n. 节省，削减
condiment	[ˈkɔndimənt]	n. 调味品，佐料
embodiment	[imˈbɔdimənt]	n. 化身，体现
regiment	[ˈredʒimənt]	n. (军队)团；v. 严格控制
presentiment	[priˈzentimənt]	n. 预感，预觉
embankment	[imˈbæŋkmənt]	n. 堤岸；路基
ailment	[ˈeilmənt]	n. (不严重的)疾病
installment	[inˈstɔ:lmənt]	n. 分期付款；安装
engrossment	[inˈgrəusmənt]	n. 正式写成的文件；专注
deportment	[diˈpɔ:tmənt]	n. (尤指少女的)风度，举止
emolument	[iˈmɔljumənt]	n. 报酬，薪水
abstinent	[ˈæbstinənt]	adj. 饮食有度的；有节制的；禁欲的
*repent	[riˈpent]	v. 懊悔，后悔
remittent	[riˈmitənt]	adj. (病)间歇性的，忽好忽坏的
magniloquent	[mægˈniləkwənt]	adj. 夸张的
incongruent	[inˈkɔŋgruənt]	adj. 不协调的，不和谐的，不合适的
sprint	[sprint]	v. 短距离全速奔跑
upfront	[ˈʌpfrʌnt]	adj. 坦率的
wont	[wəunt]	n. 习惯，习俗
gaunt	[gɔ:nt]	adj. 憔悴的，瘦削的
helot	[ˈhelət]	n. 奴隶；受人轻视之人
polyglot	[ˈpɔliglɔt]	adj./n. 通晓多种语言的（人）
pivot	[ˈpivət]	n. 枢轴，中心；v. 旋转
rescript	[ˈri:skript]	n. 公告，法令；重抄
postscript	[ˈpəustskript]	n. 附言，后记
excerpt	[ˈeksə:pt]	n. 摘录，选录，节录

abrupt	[ə'brʌpt] *adj.* 突然的,意外的;唐突的	
crypt	[kript] *n.* 地下室,地窖	
upstart	['ʌpstɑ:t] *n.* 突然升官的人,暴发户	
advert	[əd'və:t] *v.* 注意,留意	
pervert	[pə'və:t] *v.* 使堕落;误用;歪曲	
escort	[is'kɔ:t] *v.* 护送;*n.* 护送者	
fort	[fɔ:t] *n.* 要塞;城堡	
comport	[kəm'pɔ:t] *v.* 举止(以一种特殊方式表现)	
purport	['pə:pɔ:t, -'pət] *n.* 意义,涵义	
disport	[dis'pɔ:t] *v.* 玩耍,嬉戏	
consort	['kɔnsɔ:t] *v.* 结交,配对;*n.* 配偶	
aghast	[ə'gɑ:st] *adj.* 惊骇的,吓呆的	
molest	[məu'lest] *v.* 骚扰,干扰	
deforest	[di'fɔrist] *v.* 采伐森林,清除树林	
subsist	[səb'sist] *v.* 生存下去;继续存在,维持生活	
nethermost	['neðəməust] *adj.* 最低的,最下方的	
holocaust	['hɔləkɔ:st] *n.* 大屠杀,浩劫	
locust	['ləukəst] *n.* 蝗虫;贪吃的人	
amethyst	['æmiθist] *n.* 紫水晶	
woodcut	['wudkʌt] *n.* 木刻,木版画	
hut	[hʌt] *n.* 简陋的房子,棚	
gamut	['gæmət] *n.* 全音阶;(一领域的)全部知识	
roundabout	['raundəbaut] *adj.* 绕远道的,转弯抹角的	
lout	[laut] *n.* 粗人	
spout	[spaut] *v.* 喷出;滔滔不绝地讲	
rout	[raut] *n.* 大败,溃败	

最
新
词
汇

255

W

yaw	[jɔː] v. (船、飞机等)偏航
curfew	['kəːfjuː] n. 宵禁
askew	[əs'kjuː] adj. 歪斜的
wallow	['wɔləu] n./v. (猪等)在泥水中打滚；沉溺于
billow	['biləu] n. 巨浪；v. 翻腾
farrow	['færəu] v. (母猪)生产；n. 一窝小猪
marrow	['mærəu] n. 骨髓；精华
burrow	['bʌrəu] v. 挖掘，钻进；翻寻；n. 地洞
disavow	[ˌdisə'vau] v. 否认，否定；抵赖

X

outfox	[aut'fɔks] v. 以机智胜过

Y

heyday	['heidei] n. 全盛时期，青春期
flay	[flei] v. 剥皮；诈取；严厉指责
slay	[slei] v. 杀，残杀
waylay	[ˌwei'lei] v. 埋伏，伏击
bray	[brei] v. 大声而刺耳地发出(叫唤或声音)
fray	[frei] n. 吵架，打斗；v. 磨破
defray	[di'frei] v. 付款
foray	['fɔrei] n./v. 突袭，偷袭
hearsay	['hiəsei] n. 谣传，道听途说
leeway	['liːwei] n. (可供活动的)余地

最新词汇

breezeway	['bri:zwei] *n.* 有屋顶的通路
shabby	['ʃæbi] *adj.* 破烂的;卑鄙的
flabby	['flæbi] *adj.* (肌肉)松软的;意志薄弱的
contumacy	['kɔntjuməsi] *n.* 抗命,不服从
gynaecocracy	[ˌdʒaini'kɔkrəsi] *n.* 妇女当政
muddy	['mʌdi] *adj.* 多泥的,浑浊的;不纯的
ruddy	['rʌdi] *adj.* (脸色)红润的,红色的
reedy	['ri:di] *adj.* 长满芦苇的;(声音)高而尖的
bandy	['bændi] *v.* 来回抛球;轻率谈论
disembody	[ˌdisim'bɔdi] *v.* 使脱离实体,使脱离现实
moody	['mu:di] *adj.* 喜怒无常的,脾气坏的
rhapsody	['ræpsədi] *n.* 赞美之词;狂想曲
dowdy	['daudi] *adj.* 不整洁的;过时的
rowdy	['raudi] *adj.* 吵闹的,粗暴的
lackey	['læki] *n.* 卑躬屈膝者,走卒
parley	['pɑ:li] *n.* 和谈;会谈;*v.* 和谈,会谈
stupefy	['stju:pifai] *v.* (使)茫然,吓呆
putrefy	['pju:trifai] *v.* 使腐烂
glorify	['glɔ:rifai] *v.* 吹捧,美化
falsify	['fɔːlsifai] *v.* 篡改;说谎
declassify	[di'klæsifai] *v.* 撤消保密
ratify	['rætifai] *v.* 批准(协定等)
fructify	['frʌktifai] *v.* 结果实;成功
stagy	['steidʒi] *adj.* 不自然的,演戏一般的
buggy	['bʌgi] *n.* 轻型马车;婴儿车
muggy	['mʌgi] *adj.* (天气)闷热而潮湿的
effigy	['efidʒi] *n.* 模拟像
mangy	['meindʒi] *adj.* (兽)疥癣的;污秽的
speleology	[ˌspili'ɔlədʒi] *n.* 洞窟学
philology	[fi'lɔlədʒi] *n.* 语文学,文学语言学

最新词汇

257

numerology	[ˌnjuːmə'rɔlədʒi] *n.* 数字命理学（通过数字算命）
horology	[hə'rɔlədʒi] *n.* 测时法；钟表制造术
metallurgy	[me'tælədʒi] *n.* 冶金
matriarchy	['meitriɑːki] *n.* 母权制；妇女统治
splashy	['splæʃi] *adj.* 溅水的；炫耀显眼的
swarthy	['swɔːði] *adj.* （皮肤等）黝黑的
peaky	['piːki] *adj.* 消瘦的；虚弱的
balky	['bɔːki] *adj.* 停止不前的；倔强的
pesky	['peski] *adj.* 讨厌的，烦人的
homely	['həumli] *adj.* 朴素的；不漂亮的
contumely	['kɔntjumli] *n.* 无礼，傲慢
gangly	['gæŋgli] *adj.* 身材瘦长的
homily	['hɔmili] *n.* 说教，训诫
proverbially	[prə'vəːbiəli] *adv.* 无人不知地
jolly	['dʒɔli] *adj.* 欢乐的，快乐的
sully	['sʌli] *v.* 玷污，污染
ghastly	['gɑːstli] *adj.* 可怕的，惊人的，惨白的
misogamy	[mi'sɔgəmi] *n.* ［心］厌婚症
pygmy	['pigmi] *n.* 矮人，侏儒
gastronomy	[gæs'trɔnəmi] *n.* 美食法
miscellany	[mi'seləni] *n.* 混合物
satiny	['sætini] *adj.* 光滑的，柔细的
phony	['fəuni] *adj.* 假的，伪造的
pony	['pəuni] *n.* 小型马
corny	['kɔːni] *adj.* 平淡无奇的；乡巴佬的
thorny	['θɔːni] *adj.* 多刺的；痛苦的；困难的
brawny	['brɔːni] *adj.* （人）强壮的
decoy	[di'kɔi] *v.* 诱骗
cloy	[klɔi] *v.* （吃甜食）生腻，吃腻
convoy	['kɔnvɔi] *v.* 护航，护送
grumpy	['grʌmpi] *adj.* 脾气暴躁的

snappy	['snæpi] *adj.* 精力充沛的；潇洒的
floppy	['flɔpi] *adj.* 松软的；衰弱的
lapidary	['læpidəri] *n.* 宝石工，宝石专家
pecuniary	[pi'kju:njəri] *adj.* 金钱的
granary	['grænəri] *n.* 谷仓，粮仓
plenary	['pli:nəri] *adj.* 全权的；全体出席的
interdisciplinary	[ˌintə(:)'disiplinəri] *adj.* 跨学科的
cautionary	['kɔ:ʃənəri] *adj.* 劝人谨慎的，警戒的
sanitary	['sænitəri] *adj.* 卫生的，清洁的
dignitary	['dignitəri] *n.* 显要人物
tributary	['tribjutəri] *n.* /*adj.* 支流（的）；进贡（的）
estuary	['estjuəri] *n.* 河口，三角湾
polyandry	['pɔliændri] *n.* 一妻多夫制
sundry	['sʌndri] *adj.* 各式各样，各种的
wizardry	['wizədri] *n.* 魔术；熟练
peery	['piəri] *adj.* 窥视的；好奇的；怀疑的
puffery	['pʌfəri] *n.* 极力称赞，夸大的广告；吹捧
skullduggery	[skʌl'dʌgəri] *n.* 舞弊
treachery	['tretʃəri] *n.* 阴险；背叛
fishery	['fiʃəri] *n.* 渔场；渔业
trickery	['trikəri] *n.* 欺骗，诡计
raillery	['reiləri] *n.* 善意的嘲弄
artillery	[ɑ:'tiləri] *n.* 大炮，炮兵
drollery	['drəuləri] *n.* 笑谈，滑稽
finery	['fainəri] *n.* 华丽、优雅的服装或装饰
trumpery	['trʌmpəri] *adj.* 中看不中用的
cemetery	['semitri] *n.* 坟墓，公墓
monastery	['mɔnəstri] *n.* 男修道院，僧院
query	['kwiəri] *n.* /*v.* 质问，疑问，询问
chivalry	['ʃivəlri] *n.* 骑士制度；骑士精神

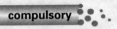
compulsory	[kəm'pʌlsəri] *adj.*	强制性的,命令性的
ambulatory	['æmbjulətəri] *adj.*	(适宜于)步行的
signatory	['signətəri] *n.*	签署者,签署国
olfactory	[ɔl'fæktəri] *adj.*	嗅觉的
repository	[ri'pɔzitəri] *n.*	贮藏室,仓库
circumlocutory	[ˌsə:kəm'lɔkjutəri] *adj.*	委婉曲折的,迂回的
tarry	['ta:ri] *v.*	徘徊;耽搁
ferry	['feri] *n.*	渡船,渡口;*v.* 运送
carpentry	['ka:pintri] *n.*	木工工作
sentry	['sentri] *n.*	哨兵,步哨
fury	['fjuəri] *n.*	狂怒,狂暴,激烈;狂怒的人;(希神)复仇女神
dowry	['dauəri] *n.*	嫁妆;妆奁
queasy	['kwi:zi] *adj.*	令人恶心的;充满疑虑的
cosy(cozy)	['kəuzi] *adj.*	温暖而舒适的
rosy	['rəuzi] *adj.*	玫瑰色的;美好的;乐观的;健康的
prissy	['prisi] *adj.*	为小事挂虑的;谨小慎微的;神经质的
crotchety	['krɔtʃiti] *adj.*	脾气坏的
gaiety	['geiəti] *n.*	欢乐,快活
persnickety	[pə(:)'snikiti] *adj.*	势利的;挑剔的
naivety	[na:'i:vti] *n.*	天真,纯朴,幼稚
crafty	['kra:fti] *adj.*	狡诈的;熟练的
thrifty	['θrifti] *adj.*	节省的
acerbity	[ə'sə:biti] *n.*	涩,酸,刻薄
complicity	[kəm'plisiti] *n.*	合谋,串通
notability	[ˌnəutə'biliti] *n.*	著名,显著
debility	[di'biliti] *n.*	衰弱,虚弱
virility	[vi'riliti] *n.*	雄劲;大丈夫气
insanity	[in'sæniti] *n.*	疯狂;愚昧

最
新
词
汇

fraternity	[frəˈtə:niti] *n.* 同类人；友爱
serendipity	[ˌserənˈdipiti] *n.* 善于发掘新奇事物的天赋
celerity	[siˈleriti] *n.* 快速，迅速
fealty	[ˈfi:əlti] *n.* 效忠
shanty	[ˈʃænti] *n.* 简陋的小木屋
puberty	[ˈpju:bə(:)ti] *n.* 青春期，青春发动期
˙zesty	[ˈzesti] *adj.* 热望的
feisty	[ˈfaisti] *adj.* 活跃的，易怒的
lusty	[ˈlʌsti] *adj.* 精力充沛的
musty	[ˈmʌsti] *adj.* 发霉的，有霉臭的
colloquy	[ˈkɔləkwi] *n.* （非正式的）交谈，会谈
topsy-turvy	[ˌtɔpsiˈtə:vi] *adj.* 颠倒的，相反的；乱七八糟的，混乱的
showy	[ˈʃəui] *adj.* 鲜艳的；炫耀的
sleazy	[ˈsli:zi] *adj.* 邋遢的；格调低下的
frowzy	[ˈfrauzi] *adj.* 不整洁的，污秽的
muzzy	[ˈmʌzi] *adj.* 头脑糊涂的

最
新
词
汇

261

GRE 考试预测词汇

rotunda	[rəu'tʌndə] *n.* 圆形建筑
pagoda	[pə'gəudə] *n.* 宝塔
flea	[fliː] *n.* 跳蚤
acedia	[ə'siːdiə] *n.* 无精打采的样子;懒惰
cachexia	[kə'keksiə] *n.* 极度衰弱,恶病
diorama	[ˌdaiə'rɑːmə] *n.* 透视画;西洋景;立体模型
lamina	['læminə] *n.* 薄板,薄片,薄层
junta	['dʒʌntə] *n.* 团体,派别;小集团
siesta	[si'estə] *n.* 午睡,午休
jab	[dʒæb] *v.* 猛刺
squab	[skwɔb] *adj.* 刚孵出的,羽毛未丰的
crib	[krib] *v.* 抄袭,剽窃
bob	[bɔb] *v.* 轻拍,轻扣;使…上下摆动
drub	[drʌb] *v.* 重击;严责;彻底击败
fatidic	[fə'tidik] *adj.* 预言的
pelagic	[pi'lædʒik] *adj.* 远洋的;海水的
arsenic	['ɑːsənik] *n.* 砒霜,砷
catatonic	[ˌkætə'tɔnik] *adj.* 紧张症的
lymphatic	[lim'fætik] *adj.* 无力的;迟缓的
epideictic	[ˌepi'daiktik] *adj.* 夸耀的
acetic	[ə'siːtik] *adj.* [化]醋的,乙酸的
eidetic	[ai'detik] *adj.* (映象)极为逼真的,异常清晰的
limnetic	[lim'netik] *adj.* 淡水的,湖泊的
encomiastic	[enˌkəumi'æstik] *adj.* 赞颂的,阿谀的

预
测
词
汇

monastic	[mə'næstik]	n. 僧侣,修道士；a. 庙宇的
discalced	[dis'kælst]	adj. 赤脚的,没穿鞋的
steed	[sti:d]	n. 马,骏马
poohed	[pu:d]	adj. 疲倦的
fancied	['fænsid]	adj. 空想的,虚构的
countrified	['kʌntrifaid]	adj. 土气的,粗俗的
infrared	['infrə'red]	adj. 红外线的
ciliated	['silieitid]	adj. 有纤毛的
pavid	['pævid]	adj. 害怕的,胆小的
windshield	['windʃi:ld]	n. 挡风玻璃
viand	['vaiənd]	n. 一件食品
remand	[ri'ma:nd]	n. 遣回；召回
wand	[wɔnd]	n. 嫩枝；指挥棒；权杖
dividend	['dividend]	n. 红利,股利；被除数
wend	[wend]	v. 行,走
mound	[maund]	n. 土石堆,土丘,堆；v. 筑堤,堆起
pound	[paund]	v. 强烈打击；v. 心砰砰跳；费力地移动
placard	['plækɑ:d]	n. 布告
lard	[lɑ:d]	v. 使丰富,使充满
interlard	[,intə(:)'lɑ:d]	v. 使混杂,混入；点缀
bastard	['bæstəd]	n. 私生子
nerd	[nə:d]	n. 书呆子
ladybird	['leidibə:d]	n. 瓢虫
catchword	['kætʃwə:d]	n. 流行语；响亮的口号或标语
stud	[stʌd]	n. 大头钉
jujube	['dʒu:dʒu(:)b]	n. 枣
dice	[dais]	n. 骰子
dentifrice	['dentifris]	n. 牙粉,牙膏
poultice	['pəultis]	n. 膏状药

comeuppance	[kʌm'ʌpəns] n. 应得的惩罚，报应
opulence	['ɔpjuləns] n. 富裕
jounce	[dʒauns] v. 颠簸地移动
trounce	[trauns] v. 痛击，彻底地打败
stampede	[stæm'pi:d] v. 惊跑，逃窜
bide	[baid] v. 等待，逗留
ecocide	['ekəusaid] n. 生态灭绝
lee	[li:] n. 掩蔽处，庇护所
pedigree	['pedigri:] n. 家谱，血统
spree	[spri:] n. 狂欢
twee	[twi:] adj. 脆弱的；故作多情的
gage	[geidʒ] n. 抵押品，担保品
steerage	['stiəridʒ] n. 最低票价的舱位
vintage	['vintidʒ] adj. 经典的；最好的
messuage	['meswidʒ] n. 宅院
sewage	['sju(:)idʒ] n. 下水道，污水
stodge	[stɔdʒ] n. 油腻乏味的食物；乏味的作品
mange	['meindʒ] n. 兽疥癣，家畜疥
lunge	[lʌndʒ] n. 突然地刺或冲
stooge	[stu:dʒ] n. 配角，陪衬；傀儡
postiche	[pɔsˈti:ʃ] adj. 伪造的，假的
recherche	[rəˌʃɛəˈʃei] adj. 精选的，高雅的，罕有的
swathe	[sweið] v. 包，绑，裹
nepenthe	[neˈpenθi] n. 忘忧药，使人忘忧之物
rake	[reik] n. 耙子；斜度；v. 搜索，掠过
keepsake	['ki:pseik] n. 赠品，纪念品
shamble	['ʃæmbl] v. 蹒跚而行，跟跄而行
tumble	['tʌmbl] v. 突然跌倒；突然下跌，倒塌
treadle	['tredl] n. 踏木，踏板
fiddle	['fidl] n. 小提琴；v. (心不在焉地)摆弄；虚度光阴

piddle	['pidl] *n.* 胡混,浪费时间
fuddle	['fʌdl] *v.* 灌醉;使迷糊
finagle	[fi'neigl] *v.* 骗取,骗得
niggle	['nigl] *v.* 拘泥小节;小气地给
gracile	['græsail] *adj.* 细弱的,纤细优美的
wile	[wail] *n.* 诡计;花言巧语
knuckle	['nʌkl] *n.* 指节,关节
suckle	['sʌkl] *v.* 养育;吸奶
tinkle	['tiŋkl] *v.* 发出叮当声
parole	[pə'rəul] *n.* [律]假释,有条件释放
stopple	['stɔpl] *n.* 塞子
hurtle	['hə:tl] *v.* 急飞
jostle	['dʒɔsl] *v.* 推挤;挤开通路
bustle	['bʌsl] *v.* 奔忙,忙碌;*n.* 喧闹,熙熙攘攘
tattle	['tætl] *v.* 闲聊;泄露秘密
grime	[graim] *n.* 污垢,灰垢
toothsome	['tu:θsəm] *adj.* 可口的,美味的
tome	[təum] *n.* 册,卷;大部头的书
flume	[flu:m] *n.* 水槽,斜槽;小溪流过的山涧
mane	[mein] *n.* 鬃毛;长而密的头发
acne	['ækni] *n.* 痤疮,粉刺
soigne	[swɑ:'njei] *adj.* 时髦的;优雅的
sardine	[sɑ:'di:n] *n.* 沙丁鱼
morphine	['mɔ:fi:n] *n.* 吗啡
sideline	['saidlain] *n.* 副业,兼职
ozone	['əuzəun] *n.* 新鲜的空气;[化]臭氧
floe	[fləu] *n.* 浮冰
snipe	[snaip] *v.* 狙击
lagniappe	[læn'jæp] *n.* 小赠品;意料不到的礼物
hype	[haip] *n.* 夸大的广告宣传
padre	['pɑ:dri] *n.* 教士;随军牧师

spitfire	['spitfaiə]	n. 烈性子的人
squire	['skwaiə]	n. 对女人献殷勤的人
esquire	[is'kwaiə]	n. 绅士
threescore	['θri:skɔ:]	n. 六十，六十岁
verdure	['və:dʒə]	n. 青葱，青翠；生机勃勃
primogeniture	[ˌpraimə'dʒenitʃə]	n. 长子身份；长子继承权
apiculture	['eipikʌltʃə]	n. 养蜂
uppercase	['ʌpə'keis]	adj. 大写字母
braise	[breiz]	v. 炖，蒸
high-rise	['hai'raiz]	adj. (建筑物)多层的，高层的
clockwise	['klɔkwaiz]	adj. 顺时针方向的
traipse	[treips]	v. 漫步，闲荡
concourse	['kɔŋkɔ:s]	n. 集合，合流；中央广场
passe	[pæ'sei]	adj. 已过盛年的；过时的
louse	[laus]	n. 虱子，寄生虫
dowse	[dauz]	v. 探寻水源或矿藏
cremate	[kri'meit]	v. 火葬；焚化
inmate	['inmeit]	n. 居住者，居民
inspissate	[in'spiseit]	v. 使…浓缩
regurgitate	[ri(:)'gə:dʒiteit]	v. 涌回，流回；反胃，(动物)反刍
gravitate	['græviteit]	v. 被强烈地吸引
fete	[feit]	n. 节日，宴会
smite	[smait]	v. 重打，猛击；折磨
vigilante	[ˌvidʒi'lænti]	n. 义务警员
distaste	[ˌdis'teist]	n. 讨厌，嫌恶
matte	[mæt]	adj. 无光泽的(=mat)
roulette	[ru(:)'let]	n. 轮盘赌
ague	['eigju:]	n. 冷颤，发冷
risque	[ri'skei]	adj. 败坏风俗的
obsessive	[əb'sesiv]	adj. 强迫性的；分神的

sportive	['spɔ:tiv] *adj.* 嬉戏的,欢闹的
deluxe	[di'lʌks] *adj.* 豪华的,华丽的
stargaze	['stɑ:,geiz] *v.* 凝视星空;做白日梦
wheeze	[wi:z] *v.* 喘息,发出呼哧呼哧的声音
simonize	['saimənaiz] *v.* 给…上蜡,把…擦亮
assize	[ə'saiz] *n.* 法令,条令;裁判
syncretize	['siŋkrə,taiz] *v.* (使)结合,(使)调和
sanitize	['sænitaiz] *v.* 使…清洁
bulldoze	['buldəuz] *v.* 用推土机推平;威胁,恐吓
snooze	[snu:z] *v.* 打盹儿,打瞌睡
gauze	[gɔ:z] *n.* 纱布,薄纱
gaff	[gæf] *n.* 折磨,虐待
raff	[ræf] *n.* 大量,许多
snuff	[snʌf] *v.* 用鼻子使劲地吸;剪烛花
goof	[gu:f] *v.* 犯错误;消磨时间
turf	[tə:f] *n.* 草皮,人工草皮
snag	[snæg] *n.* 暗桩,障碍;突出物
bullyrag	['buli,ræg] *v.* 恐吓,威胁
sag	[sæg] *v.* 松弛,下垂
wigwag	['wigwæg] *v.* 摇动,摇摆
keg	[keg] *n.* 小桶
bootleg	['bu:tleg] *v.* 违法制售(私酒)
peg	[peg] *n.* 木栓,木钉;*v.* 坚持不懈地工作
grig	[grig] *n.* 轻松愉快的人
periwig	['periwig] *n.* 假发
swig	[swig] *v.* 痛饮
boomerang	['bu:mə,ræŋ] *v.* 自食其果
bouncing	['baunsiŋ] *adj.* 精力充沛的;健康的;活泼的
pudding	['pudiŋ] *n.* 布丁

freestanding	['fri:stændiŋ] *adj.* 独立的;不依靠支撑物的
chaffing	[tʃɑ:fiŋ] *adj.* 玩笑的,嘲弄的
bristling	['brisliŋ] *adj.* 竖立的
ravening	['rævniŋ] *adj.* 狼吞虎咽的
hairsplitting	['hɛr,splitiŋ] *n.* 拘泥于细节,吹毛求疵
prong	[prɔŋ] *v.* 刺,戳;贯穿
cog	[kɔg] *v.* 上齿轮;欺骗
slog	[slɔg] *v.* 猛击;苦干
thug	[θʌg] *n.* 暴徒;杀手
jug	[dʒʌg] *v.* 放入壶中;关押
slug	[slʌg] *v.* 猛击,拳击
mug	[mʌg] *n.* 杯子
chutzpah	['khutspə] *n.* 过分自信;厚颜无耻
leach	[li:tʃ] *v.* 过滤
staunch	[stɔ:ntʃ] *adj.* 坚定的;忠诚的
munch	[mʌntʃ] *v.* 出声咀嚼
putsch	[putʃ] *n.* 起义,暴动
retch	[ri:tʃ] *v.* 作呕,恶心
pouch	[pautʃ] *n.* 小袋,烟袋,钱袋
trough	['trɔ:f] *n.* 食槽,槽;波谷
dash	[dæʃ] *v.* 破坏;使受挫;使羞愧
balderdash	['bɔ:ldədæʃ] *n.* 胡言乱语,无意义的话
hash	[hæʃ] *n.* 杂乱的一大堆;杂烩菜
radish	['rædiʃ] *n.* 萝卜
huffish	['hʌfiʃ] *adj.* 不高兴的;傲慢的
peckish	['pekiʃ] *adj.* 饿的;急躁的
bullish	['buliʃ] *adj.* 股票行情看涨的;乐观的,自信的
picayunish	[,pikə'ju:niʃ] *adj.* 微不足道的,不值钱的
josh	[dʒɔʃ] *v.* 戏弄,戏耍(无恶意地)

slosh	[slɔʃ]	v. 溅,泼；n. 雪泥
swath	[swɔːθ]	n. 长而宽的地带
kith	[kiθ]	n. 亲戚；知己
absinth	['æbsinθ]	n. 苦艾酒
behemoth	[bi'hi:mɔθ]	n. 河马；巨兽,庞然大物
wroth	[rəuθ]	adj. 激怒的,非常愤怒的
quasi	['kwɑːzi(:)]	adj. 貌似的,类似的；准的
beak	[bi:k]	n. 鸟嘴,喙
squeak	[skwi:k]	v. 发出吱吱的尖叫声
tweak	[twi:k]	v. 扭,拧,揪；调节,微调
rack	[ræk]	v. 使痛苦,使受折磨
slapstick	['slæpstik]	n. 闹剧
defrock	[di'frɔk]	v. 剥去法衣,解除僧职
unfrock	[ˌʌn'frɔk]	v. 剥去法衣
chuck	[tʃʌk]	v. 扔或抛,抛弃,解雇；辞职
muck	[mʌk]	n. 堆肥,淤泥；v. 施肥；捣乱
ilk	[ilk]	n. 类型,种类
yank	[jæŋk]	v. 拽；拔；猛拔
fink	[fiŋk]	n. 破坏罢工者；告密者；被鄙视者
chink	[tʃiŋk]	n. 裂缝
slink	[sliŋk]	v. 潜逃
bunk	[bʌŋk]	n. 铺位,卧铺；睡觉的地方
funk	[fʌŋk]	n. 怯懦,恐惧；懦夫
perk	[pə:k]	v. 恢复,振作；打扮；竖起
gawk	[gɔːk]	n. 呆子；v. 呆呆地看着
caudal	['kɔːdl]	adj. 尾的,尾部的,像尾部的
anneal	[ə'niːl]	v. 使退火；使加强,使变硬
boreal	['bɔːriəl]	adj. 北方的,北风的
squeal	[skwiːl]	v. 长声尖叫
raptorial	[ræp'tɔːriəl]	adj. 食肉的；凶猛的
subcelestial	[ˌsʌbsi'lestjəl]	adj. 世俗的,尘世的

预测词汇

269

jackal	['dʒækɔːl]	n. 豺
renal	['riːnl]	adj. 肾脏的，肾的
auroral	[ɔːˈrɔːrəl]	adj. 曙光的；极光的；玫瑰色的
spiel	[spiːl]	n. 滔滔不绝的讲话
petrel	['petrəl]	n. 海燕
diesel	['diːzəl]	n. 柴油机
snivel	['snivl]	v. 流鼻涕；n. 啜泣
vigil	['vidʒil]	n. 守夜
assoil	[əˈsɔil]	v. 赦免，释放；补偿，赎
mothball	['mɔːθˌbɔːl]	n. 卫生球
rill	[ril]	n. 小河，小溪
till	[til]	v. 耕种
bankroll	['bæŋkrəul]	n. 现金
troll	[trəul]	v. 钓鱼；兴高采烈地唱
cull	[kʌl]	v. 挑选，精选；n. 挑剩下的次品
mull	[mʌl]	v. 思考，思索；n. 混乱
pool	[puːl]	n. 资源的集合；可共享的物资
drool	[druːl]	v. 流口水；胡说
whorl	[wəːl]	n. 螺纹；v. 打转
soulful	['səulfəl]	adj. 充满热情的，深情的
bellyful	['beliful]	n. 满腹，满肚子
befoul	[biˈfaul]	v. 弄脏；污蔑中伤
mewl	[mjuːl]	v. 啜泣，呜咽
yowl	[jaul]	v. 嚎叫，恸哭
scam	[skæm]	n. 骗局
quondam	['kwɔndæm]	adj. 原来的，以前的
pipedream	['paipdriːm]	n. 白日梦，幻想
flimflam	['flimflæm]	n. 欺骗；胡言乱语
scram	[skræm]	v. 紧急刹车；逃跑
doom	[duːm]	v. 注定；判决
zoom	[zuːm]	v. 急速上升

unbosom	[ˌʌnˈbuzəm] v. 倾诉,吐露心事
rheumatism	[ˈruːmətizəm] n. 风湿,风湿病
lyceum	[laiˈsi(ː)əm] n. 学园;学术讲演的会堂
rheum	[ruːm] n. 感冒;炎性分泌物(指鼻涕、泪等)
condominium	[ˌkɔndəˈminiəm] n. 公寓
bunkum	[ˈbʌŋkəm] n. 空话,废话;哗众取宠的言语
hokum	[ˈhəukəm] n. 废话;老套的噱头
pabulum	[ˈpæbjuləm] n. 食物;精神食粮
sphagnum	[ˈsfægnəm] n. 冰苔,水藓
elysian	[iˈliziən] adj. 乐土的;像天空的;幸福的
divan	[diˈvæn] n. 无靠背的长椅;沙发床
tureen	[təˈriːn] n. 盛汤的碗
fen	[fen] n. 沼泽,沼池
ashen	[ˈæʃ(ə)n] adj. 灰色的,苍白的
stricken	[ˈstrikən] adj. 被(疾病等)折磨的;被击中的
delicatessen	[ˌdelikəˈtesn] n. 熟食,熟食店
straiten	[ˈstreitn] v. 使陷入困难;使变窄
verboten	[vəˈbəutən] adj. 被禁止的,严禁的
kindergarten	[ˈkindəˌgɑːtn] n. 幼儿园
oven	[ˈʌvən] n. 烤箱,烤炉,灶
yen	[jen] v. 上瘾;渴望
noggin	[ˈnɔgin] n. 小瓷杯或茶杯;少量
javelin	[ˈdʒævlin] n. (投掷用的)标枪
con	[kɔn] n. 反对;v. 欺骗
dungeon	[ˈdʌndʒən] n. 地牢
peon	[ˈpiːən] n. 雇工;苦工
bandwagon	[ˈbænd,wægən] n. 引导车;潮流
telethon	[ˈteliθɔn] n. 马拉松式的电视节目

预
测
词
汇

271

python	[ˈpaiθ(ə)n] n. 蟒蛇,巨蛇
spoliation	[ˌspəuliˈeiʃən] n. 抢劫,掠夺
lotion	[ˈləuʃən] n. 洗液(如洗发液等),洗剂
subreption	[səbˈrepʃən] n. 隐瞒真相;歪曲事实
gumption	[ˈɡʌmpʃən] n. 进取心;精明强干
echelon	[ˈeʃəlɔn] n. 等级,阶层
dragoon	[drəˈɡuːn] n. 龙骑兵; v. 以武力迫害,强迫
tarn	[tɑːn] n. 山中的小湖或小潭
subaltern	[ˈsʌbltən] n. 中尉,副官; adj. 下的,次的
slattern	[ˈslætəːn] adj. 不整洁的; n. 不整洁、懒散的女人
popcorn	[ˈpɔpkɔːn] n. 爆米花
tun	[tʌn] n. 大酒桶,发酵桶
brawn	[brɔːn] n. 强壮的肌肉;强健的体力
drawn	[drɔːn] adj. 憔悴的
akimbo	[əˈkimbəu] adj. 两手叉腰的;弯曲的
rococo	[rəˈkəukəu] n. 洛可可; adj. 过分修饰的
dido	[ˈdaidəu] n. 淘气,胡闹
to-do	[tuˈduː] n. 喧闹,骚乱
bingo	[ˈbiŋɡəu] n. 宾果(一种赌博游戏)
folio	[ˈfəuliəu] n. 书或手稿中的一页
hoodoo	[ˈhuːduː] n. 厄运;招来不幸的人
yahoo	[yɑːˈhuː] n. 粗鲁的人
ballyhoo	[ˈbælihuː] n. 喧嚣,喧哗; v. 大肆宣传,大吹大擂
hullabaloo	[ˌhʌləbəˈluː] n. 喧嚣,喧哗
tattoo	[təˈtuː] n. 纹身
Gestapo	[gesˈtɑːpəu] n. 盖世太保;恐怖主义
allegro	[əˈleiɡrəu] adj. [音]轻快的,快速的
proviso	[prəˈvaizəu] n. 限制性条款,附文,附带条件

预测词汇

obbligato	[ˌɔbliˈɡɑ:təu] *n.* 伴奏
moderato	[ˌmɔdeˈrɑ:təu] *adv.* (音乐)中等速度地
graffito	[ɡrəˈfi:təu] *n.* 乱画,涂鸦(复数为 graffiti)
alto	[ˈæltəu] *n.* 女低音
strap	[stræp] *n.* 带,皮带
yap	[jæp] *v.* 狂吠
drip	[drip] *v.* (使)滴下
yelp	[jelp] *v.* 吠,叫喊
scamp	[skæmp] *v.* 草率地做; *n.* 恶棍,流氓
champ	[tʃæmp] *v.* 咀嚼(同 chump)
ramp	[ræmp] *v.* 稳定增长(up)或下降(down) *n.* 坡道,斜坡
crimp	[krimp] *v.* 压褶;使(头发)卷曲;阻碍,束缚
scrimp	[skrimp] *v.* 节省或精打细算
pomp	[pɔmp] *n.* (典礼等的)盛况,大场面;不必要的炫耀
chump	[tʃʌmp] *n.* 蠢人
thump	[θʌmp] *v.* 重击,捶击
dollop	[ˈdɔləp] *n.* 大块,大团;少量
whoop	[hu:p] *n.* 高喊,欢呼
swoop	[swu:p] *v.* 猛扑;突然袭击
pop	[pɔp] *v.* 发出砰的一声;突然出现
burp	[bə:p] *v.* 打饱嗝
blear	[bliə] *v.* 使模糊; *adj.* 模糊的
cribber	[ˈkribə] *n.* 剽窃者
lubber	[ˈlʌbə] *n.* 又大又笨的人
clamber	[ˈklæmbə] *v.* 爬上,攀登
lavender	[ˈlævində] *n.* 薰衣草; *adj.* 淡紫色的
maunder	[ˈmɔ:ndə] *v.* 胡扯;游荡
mudslinger	[ˈmʌdˌsliŋə] *n.* 毁谤者

预
测
词
汇

273

voucher	['vautʃə] *n.* 证据;收据,凭单;优惠购物券
blather	['blæðə] *v.* 胡说八道
dither	['diðə] *n./v.* 慌张,犹豫不决
pother	['pɔðə] *n.* 喧闹;*v.* 烦恼
beaker	['bi:kə] *n.* 大酒杯,有倒口的烧杯
pacemaker	['peismeikə] *n.* 起搏器
dicker	['dikə] *v.* 讨价还价
rocker	['rɔkə] *n.* 摇椅
hanker	['hæŋkə] *v.* 渴望,追求
hunker	['hʌnkə] *v.* 蹲下;顽固地坚持
simmer	['simə] *v.* 煨,炖
breadwinner	['bredwinə] *n.* 养家活口的手艺;养家糊口的人
whimper	['wimpə] *v.* 哭哭啼啼,抽泣
chipper	['tʃipə] *adj.* 充满活力的,愉快的
kipper	['kipə] *v.* 腌制,熏制
luster	['lʌstə] *n.* 光彩;*v.* 有光泽,发亮
spatter	['spætə] *v.* 喷洒
tatter	['tætə] *v.* 撕碎;*n.* 碎片
putter	['putə] *v.* 闲荡;*n.* 置放者
quicksilver	['kwiksilvə] *a.* 水银的,易变的;*v.* 涂上水银
clangor	['klæŋgə] *n.* 铿锵声,叮当声
glamor	['glæmə] *v.* 迷惑;*n.* 魔法;迷人的美
sour	['sauə] *adj.* 酸的
appurtenance	[ə'pə:tinəns] *n.* 附属物
lees	[li:z] *n.* 酒精;渣滓,沉淀物
caries	['kɛərii:z] *n.* 骨头腐烂;龋齿
miniseries	['mini,siəriz] *n.* 电视连续短剧;小型系列赛
blues	[blu:z] *n.* 忧郁,沮丧;忧郁布鲁斯歌曲(蓝调音乐)

patois	['pætwɑ:]	n. 方言;行话
praxis	['præksis]	n. 惯例,常规
orexis	[əu'reksis]	n. 欲望,食欲
barracks	['bærəks]	n. 兵营
thermos	['θə:mɔs]	n. 热水瓶
arrear	[ə'riə]	n. 欠账;待办的工作
divers	['daivəz]	adj. 多样的,各种各样的
cuirass	[kwi'ræs]	n. 胸甲,护胸铁甲
doss	[dɔs]	v. 将就过夜(尤指无适当的床)
grits	[grits]	n. 玉米糊
mucus	['mju:kəs]	n. 粘液
ruckus	['rʌkəs]	n. 喧闹,吵闹
humus	['hju:məs]	n. 腐殖质
piteous	['pitiəs]	adj. 可怜的
pendulous	['pendjuləs]	adj. 下垂的
oleaginous	[ˌəuli'ædʒinəs]	adj. 油腻的;圆滑的;满口恭维的
canorous	[kə'nɔ:rəs]	adj. 音调优美的;响亮的
anurous	[ə'nju:ərəs]	adj. 无尾的
rumpus	['rʌmpəs]	n. 喧闹,吵闹
mat	[mæt]	n. 席子,垫子;v. 铺席子
eruct	[i'rʌkt]	v. 打嗝,喷出
helpmeet	['helpmi:t]	n. 合作者,伙伴
buffet	['bʌfit]	v. 用手打;连续打击;搏斗
crotchet	['krɔtʃit]	n. 怪念头;小钩
tablet	['tæblit]	n. 牌,匾;药片
garnet	['gɑ:nit]	n. 石榴红
beret	['berei]	n. 贝雷帽
bouffant	[bu:'fɑ:ŋ]	adj. 蓬松的;鼓胀的
eggplant	['egplɑ:nt]	n. 茄子
deodorant	[di:'əudərənt]	n. 除臭剂

arrant	['ærənt] *adj.* 完全的,彻底的;极坏的,臭名昭著的
versant	['və:sənt] *adj.* 专心从事的; *n.* 斜坡
recusant	['rekjuzənt] *adj.* 不服从规章的(人)
flatulent	['flætjulənt] *adj.* 自负的,浮夸的
dint	[dint] *v.* 击出凹痕
mascot	['mæskət] *n.* 吉祥物
crackpot	['krækpɔt] *n.* 狂想者,癫狂的人
besot	[bi'sɔt] *v.* 使沉醉;使糊涂
mart	[mɑ:t] *n.* 商业中心,市场
animadvert	[ˌænimæd'və:t] *v.* 苛责,非难
culvert	['kʌlvət] *n.* 管路
squirt	[skwə:t] *v.* 喷,射
spoilsport	['spɔilspɔ:t] *n.* 使人扫兴的人
spurt	[spə:t] *n.* (液体等的)喷射,迸发
egest	[i:'dʒest] *v.* 排泄
wrest	[rest] *v.* 夺取;榨取
vest	[vest] *v.* 授权,授予,赋予
angst	[ɑ:ŋst] *n.* 忧虑,忧惧
supremacist	[sə'preməsist] *n.* 至上主义者
cosmetologist	[ˌkɔzmə'tɔlədʒist] *n.* 美容师
pluralist	['pluərəlist] *n.* 兼职者
internist	['intənist] *n.* 内科医生
foist	[fɔist] *v.* 蒙混,偷偷插入;以骗或强行方式强加
desist	[di'zist] *v.* 停止
host	[həust] *n.* 军队,许多,众多
incrust	[in'krʌst] *v.* 包上外壳,(用宝石等)镶饰
tryst	[traist] *n.* 约会
smut	[smʌt] *n.* 污迹; *v.* 弄脏,污
chestnut	['tʃesnʌt] *n.* 老掉牙的笑话、逸事

mew	[mju:] *n.* 隐蔽处；*v.* 换羽毛，把…关进笼子	
spew	[spju:] *v.* 呕吐；大量喷出	
brew	[bru:] *v.* 酿酒；招致；酝酿，即将来临	
bellow	['beləu] *v.* （牛、象）等吼叫；怒吼，咆哮	
annex	[ə'neks] *v.* 并吞；附加	
admix	[əd'miks] *v.* 混合，掺合	
prix	[pri:] *n.* 奖金，奖品	
flummox	['flʌməks] *v.* 使混乱；使失措；失败	
equinox	['i:kwinɔks] *n.* 昼夜平分点；春分或秋分	
bewray	[bi'rei] *v.* 泄露，暴露	
gabby	['gæbi] *adj.* 饶舌的	
chubby	['tʃʌbi] *adj.* 丰满的，圆滚滚的	
tubby	['tʌbi] *adj.* 声音钝的；矮胖的	
stubby	['stʌbi] *adj.* 断株样的，短粗的	
namby-pamby	['næmbi'pæbi] *adj.* 乏味的；伤感的；懦弱的；*n.* 懦弱的人	
poignancy	['pɔinənsi] *n.* 强烈，尖刻	
saucy	['sɔ:si] *adj.* 无礼的；调皮的；漂亮的	
heady	['hedi] *adj.* 任性的；鲁莽的	
huffy	['hʌfi] *adj.* 愤怒的，怨恨的	
scruffy	['skrʌfi] *adj.* 肮脏的，不洁的	
edgy	['edʒi] *adj.* 急躁的，易激动的；锋利的	
pudgy	['pʌdʒi] *adj.* 短而胖的；胖嘟嘟的	
baggy	['bægi] *adj.* 袋状的；宽松下垂的	
draggy	['drægi] *adj.* 单调而无生气的	
muscology	[mʌs'kɔlədʒi] *n.* 苔藓学	
mycology	[mai'kɔlədʒi] *n.* 真菌学	
conchology	[kɔŋ'kɔlədʒi] *n.* 贝壳学，贝类学	
peachy	['pi:tʃi] *adj.* 极好的，漂亮的	
mushy	['mʌʃi] *adj.* 糊状的；感伤多情的	

预
测
词
汇

277

pushy	['puʃi]	adj. 过于积极的,冒进的
wacky	['wæki]	adj. (行为等)古怪的;愚蠢的
sticky	['stiki]	adj. 湿热的,闷热的
cocky	['kɔki]	adj. 骄傲自大的,过于自信的
cheeky	['tʃi:ki]	adj. 无礼的,厚颜无耻的
funky	['fʌnki]	adj. 有霉臭味的
musky	['mʌski]	adj. 麝香的
gawky	['gɔ:ki]	adj. 迟钝的,笨拙的
mealy	['mi:li]	adj. 粉状的;肤色不健康的,苍白的
lordly	['lɔ:dli]	adj. 有贵族气派的;高傲的
stately	['steitli]	adj. 庄严的;宏伟的
scraggly	['skrægli]	adj. 参差不齐的;蓬乱的
dillydally	['dilidæli]	v. 磨蹭,浪费时间
shilly-shally	['ʃiliʃæli]	v. 犹豫不决;虚度时光
sally	['sæli]	n. 突围;俏皮话,妙语;远足
clammy	['klæmi]	adj. 冷而粘湿的
yummy	['jʌmi]	adj. 美味的,可口的
zany	['zeini]	adj. 荒唐可笑的;像小丑的;n. 小丑,丑角;
satiny	['sætini]	adj. 光滑的,柔细的
bonny	['bɔni]	adj. 健美的,漂亮的
tony	['təuni]	adj. 高贵的,豪华的
jumpy	['dʒʌmpi]	adj. 紧张不安的,心惊肉跳的
frumpy	['frʌmpi]	adj. 邋遢的;老式的,过时的
nippy	['nipi]	adj. 寒冷刺骨的;刺鼻的
choppy	['tʃɔpi]	adj. 波涛滚滚的;不匀称的;结构拙劣的
wispy	['wispi]	adj. 纤细的,脆弱的
bleary	['bliəri]	adj. 视线模糊的,朦胧的;精疲力竭的
tertiary	['tə:ʃəri]	adj. 第三的

tutelary	['tju:tiləri] *n.* 守护神
corollary	[kə'rɔləri] *n.* 必然的结果；推断
actuary	['æktjuəri] *n.* 保险精算师
ornery	['ɔ:nəri] *adj.* 顽固的；爱争吵的
wiry	['waiəri] *adj.* 瘦长结实的
promissory	['prɔmisəri] *adj.* 允诺的，约定的
aleatory	['eiliətəri] *adj.* 不能肯定的，碰运气的
supererogatory	[,sju:pəre'rɔgətəri] *adj.* 职责以外的；多余的，可有可无的
depilatory	[di'pilətəri] *n.* 脱毛药；*adj.* 脱毛的，有脱毛作用的
curry	['kʌri] *v.* 梳刷
deviltry	['devitri] *n.* 恶行；恶作剧
folksy	['fəuksi] *adj.* 有民间风味的；亲切的，友好的
choosy	['tʃu:zi] *adj.* 选择谨慎的，好挑剔的
posy	['pəuzi] *n.* 铭文；花朵，小花束
sissy	['sisi] *n.* 女子气的男人，胆小鬼
flossy	['flɔsi] *adj.* 华丽的，时髦的；丝绸的，柔软的
velvety	['velviti] *adj.* 柔软光滑的
nifty	['nifti] *adj.* 漂亮的；妙的
flighty	['flaiti] *adj.* 轻浮的；反复无常的
senility	[si'niliti] *n.* 高龄，老态龙钟
polity	['pɔliti] *n.* 国家组织；政治
gigmanity	[gig'mæniti] *n.* 市侩阶层
concinnity	[kən'siniti] *n.* 优美，雅致，和谐
suavity	['swæviti] *n.* 柔和，愉快
booty	['bu:ti] *n.* 战利品；丰厚的奖励
patty	['pæti] *n.* 小馅饼，肉饼
hazy	['heizi] *adj.* 朦胧的，不清楚的
ritzy	['ritsi] *adj.* 时髦的；势利的

附录：正序词汇索引

abandon*	122	abrasion*	123	academician	117
abase	226	abrasive*	77	academic	6
abash*	92	abreast	185	acarpous	250
abate*	60	abridge*	33	accede*	29
abbreviate*	64	abrogate*	63	accelerate*	68
abdicate*	61	abrupt	255	accentuate*	72
abduct	251	abscission	124	access*	152
aberrant*	174	abscond*	20	accessible*	41
aberration	127	absenteeism	114	accessory*	204
abet*	166	absinth	269	acclaim*	112
abeyance*	26	absolute	74	acclimate	66
abhor*	147	absolve*	81	accolade*	28
abhorrent	180	absorb*	4	accommodate*	62
abide	29	abstain*	121	accommodating	88
abject*	164	abstemious*	157	accompany	200
abjure*	54	abstention*	131	accomplice*	24
ablution	132	abstentious	159	accomplish*	93
abnegate*	62	abstinent	254	accomplished	11
abnegation	241	abstract*	164	accord	22
abolish	93	abstruse*	60	accost	187
abolition*	130	absurd*	22	accountability	208
abominate*	67	abundance*	24	accrete*	72
aboriginal	236	abundant*	172	accretion*	130
abortive	230	abuse	60	accrue	76
abound	217	abusive*	78	accumulate*	65
aboveboard*	21	abut*	188	accuracy*	193
abrade*	28	abysmal*	103		

accurate*	70	adage	31	adulterate*	69
accuse*	60	adamant	173	adumbrate*	68
acedia	262	adapt*	183	adventitious	158
acerbic*	5	adaptable	40	advent	181
acerbity	260	addendum	115	adverse*	59
acetic	262	addict*	165	advertise*	57
achromatic	215	addition*	130	advert	255
acknowledge*	33	additive*	80	advisable	39
acme	47	addle	222	advocacy*	192
acne	265	address*	153	advocate	62
acolyte	75	adduce	219	aegis	151
acorn*	133	adept*	183	aerate*	68
acoustic	9	adequate*	71	aerial	101
acquaint*	181	adhere*	53	aeronautics	248
acquaintance*	25	adherent*	180	aesthete*	72
acquainted	16	adhesive	77	aesthetic*	8
acquiesce*	27	adjacent*	175	affable*	37
acquired*	13	adjourn*	134	affectation*	127
acquisitive*	80	adjudicate	227	affected*	15
acquittal*	106	adjunct*	166	affection*	129
acquit	171	adjust*	188	affidavit	171
acrid	18	adlib*	214	affiliate*	63
acrimonious*	157	admire*	53	affiliation*	126
acrimony*	200	admission	124	affinity*	209
acrobat*	163	admix	277	affirm*	114
acronym	239	admonish*	94	affix	191
acrophobia	1	adobe	23	afflict*	165
actuarial	236	adolescent	175	affliction*	130
actuary	279	adopt	183	affluence*	27
actuate	229	adore*	54	affluent	181
acuity*	210	adorn*	133	affordable	37
acumen*	119	adroit*	170	affront*	182
acute*	74	adulate*	65	aftermath	234

词
汇
索
引

agape	225	aleatory	279	amalgam*	112
agenda*	1	alert*	184	amalgamate*	66
agglomerate	68	alias*	150	amass*	152
aggrandize*	82	alibi	96	amateur*	149
aggravate*	72	alienate*	66	amateurish	94
aggregate*	62	align	120	ambidextrous*	161
aggression*	124	alimentary	202	ambience	219
aggressive*	78	alkali	96	ambiguous*	162
aggressor	148	allay*	191	ambivalence*	26
aggrieve*	77	allege*	34	ambivalent	177
aghast	255	allegiance*	24	amble*	42
agile*	44	allegory*	203	ambrosial	236
agility*	208	allegro	272	ambulatory	260
agitate*	71	allergic*	5	ambush*	94
agitated*	15	allergy*	197	ameliorate*	70
agnostic*	9	alleviate*	64	amenable*	38
agog*	90	alliterate	229	amendment	178
agony*	200	allocate*	61	amend	20
agrarian*	117	allowance	26	amenity*	208
agreeable*	37	allude*	30	amethyst	255
agronomy*	200	alluring*	88	amiable*	38
ague	266	allusion	124	amicable*	37
ailment	254	almond	217	amiss	249
ail	108	alms	249	amity*	208
airborne	51	aloft*	168	amnesia*	2
airtight*	169	aloof*	84	amnesty*	211
akimbo	272	alphabetical*	100	amoral	236
alabaster	145	alter*	144	amorphous*	156
alacrity*	209	alternate	67	amortize*	83
albeit	170	alto	273	amphibian	117
albino	244	altruism*	115	ample	46
alchemy*	200	altruistic	9	amplify*	195
alcove*	81	aluminium	116	amplitude	30

amputate	229	annals*	151	anticlimax*	190
amulet*	167	anneal	269	antidote*	73
amuse*	60	annexation	128	antihistamine	50
anachronistic*	9	annex	277	antipathy*	197
anaerobic	5	annihilate*	64	antiquated*	15
anagram*	112	annotate*	71	antique	76
analgesia*	2	announce*	27	antiquity	210
analgesic*	7	annoy*	201	antiseptic*	9
analogous*	155	annul	111	antithesis	151
analogy	196	anodyne	225	anurous	275
analyze*	84	anomalous*	159	anvil*	109
anarchist*	187	anomaly*	198	aorta*	3
anarchy*	197	anonymity*	208	aperture	226
anathema	2	anonymous*	160	apex*	191
anatomical	99	anorexia*	2	aphorism*	115
ancestor	148	antagonism*	115	apiary	201
ancestry	205	antagonize*	83	apiculture	266
anchor	147	Antarctic	8	aplomb*	4
ancillary	201	antecedence	26	apocalyptic	9
anecdote*	73	antecedent	176	apocrypha*	1
anemia*	1	antedate	227	apocryphal*	101
anemic	214	antediluvian	118	apogee	31
anesthetic*	8	antenna*	3	apologize*	82
angst	276	anterior	147	apoplectic	8
anguish*	94	anthem*	112	apostasy*	206
angular*	139	anthology*	196	apostate*	71
anhydrous*	160	anthropoid	216	apostrophe	35
animadvert	276	anthropologist	186	apothecary	201
animated*	14	antibiotic*	8	apothegm	238
animate	66	antibody	194	apotheosis	248
animation*	126	antic*	8	appall	109
animosity*	210	anticipate*	67	apparatus*	163
animus	155	anticipatory*	204	apparel	107

apparition	130	aquifer	141	arrant	276
appeal*	101	aquiline	225	array*	191
appease*	56	arabesque*	76	arrear	275
appellation	126	arable	39	arrest*	186
appendage	220	arachnid	216	arresting*	89
appetite*	73	arbiter	144	arrhythmic*	6
appetizer*	147	arbitrary*	202	arrogance*	24
appetizing	89	arbitrate*	70	arrogant*	172
applaud*	22	arboreal*	101	arrogate	63
applause*	60	arboretum*	116	arroyo	136
applicable*	37	arcane*	49	arsenal*	103
applicant*	172	arch*	91	arsenic	262
application	125	archaeology	196	arson*	133
appoint*	182	archer	246	artery*	203
apposite*	73	archetype*	52	arthritis	151
appraise*	56	archipelago	135	articulate*	65
appreciable*	37	architect*	165	artifact*	164
appreciate*	63	archive*	77	artifacts	154
apprehend*	20	arctic	8	artifice*	24
apprehensive*	78	ardent*	176	artificial*	101
apprentice*	24	arena*	3	artillery	259
apprise*	57	argot	182	artisan	240
approach	90	aria*	1	artistry*	205
approbation*	124	arid*	18	artless*	152
appropriate	64	aristocracy	192	ascendancy*	193
approximate*	66	aristocrat	251	ascetic*	8
appurtenance	274	armada*	1	ascribe*	22
apron	132	armistice	24	aseptic*	9
apropos	152	armory*	204	ashen	271
apt*	183	aroma*	2	asinine	225
aptitude	31	aromatic*	7	askance	218
aquatic*	8	arouse*	60	askew	256
aqueduct*	166	arraign	240	asparagus	154

aspect	165	asteroid	17	audible*	40
aspen	119	asthma*	2	audience*	26
asperity*	209	astigmatic	215	audit*	169
aspersion*	124	astound*	21	auditorium	116
asphalt	253	astray	192	auger	246
asphyxiate	64	astringent	176	augment*	179
asphyxia	213	astrolabe*	22	augmentation	242
aspirant	174	astrology*	197	augury*	205
aspiration*	127	astronomical	99	augur	149
aspire	53	astute*	75	august	188
assail	108	asunder	141	aureole	223
assault*	171	asylum*	116	auricular	245
assay*	192	asymmetric*	7	auroral	270
assemble	42	atheism	238	aurora	213
assent*	180	athletics*	150	auspices	150
assert*	184	atonal*	104	auspice	218
assertiveness*	153	atone	225	auspicious*	156
assertive	81	atrocious*	157	austerity*	209
assess*	154	atrocity	207	authentic*	8
assessment*	179	atrophy*	197	authenticity*	207
asset*	168	attach*	91	authoritarian	118
assiduous*	162	attainment	179	authorization*	129
assimilate*	64	attain	121	autobiography*	197
assize	267	attenuate*	71	autocracy*	192
associate	63	attest	186	autocrat*	164
assoil	270	attic*	10	automation	242
assorted	16	attire	226	autonomous	159
assuage*	33	attorney*	194	autonomy*	200
assume*	48	attribute*	74	auxiliary*	201
assumption*	131	attrition	242	available*	38
assured*	14	attune*	51	avalanche*	35
assure	55	auction	130	avant-garde	30
asterisk*	99	audacious*	156	avarice	24

avaricious*	156	badger*	142	barbarous	160
avenge*	34	badinage*	32	barbecue	75
aver*	146	baffle	222	barb	4
averse	59	baggy	277	bard	21
aversion*	124	bail*	108	bare*	52
avert*	184	bait*	169	barefaced	10
aviary*	201	balderdash	268	bargain	121
avid*	18	bale*	36	barge*	34
avocation	241	baleful*	111	bark*	98
avoid*	18	balky	258	barn	133
avow*	190	balk	97	barometer	144
avowal	237	ballad*	10	baron	243
avuncular	245	ballast*	185	baroque	76
awe*	82	ballerina	3	barracks	275
awe-inspiring	88	balloon*	132	barrage*	32
awkward*	21	ballot*	183	barren	119
awl*	111	ballyhoo	272	barricade*	28
awning	87	balm*	113	barrier	142
awry	206	balmy*	200	barrister	247
axiom	113	bamboozle	224	barter*	145
axis	151	banal*	103	bar	138
axle*	47	band*	19	base*	56
azure	226	bandage*	31	bask*	99
babble	40	bandwagon	271	bassoon	243
bacchanal	236	bandy	257	bastard	263
backdrop*	137	bane*	49	baste	74
backfire	226	banish	94	batch	91
backhanded	11	banister*	145	bather	246
backset	167	bankroll	270	bathetic	8
backslide	219	bankrupt	183	baton*	133
backwater	247	banquet	168	battalion	123
bacterium*	116	banter*	144	bauble	222
badge*	33	ban	117	bauxite	73

bawdy*	194	bellicose*	58	beverage	32
bawl	238	belligerence*	27	bewilder*	140
bazaar*	138	bellow	277	bewildering*	88
beacon*	122	bellwether	142	bewray	277
beaker	274	bellyful	270	bibliography*	197
beak	269	belongings	248	bibliophile*	44
beam*	111	bemused	216	bibulous	250
bearing	88	bench*	91	bicker*	143
beat*	163	bend*	19	bide	264
beatific	214	benediction*	129	bid	17
beckon	243	benefactor*	148	biennial	236
bedeck	97	benevolent*	178	bifurcate*	62
bedizen	240	benign	120	bigot	182
bedlam	112	benison	133	bile*	44
bedraggled	216	bent*	175	bilingual*	106
beet	251	bequeath	95	bilious	250
befoul	270	bequest	186	bilk*	98
befuddlement	178	berate	68	billowy	211
befuddle	222	bereave	230	billow	256
beget	252	bereft*	168	bin*	121
begrudge*	33	beret	275	bingo	272
beguile	223	berserk	235	biosphere	53
behemoth	269	beseech	232	biped*	13
beholden	240	beset	167	bit*	169
beholder	140	besiege*	33	bizarre*	54
behold	217	besmirch	91	blackball	237
behoove	81	besot	276	blackmail	237
belabor*	147	bespeak	234	blade*	28
belated	14	bestial*	103	blanch	91
belch	233	bestow*	190	blandishment*	179
beleaguer	146	betoken	240	bland	19
belie*	35	betray*	191	blare	225
belittle*	47	betroth	95	blasé	226

blasphemy*	200	blurt	185	boreal	269
blast	185	blur	149	boredom*	113
blatant	174	blush	95	bore	54
blather	274	bluster*	145	boring*	88
blazon	133	blustering*	88	botany*	200
bleach*	90	boast*	185	botch	233
bleachers	249	bob	262	bottleneck	234
bleak	96	bode	219	bouffant	275
bleary	278	boding	231	bough	233
blear	273	bodyguard*	21	boulder*	140
blemish*	94	boggle*	44	bouncing	267
blighted	15	bogus*	155	bounteous	250
blight	168	bog	90	bouquet*	168
blinds	248	bohemian	239	bourgeois	151
bliss*	154	boisterous*	160	bout*	188
blissful*	111	bolster*	145	bovine	225
blithe*	35	bolt*	171	bowdlerize	231
blizzard*	22	bombardment	253	bower	247
bloated	216	bombast*	185	boycott*	188
blockade*	28	bombastic*	9	brace*	23
blockage*	32	bondage*	31	bracelet*	167
blooming	87	bonhomie	221	bracing	85
blossom	238	bonnet	167	bracket*	166
blotch	92	bonny	278	brackish	233
blowhard*	21	boomerang	267	brag*	85
bludgeon	241	boom	113	braggadocio	135
blueprint*	182	boon*	132	braggart*	184
blues	274	boor*	148	braid*	17
blue	76	boost*	187	braise	266
bluff	231	bootleg	267	brake*	36
blunder	141	bootless	152	brandish	93
blunt*	182	booty	279	brand	19
blurb	4	boo	244	brash	93

brassy	206	brood*	21	bumptious	159
brat*	164	brook*	98	bump	244
brattish	234	browbeat*	163	bungle*	44
bravado*	134	browse	227	bunkum	271
bravura	3	bruise*	57	bunk	269
brawl*	111	bruit*	171	buoy*	201
brawny	258	brunt	182	buoyant*	175
brawn	272	brusque*	76	bureaucracy*	192
bray	256	brutal	106	burgeon*	122
brazen*	120	brute	74	burial*	102
breach	90	bubble	221	burlesque*	76
breadth*	95	buck*	97	burnish*	94
breadwinner	274	bucket*	166	burp	273
breed	11	buckle	223	burrow	256
breezeway	257	bucolic*	5	bust*	188
brew	277	bud*	22	bustle	265
bribe	22	budge*	33	buttress*	154
bricklayer*	146	budget*	166	butt	188
bridle*	43	buffer	246	buxom	238
brim	238	buffet	275	byline*	49
brindled	215	buffoon	132	byproduct	166
brink	98	buff	231	bystander	140
brisk	99	bugaboo	244	Byzantine	50
bristle	47	buggy	257	cabal	99
bristling	268	bulb*	4	cabinet*	167
brittle*	47	bulge*	34	cachet	252
broach*	90	bulk	98	cachexia	262
brocade	219	bulldoze	267	cache	35
brochure*	54	bullion	241	cacophonous	160
broil	237	bullish	268	cacophony*	200
broker*	143	bully*	199	cactus	251
bromide*	29	bullyrag	267	cadaver	247
brooch	233	bumble	222	cadence	219

cadet*	166	canonical*	100	caress	153
cadge*	33	canopy*	201	careworn	134
cajole*	46	canorous	275	cargo*	135
calamity	208	cantankerous*	160	caricature*	55
calcium*	115	cantata	213	caries	274
calculated*	14	canto	136	carillon	243
calculating*	88	cant	171	carnage	220
calculus	155	canvas*	150	carnivorous	161
caldron	132	canvass*	152	carol	110
calibrate*	68	canyon	133	carouse	60
calibre	226	capacious	250	carp*	137
calipers*	152	caper	246	carpenter*	144
calligraphy*	197	cape	52	carpentry	260
callous*	159	capillary*	201	carrion*	123
callow	190	capitalize	230	cartographer*	142
callus	249	capitation	242	cartoon*	132
calorie*	36	capitulate*	65	carve*	81
calumniate*	63	caprice*	24	cascade	219
calumny	200	capricious*	156	cast*	185
cameo	135	capsize	231	caste	74
camouflage*	32	capsule	47	castigate*	63
campaign*	120	caption*	131	castigation*	125
canard	218	captious*	159	casual*	106
canary	202	captivate*	72	casualty	211
candid*	17	capture	55	cataclysm	115
candidacy*	192	carafe	31	catalog*	90
candidate*	62	carapace*	23	catalyst	188
candor*	147	carat	251	catapult	253
cane	49	carbohydrate*	68	catastrophe*	35
canine	50	carcinogen	119	catatonic	262
canker	246	cardinal*	103	catchword	263
canny*	200	cardiologist*	186	categorical	100
canon*	132	careen	240	category*	204

caterpillar*	138	centigrade	28	characterization*	129
cater	144	centralization	129	characterize	83
catharsis*	151	centrifugal	235	charade*	28
cathedral	104	centripetal	236	charisma	2
catholic	5	centurion*	123	charitable*	40
caucus*	154	cephalic	214	charity*	209
caudal	269	ceramic*	6	charlatan*	118
caulk*	98	ceramics	150	charm	114
causal	105	cereal	101	charter	145
caustic	9	cerebral	104	chary*	201
cauterize	83	ceremonious*	157	chase*	56
cautionary	259	ceremony*	200	chasm	114
cavalcade	219	certainty*	211	chaste*	74
cavalier	142	certification*	125	chasten	240
cavalry*	203	certitude	31	chastise*	57
caveat	163	cessation*	127	chauvinism	239
cavern*	133	cession	124	chauvinistic	9
cavil*	109	chafe	31	check*	97
cavity	210	chaff*	84	checkered	216
cavort	185	chaffing	268	cheeky	278
cede	29	chagrin*	122	cheetah	232
celebrated	15	chalice	24	chef*	84
celebrity*	209	chameleon	122	cherubic	5
celerity	261	championship	136	chestnut	276
celestial	103	champion	123	chicanery*	203
celibate	227	champ	273	chic	214
cellar*	138	chancellor	147	chide	29
cello*	135	chandelier*	142	chimera*	3
cement*	178	chant*	172	chink	269
cemetery	259	chaos*	152	chipmunk	98
censor	148	chapel	107	chipper	274
census*	163	char*	138	chip	136
centaur	149	characteristic	9	chirp	245

chisel*	107	circulate*	65	cleavage*	33
chivalrous	161	circulation*	126	cleave*	77
chivalry	259	circumference*	27	cleaver*	146
choice*	24	circumlocution*	131	cleft	168
choir*	147	circumlocutory	260	clemency*	193
choke*	36	circumscribe	22	clement*	178
choleric	7	circumstantial	102	clench	233
choosy	279	circumvent	181	cliché	220
choppy	278	cistern	133	clientele	43
chord*	22	citation	242	climax*	190
choreography*	197	cite*	72	clinch*	91
chore	226	civil*	109	cling*	86
chortle	224	civilian*	117	clinical	99
chorus*	162	civility*	208	clip*	136
chromatic	7	claim	112	clipper	144
chromosome*	48	clairvoyance*	26	clique	76
chronic*	6	clairvoyant	253	clockwise	266
chrysanthemum*	116	clam*	112	clog	90
chubby	277	clamber	273	cloister*	145
chuckle*	45	clammy	278	closed-minded	215
chuck	269	clamor*	147	closet	167
chump	273	clamp	137	closure	226
chunk	235	clandestine	50	clot*	182
churl*	111	clangor	274	cloture*	55
chutzpah	268	clannish	94	cloudburst*	187
ciliated	263	clarify*	195	clout*	188
ciliate	227	clarion	123	clown	134
cinder*	140	clarity*	209	cloying*	89
cineaste	229	clash*	92	cloy	258
cipher	142	clasp*	138	clumsy*	206
circuitous*	161	classify*	195	cluster	145
circuit	170	clause*	60	coagulant*	173
circular*	139	clay*	191	coagulate	65

coagulation*	126	collage*	32	commence*	26
coalesce*	27	collapse*	59	commencement	178
coalition	130	collar*	138	commensurate*	70
coarse*	59	collate*	65	commentary	203
coarsen*	119	collateral	105	commingle*	44
coax*	190	collected	15	commiserate	229
cob*	4	collection*	129	commission	124
cobbler	143	collision*	123	committed*	16
cocky	278	colloquial*	103	commit	170
cocoon*	132	colloquium	116	commodious*	157
coda*	1	colloquy	261	commodity	207
coddle*	43	collude	30	commonplace*	23
code	30	colon*	132	commonsense	58
codify*	195	colonize*	83	commonwealth	95
coerce*	27	colonnade	28	commotion*	131
coercion*	122	colony*	200	communal	104
coeval*	106	coloration	127	commune	51
coffer	245	colossal	105	communicate*	61
cogent*	177	colossus*	163	commute*	74
cogitate*	71	coltish*	94	compact	164
cognate	228	colt	253	companion	123
cognizance	26	coma*	2	comparison*	133
cognizant	175	comatose	59	compartment	179
cognomen	240	combat	163	compass*	152
cog	268	combustible*	41	compassion*	124
cohabit*	169	comedienne	51	compassionate*	67
coherent*	180	comely*	198	compatible*	41
cohesion	123	comestible	222	compatriot	182
cohesive	77	comeuppance	264	compel*	107
coincide*	29	comic	6	compelling*	87
colander*	140	comity	208	compendium*	115
cold-blooded*	11	comma*	2	compensate*	70
collaborate	69	commemorate	70	compensatory	204

compete *	72	conceal *	100	conducive	77
competence *	27	concede *	29	conduct	166
compile *	45	conceit *	170	conduit	171
complacency *	193	conceive *	77	cone *	51
complacent *	175	concentrate *	70	confection *	129
complaisance *	25	concentric	215	confederacy *	192
complaisant *	174	conception	131	confer *	141
complementary	202	concerto * 4	136	conference	27
complexion	242	concession *	124	confess *	152
compliance *	24	conchology	277	confidant	253
compliant *	172	conciliate *	63	confide *	29
complicate *	61	conciliatory	204	confidence *	26
complicity	260	concinnity	279	confidential *	102
compliment *	179	concise *	56	configuration	127
comply *	199	conclave	77	confine *	49
component *	180	conclusive	78	confirm *	114
comport	255	concoct	251	confiscate *	62
compose *	58	concomitant	174	conflagration	127
composed *	14	concord *	22	conflate *	64
composer *	144	concourse	266	conflict	165
compost	187	concrete *	72	conform *	114
composure *	55	concur *	149	conformist *	187
compound *	20	concussion	124	conformity *	208
comprehend *	19	condemn *	122	confound *	20
comprehensible *	41	condense *	57	confront *	182
comprehensive *	78	condescend *	19	congeal *	100
compress *	153	condescending	86	congenial	101
compromise *	57	condign	240	congenital	236
compulsion	123	condiment	254	congest	186
compulsory	260	condole	223	conglomerate *	68
compunction	130	condominium	271	congregate *	62
concatenate *	66	condone *	51	congruent *	181
concave *	76	condor	247	congruous	162

conifer*	141	conspectus	251	content	181
conjecture*	55	conspicuous*	162	contest*	186
conjoin*	122	conspiracy*	193	context	189
conjugal	235	conspire*	53	contiguous*	162
conjunction	130	constant*	175	continent	180
conjure*	54	constellation	126	contingent	176
connive	77	consternation*	127	continuation*	128
connoisseur*	149	constituent	181	contort*	185
connotation	128	constitute	75	contraband	19
connubial	236	constitution*	132	contract	164
conquer*	146	constitutional	104	contradict*	165
conquest*	186	constrain*	121	contradictory	204
conscience	26	constrained	13	contrast	186
conscientious*	158	constraint	181	contravene*	49
conscript*	183	constrict*	165	contrite*	73
consecrate	229	constringe	220	contrition*	130
consensus*	163	construct*	166	contrived	16
consent*	180	construe	76	contrive	77
consequence*	27	consul*	111	control*	110
consequential	103	consummate	66	controversial	102
conservative	79	contact*	164	controvert*	184
conservatory*	204	contagious*	157	contumacious*	156
conserve*	81	containment*	179	contumacy	257
considerable	39	contain	121	contumely	258
consign*	120	contaminate*	66	conundrum	116
consistency	193	contemplate	65	convalescent	175
consistent*	181	contempt*	183	convalesce	27
console*	46	contemptible*	41	convene	224
consolidate	62	contemptuous	162	convenience	26
consolidation*	125	contend*	20	conventional*	104
consonance	218	contented*	16	converge*	34
consonant*	173	contention	131	convergent*	177
consort	255	contentious*	159	conversant	174

converse	59	corpulent	253	court	185
convertible*	41	corpuscle	42	covenant*	173
convert	184	corpus	251	coven	240
convex	191	corral*	105	covert*	184
convey*	195	correspondent*	176	covet*	168
convict*	165	corroborate*	69	cow*	189
conviction*	130	corrode*	30	coward*	21
convince*	27	corrosive	78	cower*	146
conviviality*	207	corrugated*	14	coy*	201
convivial	103	corrugate	63	cozen*	120
convoke*	36	corrupt	183	crab*	4
convoluted*	16	coruscate	227	crabbed	10
convoy	258	cosmetologist	276	crackpot	276
convulse*	57	cosmic*	6	crack	97
convulsion*	123	cosmopolitanism*	115	craft*	168
con	271	cosmopolitan	118	crafty	260
coop*	137	cosmos	152	crag	231
cooperate*	69	cosset*	168	cramp*	137
cooperative	79	costume*	48	cram	112
coordinate	66	cosy(cozy)	260	cranky	198
copious*	157	coterie*	36	crass*	152
cordial	236	coterminous	160	crate*	68
cord	22	cougar*	138	crater	144
core	54	countenance	25	cravat*	164
cornet	252	counteract	164	craven*	120
cornice	218	counterbalance	24	craving*	89
cornucopia*	1	counterfeit*	170	crayon	133
corny	258	countermand	19	crease*	56
corollary	279	counterpart	184	credence*	26
coronation	126	counterpoise	226	credible*	40
corporal	236	counterproductive	80	credit*	169
corporate	70	countrified	263	credo	244
corporeal	101	coup	138	credulous*	159

creek*	97	crumb*	4	curdle	43
creep	136	crumble*	42	curd	218
cremate	266	crumple	46	curfew	256
crepuscular	245	crusade	28	curmudgeon*	122
crescendo*	134	crust	188	curriculum	116
crestfallen	119	crutch	92	currish	233
crest	186	crux	191	curry	279
crevice	218	cryogenic	6	cursive	230
cribber	273	cryptic*	9	cursory*	204
crib	262	crypt	255	curt*	185
crimp	273	cub*	4	curtail*	108
cringe*	34	cubicle*	42	curvaceous	249
cringing	86	cuddle	222	cushion	123
crinkle	223	cue*	75	custodian*	117
cripple	224	cuff	231	custody	194
criteria	1	cuirass	275	customary	202
criterion	123	cuisine	50	cuticle	42
critic*	8	culinary*	202	cutlery*	203
critical*	100	cull	270	cyclical*	99
critique*	76	culmination	126	cyclone*	51
croak*	96	culpable*	39	cygnet	252
crochet*	166	culprit	252	cylinder*	140
crockery*	203	cultivate*	72	cynic*	6
cronyism	115	cultivated	15	cynosure	226
crook	98	cult	171	cypress	153
croon	243	culvert	276	cytology	197
cross*	154	cumbersome*	48	dabbler	246
erotchety	260	cumber	245	dabble	40
crotchet	275	cumulus*	155	daft	168
crouch*	92	cunning	87	dagger*	142
crown	134	cupidity*	207	daguerreotype*	52
crucial*	101	curator*	148	dainty	211
crudity*	207	curb	4	dalliance	218

dally*	199	debonair	247	deduce*	28
damn	241	debouch	92	deduct*	166
damp*	137	debrief*	84	deductive*	80
damped*	13	debris	151	deed	11
dampen*	119	debunk	98	deface*	23
damper	246	debut*	188	defalcate	227
dandy	194	decadence*	26	defame	224
dangle	223	decamp	244	default*	171
dank	235	decant	253	defeatist*	187
dapper	144	deceit*	170	defect*	164
dappled	12	decency*	193	defendant*	172
daredevil	109	decent*	175	defense	58
dart*	184	decentralize	230	defer*	141
dash	268	deception*	131	deference*	27
dastard	218	decibel*	106	deferential	102
daubster	247	deciduous	162	defiance*	24
daub	214	decimate	66	deficiency*	193
daunt*	182	decipher*	142	deficit	169
dawdle*	43	declaim	112	defile*	44
daze	230	declamation*	126	defined*	13
deactivate*	72	declassify	257	definite*	73
deaden*	118	declination	242	definition*	130
deadlock*	97	decline*	49	definitive*	80
deadpan*	118	decode*	30	deflated*	14
dealing*	86	decompose	58	deflect*	165
dearth*	95	decomposition*	131	defoliant	253
debacle*	42	decorate*	69	defoliate	227
debark	98	decorum*	116	defoliator	148
debar	245	decoy	258	deforestation*	128
debase	56	decree	220	deforest	255
debate*	60	decrepit*	170	defraud*	22
debilitate*	71	decry	203	defray	256
debility	260	dedication*	124	defrock	269

deft*	168	demean*	117	deplete*	72
defunct	251	demeanour	248	deplore	54
defuse	60	demented	216	deportation*	128
defy*	195	demise	57	deportment	254
degradation	125	demography*	197	deport	185
dehydrate*	68	demolish*	93	depose*	58
deify	195	demolition*	130	deposition*	130
deign	120	demonstrate*	70	deposit	252
dejected	15	demonstrative	79	depraved	16
delectable	40	demoralize*	82	depravity*	210
delectation	242	demote*	73	deprecate	61
delegate*	62	demotic	9	depreciate*	63
deleterious	158	demur*	149	depredation	241
deliberate	68	demure	226	depressant	253
delicacy*	192	demystify	196	depressed*	14
delicatessen	271	den*	118	depression*	124
delicate	61	denigrate*	69	deprivation*	128
delimit*	170	denim	113	depute	229
delineate*	62	denizen	120	deputize	231
delinquency	193	denominate	228	deputy*	211
delinquent*	181	denomination*	126	deracinate*	66
delirious	158	denote	73	deranged	11
delirium*	116	denouement*	179	derangement	253
delta*	3	denounce*	27	dereliction*	130
delude*	30	dentifrice	263	derelict	165
deluge*	35	denture*	55	deride*	29
delusion*	124	dent	175	derivation*	128
deluxe	267	denude*	30	derivative*	79
delve	81	denunciate	227	dermatologist*	187
demagogue*	75	denunciation*	125	derogate	63
demand*	19	deodorant	275	derogatory	204
demanding*	86	depict*	165	desalinize	230
demarcate	227	depilatory	279	descend*	19

descendant	172	detain*	121	diabetes	150
descent	175	detection*	129	diabolical	99
descry	203	deter*	144	diabolic	214
desecrate*	68	detergent*	177	diagnose	58
desert*	184	deteriorate*	70	diagonal*	104
deserted*	16	deterioration*	127	diagram*	112
deserter*	145	determinant	173	dialect*	165
desertion	131	determination*	126	diameter*	144
desiccate*	61	detestable	221	diaphanous*	160
desideratum	239	detest	186	diatribe*	23
designate	228	detonate	228	dice	263
designation	126	detonation*	127	dicker	274
designer	143	detour	149	dictate*	71
desirable*	39	detract*	251	dictator	248
desirous	251	detraction*	129	dictum	239
desist	276	detrimental	106	didactic*	8
desolate	228	detritus*	163	dido	272
desperado	244	devastate*	71	die*	35
desperate*	69	deviant*	172	diehard	21
despicable*	37	deviate*	64	diesel	270
despise*	57	deviation	126	dietetics	248
despoil	237	deviltry	279	differentiate*	64
despondent	176	devious*	159	diffident*	176
despot*	183	devise*	57	diffuse	60
despotic*	9	devoid	18	digestion*	131
despotism*	115	devolve	230	digit*	170
destitute	229	devoted*	16	dignitary	259
destitution*	132	devotee*	31	dignity*	208
destructible	222	devotional*	104	digress*	153
desuetude	219	devour	149	digression*	124
desultory*	205	devout	189	dilapidated	14
detach*	91	dexterity*	209	dilapidate	62
detached*	11	dexterous	161	dilapidation	241

dilate*	64	discern*	133	disengage*	31
dilatory*	204	discernible*	41	disentangle*	44
dilemma*	2	discerning*	87	disfigure	54
dilettante*	73	discharge	34	disfranchise	226
diligence*	26	disciple*	46	disgorge	35
dillydally	278	discipline	49	disgruntle	46
dilute*	74	disclaimer	246	disguise	57
dim*	112	disclaim	112	disgust*	188
dimension*	123	disclose*	58	dishearten	240
diminuendo	244	discography	197	disheveled	216
diminution	132	discombobulated*	14	dishevel	237
dimple*	46	discombobulate	65	disillusion*	124
din*	121	discomfit*	170	disinfect*	164
dingy*	196	discomfited*	15	disinfectant	174
dint	276	discomfiture	55	disintegrate	229
diocesan	240	discompose	58	disinter*	145
diorama	262	disconcert	184	disinterested*	16
diplomatic	7	discord*	22	disjunction*	130
dipsomania	213	discount*	182	disjunctive*	80
dire	53	discourse*	59	dislocate*	61
dirge*	34	discredit*	169	dislodge	33
disabuse	60	discreet*	166	dismal	103
disaffect*	164	discrepancy	193	dismantle	46
disagreeable	37	discrete*	72	dismay*	191
disarm*	114	discretion*	130	disparage*	32
disarray*	191	discretionary	202	disparate*	68
disaster*	145	discriminate*	67	disparity*	209
disavow	256	discriminatory	204	dispassionate*	67
disband	217	discursive	78	dispatch	92
disbar*	138	disdain*	121	dispel*	107
disburse*	59	disembodied	12	dispensable	39
discalced	263	disembody	257	dispense*	58
discard	21	disenchant	172	disperse*	59

词
汇
索
引

displace*	23	distaste	266	dividend	263
disport	255	distend*	20	divine	51
disposable	39	distension*	124	divulge*	34
disposal*	105	distention	242	docile*	44
dispose*	58	distill*	110	dock	234
disposed*	14	distinct*	166	doctrinaire	53
disposition	131	distinction*	130	doctrine*	50
disproof*	85	distinctive	80	document*	179
disprove*	81	distinguished*	11	dodder	140
dispute*	74	distort*	185	dodge*	33
disquisition	242	distract*	164	doff*	84
disregard*	21	distracted	15	dogged	11
disrepute*	74	distrait	252	doggerel*	107
disrupt*	184	distraught*	169	doggo	244
disruptive*	80	distress*	154	dogma*	2
dissect*	165	distribute*	74	dogmatism*	115
dissection	242	district	165	doldrums*	151
dissemble*	42	ditch	233	doleful*	111
disseminate*	67	dither	274	dollop	273
dissent*	180	ditty*	211	dolorous	161
dissertation*	128	diurnal*	104	dolt*	171
dissident*	176	divagate	227	domain	121
dissimulate	65	divan	271	dome*	48
dissipate*	67	diva	3	domesticate	61
dissociate	227	diver*	146	domicile	44
dissociation*	125	diverge*	34	dominant*	173
dissolute*	74	divergent	177	dominate*	67
dissolve*	81	diverse	59	domination*	126
dissonant	173	diversity*	210	donate*	67
dissuade*	28	divers	275	donor*	148
distain	240	divert*	184	doodle*	43
distal	237	divest*	186	doom	270
distant*	175	divestiture	55	dormancy*	193

dormant*	173	dregs	150	dune*	51
dorsal	105	drench*	91	dungeon	271
dose*	58	drenched*	11	dupe*	52
dossier*	142	dribble	221	duplicitous	161
doss	275	drill*	110	duplicity*	206
dotage	220	drip	273	duration*	127
dote*	73	drivel	108	duress	154
doting*	89	drizzle	47	dutiful	111
double-cross	249	drizzly	199	dwarf	85
dour	149	droll*	110	dwelling*	87
douse*	60	drollery	259	dwindle*	43
dowdy	257	drone	51	dynamic	6
down*	134	drool	270	dynamo*	135
downplay	191	droop	137	dysfunctional*	104
downpour	149	droplet*	167	dyslexia*	2
down-to-earth*	95	dross*	154	dyspeptic*	9
dowry	260	drought*	169	eaglet	252
dowse	266	drove*	81	earnest*	186
doyen	120	drub	262	earplug*	90
doze	231	drudgery	203	earring*	88
drab*	4	dual	106	earshot	182
draconian	117	dubious	156	earsplitting	89
draft*	168	duckling	87	earthly	198
draftsmanship	136	ductile	223	earthshaking	232
draggy	277	duct	166	earthy*	198
dragoon	272	duel*	108	easel*	107
drain*	121	duet*	168	eavesdrop*	137
drainage*	32	dulcet	251	ebb*	4
drastic	9	dull*	110	ebullience*	26
drawbridge*	33	dullard	218	eccentric	7
drawl*	111	dumbfound	217	ecdysis	249
drawn	272	dummy*	200	echelon	272
dreary*	201	dunce	219	éclat	251

eclectic*	8	eidetic	262	embarrass*	152
eclecticism*	114	ejaculate	228	embed*	10
eclogue	229	elaborate	69	embellish*	93
ecocide	264	elaboration	127	embezzlement*	178
ecologist*	186	elated*	14	embitter	247
economical*	99	elbow*	189	emblazon	243
ecstasy*	206	electorate	229	emblematic	7
ecstatic	8	elegy*	196	embodiment	254
ecumenical	235	elementary	202	embody	194
eddy*	193	elephantine*	50	embolden*	118
edgy	277	elevate*	72	emboss*	154
edict	251	elicit*	169	embrace*	23
edifice	23	eligible	41	embroider*	140
edify	195	eliminate	67	embroil	237
eerie	221	elite*	72	embryonic	215
efface	23	elixir	247	emend	20
effeminate	228	ellipsis*	151	emerald	217
effervesce	27	elliptical	100	emergency	193
effete	72	elm	113	emigrate*	69
efficacious	156	elocution	131	eminence	27
efficacy	192	elongate	63	eminent	180
effigy	257	eloquence*	27	emissary*	202
effluvia*	2	elucidate	62	emit*	170
effrontery*	203	elude*	30	emollient*	177
effulgent	176	elusive*	78	emolument	254
egalitarian	117	elysian	271	emote*	73
egest	276	emaciate*	63	empathy	198
eggplant	275	emaciation*	125	emphatic*	7
egocentric	7	emanate*	66	empirical*	100
egoism	239	emancipate*	67	empiricism	114
egotist*	187	emasculate	228	empower*	146
egregious	157	embankment	254	empyreal	101
egress*	153	embargo*	135	empyrean	239

emulate*	65	engross*	154	entity*	210
emulsify	195	engrossment	254	entourage	220
enact*	164	engulf*	84	entrance*	25
enamel	107	enhance*	24	entrancing	85
enamored	13	enjoin*	122	entreat*	163
encapsulate*	65	enlightening	87	entreaty*	206
enchant*	172	enlighten	119	entrée	31
encipher	246	enlist*	187	entrench	233
enclosure*	55	enliven*	120	entrepreneur	149
encomiastic	262	enmesh	93	entrust*	188
encomiast	185	enmity*	208	entry*	205
encomium*	116	ennoble	222	entwine	225
encompass*	152	ennui*	96	enumerate*	69
encounter*	145	enormity*	208	enunciate*	63
encroach*	90	enormous	160	environs	249
encumber*	139	enrage*	32	environ	132
encyclopedia*	1	enrapture*	55	envisage	220
encyclopedic	214	ensconce*	27	envision	123
endearing	88	ensemble*	42	enzyme*	48
endemic*	6	enshrine	225	epaulet*	167
endorse*	59	ensign	120	ephemeral*	104
endow*	190	enslave	230	epicure*	54
endue	229	ensnare	225	epicurean	239
endure*	54	ensue*	76	epic	7
enduring*	88	ensure	55	epideictic	262
enervate*	72	entail	108	epidemic*	6
enfeeble	40	entangle*	44	epidermis*	151
enfetter	146	enterprise	57	epigram*	112
enflame	47	enthralling	87	epilogue*	75
engaged*	11	enthrall	237	episode	219
engaging*	86	entice*	24	episodic*	5
engender*	140	entirety*	206	epitaph*	92
engrave*	77	entitle*	46	epithet*	166

epitome*	48	esophagus*	154	evanescent*	175
epitomize*	83	esoteric*	7	evaporate*	70
epoch	91	espionage*	32	evasion*	123
equable	40	espousal	105	evasive	77
equanimity*	208	espouse*	60	even*	120
equate*	71	espy*	201	evenhanded	11
equation*	128	esquire	266	even-tempered*	216
equator*	148	essential*	102	everlasting	232
equestrian	240	estimable*	38	evict*	165
equilibrium*	116	estranged	11	eviction*	130
equine	51	estrange	220	evince*	27
equinox	277	estuary	259	eviscerate	229
equity*	210	etch*	92	evocative	78
equivalent*	178	etching	86	evoke*	36
equivocate	62	eternal	104	evolve*	81
equivocation	125	ethereal	101	ewer	146
eradicate*	61	ethics*	150	ewe	82
erase*	56	ethnic	6	exacerbate*	61
erasure*	54	ethnology	197	exact*	164
erect*	165	ethos	152	exacting*	89
errand	19	etiquette*	74	exactitude	31
erratic*	8	etymology	197	exaggerate*	68
err	149	eucalyptus*	163	exaggeration*	127
ersatz	212	eugenic	214	exalt*	171
erstwhile	44	eulogistic	9	exaltation	128
eruct	275	eulogize*	82	exasperate*	69
erudite*	72	eulogy*	197	excavate*	72
erupt	183	euphemism*	114	exceed	11
escalate	64	euphonious*	157	excel*	107
escalation	126	euphoria*	2	exceptionable	221
escapism	115	evacuate*	71	exceptional*	104
eschew*	189	evade*	28	excerpt	254
escort	255	evaluation*	128	excess*	152

exchequer	247	exonerate*	69	expulsion	241
excise*	57	exorbitant*	174	expunge*	34
excitability*	207	exorcise	56	expurgate	63
exclaim*	112	exotic*	9	exquisite	73
exclamation*	126	expand*	19	extant*	175
exclude	30	expansive	78	extemporaneous*	155
exclusive	78	expatiate	228	extemporize*	83
excogitate	229	expatriate	228	extend*	20
excoriate*	64	expediency	193	extenuate*	71
excrete*	72	expedient	177	exterminate	67
excruciate	227	expeditious*	158	externalize*	82
exculpate*	68	expel*	107	extinct*	166
excursion	124	expend*	20	extinction*	130
excursive*	78	expenditure*	55	extinguish	94
execrable	39	expertise*	57	extirpation*	127
execrate	68	expiate*	64	extol*	110
execration	242	expiation	241	extort*	185
execute*	74	expiration	127	extract*	164
exemplary*	201	expire*	53	extradite	229
exemplify	195	explicable	221	extraneous*	155
exempt*	183	explicate	61	extrapolate*	65
exert*	184	explicit*	169	extravagance*	24
exhale*	37	exploit	170	extremist*	187
exhaustive*	81	explosive	78	extricable*	37
exhaust	188	exponentially	199	extricate*	61
exhilarate*	68	exponent	180	extrinsic	215
exhilaration	127	exposition*	131	extrovert*	184
exhort*	184	expository	205	extrude	219
exhume	224	expostulate	66	exuberance*	25
exigent*	176	exposure*	55	exuberant	174
exiguous	251	expound	20	exude*	31
existential	102	expressly	199	exult*	171
exodus*	154	expropriate	228	exultant	253

fabric*	7	famine	50	feature*	55
fabricate*	61	famish*	94	feat	163
fabulous	250	fanatic*	7	febrile	223
facade	28	fancied	263	feckless*	152
facetious*	158	fanfare	225	fecundity	207
facet	166	fang*	85	fecund	217
facile	44	fantasia	213	feeble*	40
facilitate*	71	fantasy*	206	feedback*	96
facilities	150	farce*	27	feign*	120
facsimile	223	farewell	109	feigned	13
faction	129	farrow	256	feint	181
factitious	250	far-reaching*	86	feisty	261
factorable*	39	fascia	213	felicitate	229
factotum	116	fascinate	228	felicitous*	161
factual*	106	fasten*	119	feline	225
faculty*	211	fastidious*	157	fell	109
faddish	93	fastness	153	felon*	132
fade	28	fast	185	felony	200
fad	10	fatal*	105	feminist	187
fag	231	fathom	113	fencing	231
fail-safe	220	fatidic	262	fender	140
fainthearted	216	fatigue*	75	fen	271
fake	221	fatten*	120	feral*	104
falcon	122	fatuity*	210	ferment*	179
fallacious*	156	fatuous*	162	fermentation*	128
fallacy*	192	faucet*	166	fern*	133
fallibility*	208	fault*	171	ferocious	250
fallible*	41	faultfinder*	140	ferret	167
fallow*	190	favorable*	39	ferrous*	161
falsehood*	21	fawn*	134	ferry	260
falsify	257	faze	82	fertile*	45
falter*	144	fealty	261	fertilize*	83
familiarity*	209	feasible	41	fertilizer*	147

fervid*	18	filth	95	flask*	99
fervor*	149	finable	221	flatcar*	138
festal	237	finagle	265	flatten*	120
fester*	145	finale	37	flatter*	145
festive*	81	finery	259	flatulence	219
fete	266	finesse*	59	flatulent	276
fetid*	18	finicky*	198	flaunt*	182
fetish	233	finite*	73	flaunty	211
fetter*	145	fink	269	flavoring	232
fetus	163	firearm*	113	flaw*	189
feud*	22	firebrand	217	flax*	190
fiasco*	134	firefly	198	flay	256
fiat*	163	fiscal	100	flea	262
fickle	45	fishery	259	fleck	234
fictitious*	158	fissile	223	fledge*	33
fiddle	264	fissure*	55	fledgling	87
fidget*	166	fitful	238	fleece	218
fiend*	217	fixate*	72	fleeting*	89
figment	179	flabby	257	fleet	252
figurative*	79	flaccid	17	flexible*	41
figurehead	10	flag*	85	flicker	246
figurine*	50	flagellate	228	flick	234
fig	85	flagging	86	flight*	168
filament	253	flaggy	196	flighty	279
filch	233	flagrant	174	flimflam	270
file*	44	flail*	108	flimsy*	206
filial	236	flair	247	flinch*	91
filibuster*	145	flak	96	flint*	181
filigree*	31	flamboyant*	175	flip*	136
filings	150	flammable* 4	38	flippant*	173
fillet	252	flange*	34	flirt*	184
filly*	199	flannel	237	flit*	170
filter*	144	flare*	52	flock*	97

词
汇
索
引

floe	265	foment*	179	forlorn	243
floodgate*	62	fondle	222	formality	207
floppy	259	foodstuff	84	formation*	126
flora*	3	foolproof	85	formative	230
florescence	219	foothold	217	formidable*	37
florid	18	footle	224	formula	2
flossy	279	foppish*	94	forsake*	36
flounder	141	fop	245	forswear	245
flourish*	94	forager*	142	forte	74
flout*	188	forage	32	forthright*	169
fluctuate*	71	foray	256	fortify*	196
fluffy	195	forbearance*	25	fortitude*	31
fluke*	36	forbid*	17	fortuitous	161
flume	265	forbidding	85	fort	255
flummox	277	ford	22	forum	116
flunk	235	forebear	245	forward*	21
fluorescent	175	forebode	29	fosse	60
flush*	95	forecast*	185	fossilize*	83
flustered*	13	foreclose	227	foster*	145
flutter*	146	foreknowledge	33	foul	111
fluvial	103	forensic	215	founder	141
flux	191	forerunner	143	four-poster*	145
fodder	245	foreshadow	190	foyer*	147
foible*	41	foresight*	169	fracas*	149
foil*	109	forestall*	109	fraction*	129
foist	276	forestry*	205	fractional	236
fold*	18	foreword	218	fractious*	158
folder*	140	forfeit*	170	fracture*	55
foliage	32	forfeiture	226	fragile*	44
folio	272	forge*	34	fragment*	179
folklore	54	forger*	142	fragrance*	25
folksy	279	forgery*	203	fragrant*	174
folly	199	forgo	135	frail	108

frantic	8	frowzy	261	fuss*	154
fraternal	236	fructify	257	fussy	206
fraternity	261	frugal*	101	fustian	240
fraud*	22	fruition*	131	fusty	211
fraudulent*	178	frumpy	278	futile	45
fraught*	169	frustrate*	70	futility	208
fray	256	fuddle	265	gabble	221
freak	234	fulcrum	116	gabby	277
freckle*	45	fulfil*	108	gab	214
freelancer	139	full-blown	134	gadfly*	198
freestanding	268	full-bodied*	12	gadget*	166
freight	168	full-fledged	11	gaffe*	31
frenetic*	8	fulminate*	67	gaff	267
frenzy*	212	fulsome*	48	gage	264
frequency*	193	fumble*	42	gaggle*	43
frequent*	181	fume*	48	gaiety	260
fresco*	134	fumigate*	63	gainsay*	192
fret*	167	functional	104	gait	169
fretwork	235	functionary*	202	galaxy*	212
friable*	38	fundamental	106	gale	221
friction*	130	funereal	235	gall*	109
frieze	82	fungicide*	29	gallant	173
frigidity*	207	fungi	96	galley*	194
frigid	17	funky	278	gallon*	132
fringe*	34	funk	269	gallop	245
frisky	198	furbish	233	gallows	251
frisk	235	furnace*	23	galvanize*	83
fritter	247	furor	148	gamble*	42
frivolous	159	furrow*	190	gambol*	110
frolicsome	224	furtive*	81	gamut	255
frolic	214	fury	260	gander	245
frond*	20	fusillade*	28	gangling	232
frothy	198	fusion*	124	gangly	258

gangrene	224	gazetteer	141	gestate	229
gangway*	192	gear*	138	gesticulate	228
gape*	52	gem*	112	gesture*	56
garble*	42	genealogy*	196	geyser*	144
garbled*	12	generality*	207	ghastly	258
gardenia	1	generalize	82	gibe	22
gargantuan*	118	generate*	69	giddy	193
gargoyle	47	generation	127	giggle*	44
garish*	94	generator*	148	gigmanity	279
garland	217	generic*	7	gild*	18
garment*	179	generosity*	210	gimmick*	97
garner*	143	genesis	151	gingerly	199
garnet	275	genetics*	150	ginger	142
garnish*	94	genetic	8	girder*	141
garret	252	gene	49	girdle	222
garrulity*	208	genial*	101	girth	95
garrulous*	159	genome	48	gist*	186
gaseous*	155	genre	54	glacial	101
gash	92	genteel	107	glade*	28
gasification	125	gentle*	46	gladiator*	148
gastric	215	gentry	205	glamorous	251
gastritis	249	genuflect	251	glamor	274
gastronomy	258	genuine*	50	glance*	25
gaucherie*	36	genus	155	glare*	52
gauche	221	geometrician*	117	glaze*	82
gaudy	194	germ*	114	gleam	238
gauge	35	germane*	49	glean*	117
gaunt	254	germicide*	29	glee	220
gauze	267	germinate	67	glib*	4
gavel*	108	gerontocracy*	192	glide*	29
gawky	278	gerontology*	197	glimmer*	143
gawk	269	gerrymander	140	glimpse	227
gaze*	82	Gestapo	272	glisten*	120

glitch	92	gorgeous	250	gratis	249
glitter	247	gorilla*	2	gratitude*	30
gloaming	232	gormandize	230	gratuitous*	161
gloat*	163	gosling	232	gratuity*	210
gloomy	200	gospel	107	grave*	77
gloom	113	gossamer*	143	gravel*	108
glorify	257	gouge*	35	gravitate	266
gloss*	154	gourmand*	19	gravitational	104
glossary*	202	gourmet*	167	gravity*	210
glossy*	206	governance	219	graze*	82
gloss-over	247	grace*	23	grease*	56
glow*	190	gracile	265	green*	118
glower*	146	gracious*	156	greenhorn	243
glowing*	89	gradation	125	greenhouse*	60
glucose	58	graduated	15	gregariousness*	153
glut*	188	graffito	273	gregarious	158
glutinous*	160	graft*	168	grenade*	28
gluttonous*	160	grain*	121	gridiron	243
gnarled	12	granary	259	grief*	84
gnat	251	grandeur*	149	grievance*	25
gnaw*	189	grandiose*	58	grieve*	77
gnawing	232	grandstand*	19	grievous*	162
gnome	224	granite*	72	grig	267
gnomic	214	grant*	174	grill*	110
goad*	10	granule	224	grimace	23
gobble*	40	graphic*	5	grime	265
goblet*	167	graphite	72	grim	113
goggle	223	grasping*	88	grind	20
goldbrick	97	grate*	69	grin	122
gong*	89	grateful*	111	gripe*	52
goodwill*	110	gratification*	125	gripping	88
goof	267	gratify*	196	grisly*	199
gorge*	35	grating*	88	gristle*	47

grits	275	gull	237	hallow*	190
grit	170	gulp*	137	hallowed	16
groan*	118	gum*	115	hallucination*	126
groom*	113	gumption	272	halo*	135
groove*	81	guru	189	halting*	89
grope	52	gush*	94	hammer*	143
gross	154	gusher*	142	hamper*	143
grotesque	230	gust*	188	hamstring	232
grotto	136	gustation*	128	handedness*	153
grouch*	92	gustatory*	204	handle*	43
grounded*	11	gusto	244	hangar	138
group*	138	gutless	249	hangdog	90
grouse*	60	gutter*	146	hankering	88
grove*	81	guttle	224	hanker	274
grovel*	108	guy*	211	haphazard*	21
growl	238	guzzle*	47	harangue*	75
grudge	220	gynaecocracy	257	harass*	152
grueling*	87	gyrate	70	harbinger	142
gruesome	224	h*ymn	122	harbor*	147
gruff	231	habitable	221	hardbitten	240
grumble*	42	habitat	164	harden*	118
grumpy	258	habituate	72	hardheaded	10
guarantee*	31	hack*	96	hardihood	217
guffaw	189	hackneyed*	16	hardy	194
guile*	45	haft	252	harmony*	200
guileless*	152	haggard	217	harness	153
guillotine*	50	haggle	222	harpoon	243
guilt*	171	hail	108	harpsichord	22
guilty*	211	hairsplitting	268	harp	137
guise*	57	halcyon*	133	harridan	117
gulch	233	hale*	36	harrow*	190
gullible*	41	halfhearted	16	harrowing	89
gully	199	hallmark	98	harry	205

harsh*	94	hedge*	33	hermetic*	8
harshly*	198	hedgehog	232	hermit	170
hash	268	hedonic	215	herpetologist	187
hassle	224	hedonism	239	heterodox*	191
hasten*	120	hedonist*	187	heterogeneous*	155
hasty*	211	heed*	11	hew*	189
hatch*	91	hegemony*	200	hexagon	122
hatchet	252	heinous*	160	heyday	256
haughty	206	heirloom	113	hiatus	163
haunt	182	heir	147	hibernate*	67
hauteur	149	heliotrope	225	hide*	29
haven*	120	helmet*	167	hidebound	20
havoc*	10	helm	238	hideous	155
hawk*	99	helot	254	hierarchy*	197
hawker	246	helpmeet	275	hieroglyph*	92
hawser	247	helve	230	hieroglyphic*	5
hazardous	155	hemisphere*	53	hie	35
hazard	21	hemophilia*	1	highbrow*	190
hazy	279	hemorrhage*	32	high-rise	266
headlong	89	hemostat	164	hike	36
headstrong*	90	hem	112	hilarious	158
headway	192	henpecked	215	hilt	253
heady	277	hepatitis	249	hinder*	140
heal*	100	herald	217	hinge*	34
hearken	119	herbaceous*	155	hinterland	217
hearsay	256	herbicide*	29	hippopotamus	249
hearten*	119	herbivorous*	161	hirsute	75
heartrending	86	herd*	22	hiss*	154
heartsick	234	herdsman	240	histology	197
heave	230	hereditary*	202	histrionic*	6
heavy-heckle*	45	heresy*	206	hitherto	136
hectic	8	heretic*	8	hive	77
hector	148	heretical*	100	hoard*	21

hoarse	227	hortative	79	hurl*	110
hoary	202	horticulture*	55	hurricane*	49
hoax*	190	hospitable*	40	hurtle	265
hobble	221	hostile*	45	husband*	19
hodgepodge	33	hostility*	208	husbandry	203
hoe*	51	host	276	hush*	95
hoist*	187	hovel	108	husk*	99
hokum	271	hover*	146	husky	198
hold*	18	howler	246	hut	255
holocaust	255	hub*	4	hybrid*	18
holograph	233	hubbub	214	hydrant	174
holster*	145	hubris*	151	hydrate*	68
homage	32	huckster*	145	hygiene	224
homely	258	huddle	222	hyperactivity*	210
homeostasis	151	hue	76	hyperbole*	46
homiletics*	150	huffish	268	hypertension	123
homily	258	huffy	277	hype	265
homogeneity	207	hulk	98	hyphen*	119
homogeneous*	155	hull*	110	hypnotic	9
homogenize*	83	hullabaloo	272	hypocrite*	73
homograph	233	humane	49	hypocritical*	100
hone*	51	humble*	42	hypodermic	214
honorarium*	116	humdrum	116	hypotenuse	60
hoodoo	272	humid*	17	hypothesis*	151
hoodwink*	98	humidity*	207	hypothetical*	100
hoof*	84	humiliate	63	hysteria*	2
hoop	137	humility*	208	icicle*	42
horizontal*	106	humor*	147	icing	231
hormone*	51	humus	275	icon*	122
horn*	134	hunch	91	iconoclastic	9
horology	258	hunker	274	iconoclast	185
horrendous	249	hunk	235	ideology	196
horrific*	5	hurdle*	43	idiom	113

idle	43	immanent	179	imperil	237
idolater	144	immemorial	102	imperious*	158
idolatrize	231	immense	58	impermanent*	179
idolize	230	immensity	210	impermeability*	207
idol	237	immerse*	59	impermeable	37
idyll*	110	imminent*	180	impersonate*	67
igneous*	155	immolate*	65	impertinence*	27
ignite*	73	immortal	237	imperturbable*	37
ignoble	42	immune*	51	impervious	159
ignominious*	157	immunity*	209	impetuous*	162
ignominy	200	immunize*	83	impetus	163
ignorant*	174	immure*	54	impinge	34
ilk	269	impact*	164	implant*	173
illegal*	101	impair*	147	implausible*	41
illegible	222	impale	37	implement	178
illegitimate*	66	impalpable	39	implicate*	61
illiberal	236	impart*	184	implication*	125
illicit*	169	impartial*	103	implicit*	169
illiterate*	69	impasse*	59	implode*	30
illuminate*	67	impassioned*	13	implore*	54
illuminati*	96	impassive*	78	impolitic	8
illusion*	124	impeach*	90	imponderable	39
illusive*	78	impeccable*	37	importune*	51
illusory*	204	impecunious	157	import	185
illustrate	70	impede*	29	impose*	58
illustrious	250	impediment	179	imposing	88
imbecile	223	impel*	107	impostor	148
imbibe	22	impending*	86	imposture*	56
imbroglio*	135	impend	217	impoverish*	94
imbue	75	impenetrable	39	imprecation	241
imitation*	127	impenitent*	180	imprecise*	56
imitative*	79	imperative*	79	impregnable	38
immaculate*	65	imperial	101	impresario	135

impressed* 14
impression* 124
impressionable 38
imprint* 182
impromptu* 189
improvident* 176
improvise* 57
improvised 14
imprudent* 176
impudent* 176
impugn* 121
impuissance* 25
impulse 57
impulsive* 77
impunity* 209
imputation 242
impute 229
imp 137
inadvertence* 27
inadvertently 199
inalienable 38
inane* 49
inanimate* 66
inappreciable 37
inaugural 105
inaugurate 70
inborn* 133
incandescence* 26
incantation 128
incarcerate* 68
incarnate 67
incendiary 201
incense 57

incentive* 80
inception 131
incertitude 220
incessant 174
inchoate* 67
inch 91
incidence 26
incinerate* 69
incipient* 177
incise* 56
incision* 123
incisive* 77
incisor 248
incite* 72
inclement* 178
inclusive 78
incogitant 174
incommensurate 70
incompatible 41
incompetent 180
incongruent 254
incongruity* 210
inconsequential 103
inconstancy* 193
incontrovertible 41
incorporate 70
incorporeal 235
incorrigibility* 208
incorrigible 41
incorruptible 41
incredulity 208
increment* 178
incriminate* 67

incrustation 242
incrust 276
incubate* 61
incubation* 124
incubator* 148
incubus 154
inculcate* 61
inculpate* 68
incumbent 175
incur* 149
indebted* 15
indecipherable* 39
indecisive 77
indefatigable* 37
indelible* 41
indemnify* 195
indemnity 209
indent* 176
indenture 55
indeterminate* 67
indicate* 61
indicative 78
indices 150
indict* 165
indifferent 180
indigence* 26
indigenous* 160
indigent* 176
indignant* 173
indignation* 126
indignity* 208
indispensability* 207
indite 229

individual	106	infection*	129	ingrate*	69
indoctrinate*	67	infelicitous*	161	ingratiate*	64
indolent*	178	infelicity	206	ingratiating	88
indubitable*	40	infer*	141	ingredient*	177
induce*	28	inferior	147	ingress	249
induct*	166	infernal	236	inhabit*	169
induction	130	inferno*	135	inhabitant	174
indulge*	34	infest*	186	inhale*	36
indurate*	70	infiltrate*	70	inherit	170
industrious*	158	infinitesimal	103	inhibit*	169
inebriate	227	infinity*	209	inhibitor*	148
ineffable*	37	infirm*	114	inhumane	49
ineffaceable	221	inflamed	12	inimical*	99
ineffectual*	106	inflame	47	inimitable	40
inelasticity*	207	inflammation*	126	iniquitous	161
ineligible	222	inflate*	64	iniquity	210
ineluctable	40	infliction	242	initial	102
ineptitude*	31	inflict	165	initiate	64
inept	183	influx*	191	initiative	79
inequity*	210	informed	12	injection*	129
inert*	184	informer	246	injunction	130
inertia*	2	infraction*	129	injurious	158
inexhaustible	41	infrared	263	inkling*	87
inexorable	39	infringe	34	inmate	266
inexpedient	253	infuriate	64	innate*	67
inexpiable	221	infuse*	60	innocence*	26
inexplicable*	37	ingenious*	157	innocuous*	162
infant*	172	ingenue	75	innovation*	128
infantile*	45	ingenuity*	210	innovative*	79
infantry*	205	ingenuous*	162	innuendo*	134
infatuated	216	ingest*	186	inoculate*	65
infatuate	229	ingestion*	131	inordinate	66
infatuation*	128	ingrained*	13	inquiry*	203

词汇索引

319

inquisitive*	80	instate	71	interaction*	129
inroad	10	instigate*	63	intercede*	29
insane	224	instill*	110	intercept	183
insanity	260	instinctive	80	intercessor	148
insatiable*	38	institute	75	interchangeable*	37
inscribe*	23	institutionalized	17	interdict	165
inscription	242	institution	132	interdisciplinary	259
inscrutable*	40	instructive	80	interference*	27
insecticide	29	instrumental*	106	interim	113
insensate	70	instrumentalist	87	interjection*	129
insentient*	177	insubordinate*	66	interlace	218
insert*	184	insubstantial	102	interlard	263
insider	140	insufficient*	177	interlocking*	86
insidious*	157	insular*	139	interlock	97
insignia*	1	insularity	209	interlocutor	248
insincerity	209	insulate*	65	interloper	246
insinuate*	71	insulin*	122	interlope	225
insipid*	18	insuperable	221	interlude*	30
insolate	228	insurgent	177	intermediary	201
insolence*	26	insurrection	129	interminable*	38
insolent*	178	intact*	164	intermingle	44
insoluble*	42	intangibility*	208	intermission*	124
insolvency*	193	intangible*	41	intermittent	181
insomnia*	1	integral	105	intern*	133
insouciance	218	integrate	69	internecine	49
insouciant	172	integrity*	209	internist	276
inspection*	129	intellect*	165	interplay	191
inspiration*	127	intellectual	106	interpolate*	65
inspired*	13	intelligible*	41	interpose	58
inspissate	266	intensify*	195	interregnum*	116
install*	109	intentional*	104	interrogate*	63
installment	254	intent	180	interrogative	79
instantaneous	155	inter*	144	interrupt*	183

intersect*	165	investiture	226	irritate*	71
intersperse*	59	inveterate*	69	irritation*	128
interstice	218	invidious	157	isolate*	65
intertwine	51	invigilate	228	isotope	52
intervene*	49	invigorate*	70	issue	76
interweave	230	invigorating	89	isthmus*	155
intestate	229	inviolable	38	iterate	229
intestine	225	invoice	218	itinerant	174
intimate	66	invoke	36	itinerary*	202
intimidate	62	involuntary*	203	ivory*	205
intoxicate	61	invulnerable*	39	jabber*	139
intractable*	39	iodine*	49	jab	262
intransigent*	176	iota*	3	jackal	270
intrepid*	18	irascible*	40	jaded	10
intricacy*	192	irate*	69	jade	28
intricate*	61	ire	53	jagged*	11
intrigue	75	iridescence	219	jamb*	4
introspective	80	iridescent*	175	jamboree	220
intrude*	30	irk*	98	jape	225
intuition	131	irksome*	48	jargon*	122
intuitive*	80	ironclad	10	jarring	88
intumescence	219	ironic*	6	jar	138
inundate*	62	irony	201	jaundice*	23
inured*	13	irradiate	227	jaundiced*	10
invade*	28	irradicable	37	jaunty*	211
invective*	80	irreconcilable	38	jaunt	182
inveigh	92	irredeemable*	38	javelin	271
inveigle*	44	irreducible*	40	jazz*	212
inventory*	205	irremediable	38	jealousy*	206
inverse	59	irrepressible*	41	jeer*	141
invert*	184	irrevocable*	37	jejune*	51
invertebrate	68	irrigate*	63	jeopardize	82
investigate*	63	irritable*	40	jeopardy*	194

jerk	98	jurisprudence	219	kudos	152
jest*	186	justifiable	38	labile*	44
jesting	232	justification	125	labored	13
jettison	133	justify*	196	labyrinth*	95
jibe*	22	juvenile	44	lace*	23
jigsaw puzzle	47	juxtapose	58	lacerate	68
jingoism*	115	kaleidoscope	52	laceration	242
jitter	247	kaleidoscopic	215	lachrymose*	58
jockey*	194	kangaroo	135	lackadaisical	100
jocular*	139	keepsake	264	lackey	257
jocund*	20	keg	267	lackluster*	145
jog*	90	kennel	107	laconic*	6
jolly	258	ken	119	lactic	8
jolt*	171	kernel*	107	ladle	222
josh	268	kidnap*	136	ladybird	263
jostle	265	kidney*	194	lag*	85
jot	182	killjoy*	201	laggard	217
jounce	264	kindergarten	271	lagniappe	265
jovial*	103	kindle	43	lagoon	243
jubilant	253	kindred	13	lair*	147
jubilation*	126	kinetic*	8	laity	206
judicial	101	kin	121	lambaste*	74
judicious*	156	kiosk	235	lament*	178
judiciousness*	153	kipper	274	lamentable	221
juggernaut*	188	kith	269	laminate	228
jug	268	knack	96	lamina	262
jujube	263	knave	77	lampoon*	132
jumble*	42	knead	10	lancet*	166
jumpy	278	knit*	170	lance	24
junction*	130	knoll	237	landfill	109
juncture	226	knotty	211	landlocked	12
junta	262	know-how	190	landmark*	98
jurisdiction	129	knuckle	265	landslide*	29

languid *	18	leak*	96	levity*	210
languish*	94	leakage*	32	levy*	211
languor*	148	lean	239	lexical	235
lank	98	lease	56	lexicographer	142
lapidary	259	leash	233	lexicon	241
lapse*	59	leaven*	120	liability*	207
lap	136	lectern*	133	liaison*	133
larder*	141	ledger*	142	libel*	106
lard	263	leer*	141	libelous	250
largesse	59	leery	203	liberality*	207
largess	152	lees	274	liberate*	68
lark*	98	leeward	218	libertine*	50
larva	3	leeway	256	liberty*	211
lash	92	lee	264	libido	244
lassitude*	30	legacy*	192	libretto*	136
lasso*	135	legend*	19	license*	57
lasting*	89	legerdemain	121	licentious	158
latch	233	legible	222	licit	252
latency*	193	legion	123	lien*	119
latent*	180	legislate	65	ligature	226
lateral*	105	legislation*	126	ligneous	155
lathe*	35	legislature*	55	liken*	119
latitude	30	legitimate*	66	limb*	4
lattice*	24	leisureliness*	153	limber*	139
laud*	22	leniency*	193	limbo	243
lava*	3	lenient	177	limerick*	97
lave*	77	lesion	241	limestone*	51
lavender	273	lethal	101	limited*	15
lavish*	94	lethargic*	5	limn*	122
laxative	79	lethargy*	197	limnetic	262
layman	240	levee*	31	limousine*	50
layover	247	levelheaded	10	limp*	137
leach	268	lever*	146	limpid*	18

lineage	31	locale	36	lout	255
lineal	235	locomotion	131	low*	190
lineament	249	locomotive	80	lowbred	216
linear	138	locust	255	loyal*	106
linen*	119	locus	154	lubber	273
linger	142	locution	242	lubricant*	172
lingual	237	lode	30	lubricate*	61
linguistics*	150	lofty*	206	lubricious	250
linguistic	9	loft	252	lucid*	17
linoleum*	115	logistics*	150	lucrative	79
lint*	181	logjam	238	lucre	226
lionize*	83	log	90	lucubrate	228
liquefy*	195	loiter	247	ludicrous	160
liquid*	18	loll*	110	lug	90
liquidate*	62	longevity*	210	lukewarm	114
lissome	48	longing*	86	lull*	110
list*	187	long-winded*	11	lullaby*	192
listless*	153	loom*	113	lumberjack*	96
literal	105	loon	132	lumber	139
literate	69	loophole	46	lumen*	119
literati*	96	loop	137	luminary*	202
lithe	35	loosen*	119	lump	137
litigant*	172	lope	52	lunar	139
litigation	125	lopsided	11	lunatic	7
litter	146	loquacious*	156	lunge	264
littoral	236	lordly	278	lurch	91
livid	217	lore	226	lure	226
loaf	84	lotion	272	lurid	18
loam	238	lottery*	203	lurk*	99
loath*	95	lot	182	luscious	250
loathe	35	lounge*	34	lush*	95
lobby*	192	louse	266	luster	274
lobe	23	loutish*	94	lustrous*	161

lusty	261	makeshift	252	manifest	186
lust	188	maladroit*	170	manifold	18
luxuriant*	172	malaise*	56	manipulate*	65
luxurious*	158	malapropism*	115	manipulative	79
luxury*	205	malcontent	181	mannered*	13
lyceum	271	malediction	242	mansion*	123
lymphatic	262	malefactor	248	mantle	46
lynch	233	maleficent	253	manumit	170
lyric*	7	malevolent*	178	manure*	54
macabre*	53	malfeasance	25	manuscript*	183
macerate*	68	malfunction	130	maple	46
machination*	126	malice	218	mar*	139
mackintosh	234	malicious*	156	maraud	218
maculated*	14	malign*	120	marble*	42
maculate	228	malignant	253	mare*	52
madcap	244	malinger*	142	margarine*	50
madrigal*	101	malleable*	37	marginal	103
maelstrom*	113	mallet	252	margin	121
maestro	244	malodor	248	mariner	246
magenta	3	malpractice	24	marine	50
magisterial*	102	mammal*	103	marionette	74
magnanimity*	208	mammoth	95	marital	105
magnanimous	159	manacle	222	maritime	48
magnate*	66	mandate*	62	marked	12
magnificent	175	mandatory*	204	maroon	132
magnify*	195	maneuver	247	marred	13
magniloquent	254	mane	265	marrow	256
magnitude	30	mange	264	marsh*	94
magpie	36	mangle	44	marshal	101
maim	238	mangy	257	marsupial	101
maintenance	25	mania*	1	martial*	103
maize*	82	manifestation*	128	martyr*	149
majestic	9	manifesto*	136	mart	276

marvel*	108	meager	142	memoir	147
mascot	276	mealy	278	memorial	102
mash*	93	mean*	117	menace*	23
mask*	99	meander*	140	mendacious*	156
mason*	132	measly	199	mendacity*	206
masquerade	28	measured	13	mendicant*	171
massacre*	53	mechanical	99	mend	20
massive*	78	mechanics*	150	menial	236
mast*	185	mechanism	115	menthol*	110
masticate*	61	medal*	100	mentor	148
matador	247	meddle*	43	mercantile*	45
mate*	66	meddlesome	48	mercenary*	202
materialize	82	mediate*	63	mercurial*	102
maternal	104	medicate	227	meretricious*	156
matriarchy	258	medieval	106	merited	15
matriculate	228	mediocre*	53	meritorious*	158
matrix*	191	mediocrity*	209	merit	170
matte	266	meditate*	71	mermaid	216
mattress*	154	meditation*	127	mesa	3
mature*	55	meditative	79	mesh	93
maturity*	210	medium	115	mesmerism	239
mat	275	medley	194	mesmerize	231
maudlin*	122	meek*	97	messuage	264
maul*	111	meet*	166	metabolism	114
maunder	273	megalomania	213	metallurgy	258
mauve	81	melancholy	199	metamorphose*	58
maven	120	meld	18	metaphor*	147
maverick*	97	mellifluous*	162	metaphysical	100
mawkish	93	melodrama*	2	metaphysics*	150
maxim*	238	melody*	194	meteoric*	7
maximize*	83	melon*	132	meteorology*	197
mayhem	238	membrane*	49	mete	72
maze	82	memento	244	methodical*	99

meticulous*	159	miniseries	274	mnemonics	150
metrical*	100	minnow*	190	moan	118
metropolis	151	mint	181	moat*	163
metropolitan	118	minuet	168	mobile*	44
mettle*	47	minuscule*	47	mobility*	208
mettlesome	48,224	minute*	150	mock*	97
mewl	270	minutia*	2	moderato	273
mew	277	miracle*	42	modest*	186
miasma	213	miraculous	250	mode	30
microbe*	23	mirage*	32	modicum	115
microorganism*	114	mire*	53	modify*	195
microscope*	52	mirth*	95	modish*	93
microscopic*	7	misanthrope*	52	modulate*	65
midget	252	miscellany	258	mogul*	111
mien	240	mischievous*	162	molar	139
miff	84	miscreant*	172	mold*	19
mighty	206	miser*	144	molding*	86
migratory*	204	miserly*	199	moldy*	194
milestone	51	misgiving*	89	molecule*	47
militant	253	misinform*	114	molest	255
militia*	2	misnomer	143	mollify*	195
milk*	98	misogamy	258	mollycoddle	43
mill*	110	misperceive*	77	molten	119
millennium	239	misrepresent*	180	molt	171
mime*	48	misrepresen-		momentous*	161
mimic	6	misshapen*	119	momentum*	116
minaret	167	missile*	45	moment	179
minatory*	204	missive	230	monarch*	91
mince*	27	mistimed	216	monarchy	197
mingle*	44	mistral	236	monastery	259
miniature*	55	mite	72	monastic	263
minimize*	83	mitigate*	63	monetary	202
minion*	123	mitten	120	mongrel*	107

词
汇
索
引

monochromatic	7	mortar*	139	mulct	251
monochrome	48	mortgage	32	mulish	93
monocle*	42	mortification*	125	mull	270
monogamy	199	mortify*	196	multifarious	250
monograph	233	mortuary*	203	multiple*	46
monolithic*	5	mosaic	5	multiplicity	206
monologue*	75	mosque	76	multiply*	199
monomania	1	mosquito	136	multitude	220
monopolize	230	mote	73	mumble*	42
monopoly*	199	mothball	270	munch	268
monotone	225	motif	84	mundane*	49
monotonous*	160	motile	223	municipality	207
monotony*	201	motility*	208	munificence*	26
monsoon	132	motley	194	muniment	249
monstrous	251	mottled	12	munition*	130
montage	32	mottle	224	mural*	105
monumental	106	motto*	136	murky*	198
moody	257	mound	263	murmur*	149
moor	248	mountainous	160	muscle*	42
mope	225	mountebank	235	muscology	277
morale	37	mourn*	134	muscular	139
moralistic*	9	mournful	111	muse*	60
morass	249	movement*	179	mushroom	113
moratorium	116	muck	269	mushy	277
morbid*	17	mucus	275	musicologist	186
mordant*	172	muddle	222	musket*	167
mores	150	muddy	257	musky	278
moribund	20	mudslinger	273	muster*	145
moron	243	muffle*	43	musty	261
morose*	58	muffled*	12	mutate*	71
morphine	265	muffler*	143	muted	16
morsel	107	muggy	257	mute	74
mortality*	207	mug	268	mutilate	228

mutineer*	141	nectar	245	niche	221
mutinous	250	needle*	43	nick	97
mutter*	146	needlework	99	nicotine*	50
mutton	243	needy	193	nifty	279
muzzy	261	nefarious	158	niggard	218
mycology	277	negate*	62	niggle	265
myopia*	1	negation*	125	niggling	232
myopic	7	negligence*	26	nightmare*	52
myriad	10	negotiable	38	nihilism	239
mystic	10	negotiate*	64	nil*	108
nadir*	147	nemesis	248	nimble	222
nag*	85	neolithic	5	nippers	249
naivety	260	neologism*	114	nipping	232
naive	77	neonate	228	nippy	278
namby-pamby	277	neophyte*	75	nip	137
narcissism*	115	nepenthe	264	nitpick*	97
narcissist*	187	nephritis	249	nocturnal*	104
narcotic*	8	nepotism*	115	noggin	271
narrative*	79	nerd	263	noisome*	48
nasal	236	nerve*	81	nomad*	10
nascent*	175	nestle	224	nomadic*	5
natal	105	nestling	232	nominal*	104
natation	242	nethermost	255	nominate*	67
natty*	211	nettle	47	nonchalance	24
nauseate	62	neurology	197	nonchalant*	172
nausea	1	neurosis	249	noncommittal	106
nautical*	100	neutralize*	82	nonconformist	187
navigate*	63	neutron	132	nonentity*	210
naysayer	247	nexus*	163	nonesuch	233
naysay	192	nib*	4	nonflammable*	38
nebulous*	159	nibble*	40	nonpareil	237
necessitous	251	nicety	206	nonplus*	155
necropolis	248	nice	24	nonporous*	161

nonradioactive	80	nutrient*	177	observatory*	204
nonsensical	100	nutrition*	130	obsessed*	14
nonthreatening*	87	nymph	233	obsession*	124
nonviable	38	oafishness	153	obsessive	266
noose	227	oak*	96	obsess	154
norm*	114	oar	245	obsolescent	175
nostalgia*	1	oasis*	151	obsolete	72
nostrum	116	oath*	95	obstacle*	42
notability	260	oatmeal	235	obstinacy*	192
notable*	40	obbligato	273	obstinate*	67
notch*	92	obdurate*	70	obstreperous	160
notorious	158	obedient*	177	obstruct*	166
nourish*	94	obeisance*	25	obstruction*	130
nova	3	obelisk	235	obtainable*	38
novelty*	211	obese	56	obtrude	219
novice*	24	obfuscate*	62	obtuse*	60
noxious*	159	obituary	203	obverse*	59
nuance*	25	objection*	129	obviate	64
nubile	44	objective*	80	obvious*	159
nucleate*	62	oblation	241	occidental	237
nucleus*	154	obligation*	125	occlude*	30
nude*	219	obligatory*	204	occult*	171
nudge	33	oblige*	34	occupation	127
nugatory*	204	obliging	86	occurrence*	27
nullify*	195	oblique*	76	octogenarian	117
numb*	4	obliterate	69	ocular*	245
numerology	258	oblivious*	159	oddment	249
numerous*	160	obloquy	211	odds	150
numinous	250	obnoxious*	159	ode*	29
numismatic	215	obscure	54	odious*	157
numismatist	187	obscurity*	209	odium*	115
nuptial	236	obsequious*	159	odometer*	144
nurture	56	observance	219	odoriferous	250

odyssey	195	opaque*	76	organism*	114
offbeat	163	operative	79	orient	177
offence(offense)	26	operetta*	3	orifice	218
offend*	19	opiate	227	originality*	207
offensive*	78	opine	50	original	103
offhand	19	opinionated*	15	ornate*	67
officious	156	opponent*	180	ornery	279
offish	93	opportune*	51	ornithologist	186
offset	167	oppose*	58	ornithology	196
offspring*	88	oppress	153	orotund	217
offstage	33	opprobrious*	158	orthodontics	150
off-key*	194	optimism*	114	orthodox*	191
ogle*	44	optimist*	187	oscillate*	64
ointment*	179	optimization	242	osmosis*	151
oleaginous	275	optimum	116	osseous	155
olfaction*	129	optional*	104	ossify	196
olfactory	260	opulence	264	ostensible*	41
oligarchy	197	opulent	178	ostentation*	128
oligarch	233	opus	251	ostracism*	114
omelet*	167	oracle*	42	ostracize	82
ominous*	160	oracular	245	ostrich*	91
omit*	170	oration*	127	other-directed*	15
omnipotent	181	oratorio	135	otiose	226
omnipresent	180	oratory*	204	otter*	146
omniscient	177	orchard*	21	oust	188
omnivorous	251	orchestra*	3	outfox	256
onerous*	160	orchid	216	outgoing*	87
onset	167	ordain	121	outgrowth	95
onslaught	252	ordeal*	100	outlandish*	93
onus	249	ordinance	25	outlet*	167
ooze	231	ordnance	25	outline*	49
opacity*	206	ore*	54	outmaneuver	146
opalescence*	26	orexis	275	outmoded*	11

outrage*	32	owl	111	paltry	205
outset*	168	oxidize*	82	pamper	246
outshine	49	ozone	265	pamphlet	167
outskirts*	154	pabulum	271	pan*	118
outspoken	119	pacemaker	274	panacea	1
outstrip	137	pacifist*	186	panache	35
outwit	171	pacify*	195	pancreas*	150
ovation	128	pack*	96	pandemic*	6
oven	271	packed	12	pandemonium*	116
overbearing*	88	pact*	164	pander	140
overdose*	58	padding*	85	panegyric*	7
overdue*	75	padre	265	panel	107
overexposure	55	paean*	117	pane	224
overflow*	190	pagan*	117	pang	85
overhaul*	111	pageant*	172	panic*	6
overlap	136	pagoda	262	panorama*	2
overlook*	98	painkiller*	143	panoramic	214
overpowering	88	painstaking*	86	pantechnicon	241
overreach*	90	palate*	64	pantheon	241
override	29	palatial	102	panther*	142
overriding	86	palaver	247	pantomime*	48
overrule	47	paleolithic	5	pantry*	205
oversee*	31	paleontology	197	papyrus*	163
overshadow	190	palette*	74	parable*	39
oversight	252	palings	248	parabola*	2
overstate*	71	palliate*	63	paradigm*	112
overt*	184	palliative	79	paradox	191
overthrow	190	pallid*	17	paragon*	122
overture*	56	pall	109	parallelism*	114
overturn*	134	palmy	200	parallel	107
overweening	232	palpable*	38	paralyze	231
overwhelm*	113	palpitate	71	parameter	144
overwrought*	169	palter	144	paramount	182

paranoia*	1	pastoral*	105	pedagogue	75
paranoid*	17	pastor	248	pedagogy*	196
paraphrase*	56	pastry	205	pedal*	100
parasite*	73	patch*	91	pedant*	172
parch*	91	patent	180	peddle	222
pare	52	pathetic	215	pedestal*	106
pariah	90	pathogen	119	pedestrian	118
parity	209	pathological*	99	pediatrics*	150
parka	2	pathology*	196	pedigree	264
parlance	25	pathos*	249	peek	234
parley	257	patina*	3	peel*	107
parlous	250	patois	275	peep	244
parochial	236	patrician	117	peer*	141
parody	194	patrimony	200	peerless	152
parole	265	patriot*	182	peery	259
paroxysm	115	patriotism*	115	peeve	77
parquet*	168	patronage	32	peevish*	94
parry*	205	patronize	83	peg	267
parse*	59	patty	279	pejorative	79
parsimony*	200	paucity*	207	pelagic	262
partial*	103	paunchy	197	pelf	84
partiality*	207	pauper*	144	pellucid*	17
particular*	139	pavid	263	pell-mell	109
particularize*	83	pawn	243	pelt	253
partisan*	118	peachy	277	penalize	82
partition*	131	peak*	96	penalty*	210
parturition	242	peaky	258	penance*	25
passe	266	pecan*	117	penchant*	172
passionate*	67	peccadillo*	135	pendent*	253
passive*	78	peckish	268	pending	86
pastel	108	peck	97	pendulous	275
pasteurize	83	peculate	228	pendulum*	116
pastiche*	35	pecuniary	259	penetrate*	70

penetration	242	
penicillin*	122	
peninsula*	2	
penitent*	180	
pennant	173	
pension*	241	
pensive*	230	
penultimate	66	
penumbra	213	
penury*	205	
pen	119	
peon	271	
peptic*	215	
perambulate*	65	
perception*	131	
perch	91	
percolate	228	
percussion*	241	
percussionist	187	
peregrination	126	
peremptory*	205	
perennial*	101	
perfervid	18	
perfidious*	157	
perfidy*	194	
perforate	69	
perfunctorily	198	
perfunctory*	204	
perigee	220	
perilous	159	
peril	109	
perimeter*	144	
periodical*	99	

peripatetic*	8	
peripheral*	104	
periphery	203	
periphrastic	215	
periscope*	52	
perish*	94	
perishable	221	
perishing	86	
periwig	267	
perjure	54	
perjury*	205	
perky	198	
perk	269	
permanence*	26	
permanent*	179	
permeable*	37	
permeate*	62	
permissive*	78	
pernicious*	156	
perpendicular*	139	
perpetual*	106	
perpetuate	71	
perquisite	73	
persecute*	74	
persiflage	32	
persistence*	27	
persnickety	260	
personable*	38	
personage	220	
personification	125	
personnel*	107	
perspective	80	
perspicacious*	156	

perspicuity*	210	
perspicuous	162	
perspire*	53	
pertain*	121	
pertinacious	156	
pertinent*	180	
peruse*	60	
pervade*	28	
perverse	227	
pervert	255	
pervious*	159	
pesky	258	
pessimism*	114	
pest*	186	
pester*	145	
pesticide*	29	
pestilent	178	
pestle*	46	
petal*	105	
petition*	131	
petitioner*	143	
petrel	270	
petrify*	195	
petroglyph	92	
petroleum*	115	
petrology	197	
pettish	234	
petty	211	
petulance*	25	
petulant*	173	
phantom	113	
pharisaic	214	
pharmaceutical	100	

词汇索引

pharmacology	196	pillory*	204	plain*	121
phenomenal	103	pilot*	183	plaintiff	84
phenomena	2	pincers	249	plaintive	80
phial	236	pinch*	91	plait*	169
philanthropic*	7	pine*	50	plane*	49
philatelist*	187	pinnacle	42	planet*	167
philately*	198	pinpoint	181	plangent	176
philistine*	50	pious*	157	plankton	133
philology	257	pipedream	270	plank	235
phlegmatic*	7	piquant*	175	plaque*	76
phobia	213	pique	76	plaster*	145
phoenix	191	pirate*	69	plateau*	189
phonetic*	8	pirouette*	74	platitude*	30
phony*	258	piscatorial	236	platonic	6
photosynthesis*	151	pistol*	110	plaudit	169
physiological	99	pitch*	92	plausible	41
piano*	135	pitcher*	142	plaza	213
piazza	213	piteous	275	plead*	10
picayunish	268	pitfall	109	pleat*	163
pictorial	102	pith*	95	plebeian	239
piddle	265	pithiness*	153	pledge*	33
piddling	87	pithy	198	plenary	259
piebald	217	pitiful*	111	plenitude*	30
piecemeal	235	pitiless	249	plentitude	220
pied*	12	pittance	25	pleonastic	215
pier*	246	pivot	254	plethora*	3
pierce*	27	placard	263	pliable*	38
piercing	85	placate*	61	pliant*	172
pigment*	179	placebo*	134	pliers	249
pilfer	246	placid*	17	plight	169
pilgrim*	113	plagiarism*	115	plinth	95
pillage	220	plagiarize	83	plod*	21
pillar*	138	plague	75	plot*	183

plough*	92	poltroon	243	posit*	170
ploy*	201	polyandry	259	positiveness	249
pluck	97	polyglot	254	posse*	60
plumber*	139	polymath	234	possessed	14
plumb	4	pomposity	210	poster*	145
plume	48	pompous*	160	posterior	248
plummet*	167	pomp	273	postiche	264
plump	244	poncho*	135	postpone*	51
plunder	141	ponder*	141	postscript	254
plunge*	34	ponderable	39	postulate*	65
pluralist	276	ponderous*	160	posture	56
plush*	95	pontifical*	99	posy	279
plutocracy*	192	pontificate*	61	potable*	40
poach	232	pony	258	potation	128
pod*	21	poohed	263	potboiler	246
podiatrist*	187	pool	270	potentate	71
podium*	115	popcorn	272	potential*	102
poignancy	277	populace	23	potentiate*	64
poignant*	173	populous	159	pother	274
poise	57	pop	273	potpourri*	96
poisonous*	160	porcelain*	121	pottery*	203
poke	36	porcine	225	pouch	268
polar*	139	porcupine*	50	poultice	263
polarity	209	pore*	54	pound	263
polarize*	83	porous*	161	pout	188
polemic*	6	porridge	220	practitioner	143
polemical*	99	portable	221	pragmatic*	7
polish	93	portend	217	prance	219
polity	279	portentous*	161	prank	98
poll*	110	portfolio*	135	prate*	70
pollen*	119	portray*	191	praxis	275
pollinate*	66	pose*	58	preach*	90
pollster*	145	poseur*	149	preamble*	42

precarious*	157	premeditate*	71	pretension*	123
precede*	29	premeditated	15	pretentious*	158
precept*	183	premiere	53	preternatural	105
precipice	24	premise*	57	pretext	189
precipitant*	174	premium	115	prevail*	108
precipitate*	71	premonition*	130	prevaricate*	61
precipitation*	127	preoccupation	127	preview*	189
precise*	56	preponderant*	253	previous*	159
précis	151	preponderate	68	prevision	241
preclude	30	preposition*	131	prey	195
precocious*	156	prepossessing*	232	prick*	234
precursor*	148	preposterous*	161	prickle	223
predator*	148	prerequisite	73	prig	231
predecessor*	148	prerogative	78	prim*	113
predestine*	50	presage	32	primate	66
predicament*	178	prescience*	26	prime	48
predilection*	129	prescribe*	22	primogeniture	266
predisposition*	131	prescription*	131	primp*	137
predominant*	173	presentation*	128	principal*	104
predominate	67	presenter*	144	principle*	46
preeminent	180	presentiment	254	priority*	209
preempt*	183	preservative*	79	prissy	260
preen*	118	preside*	29	pristine*	50
preface*	23	press*	153	privation*	128
prefigure	226	pressing	88	privilege	34
pregnant	173	prestige*	34	prix	277
prehensile	223	prestigious	157	probe*	23
prehistoric	7	presumable	221	probity*	206
prejudice	23	presume*	48	proboscis	151
preliminary	202	presumption*	131	proceeds	150
preliterate	69	presupposition*	131	procession*	124
prelude*	30	pretence	219	proclaim*	112
premature*	55	pretend*	20	proclamation*	126

procrastinate* 67
procreate 227
procrustean 239
proctor* 148
procure* 54
procurement 179
prod* 21
prodigal* 101
prodigious* 157
prodigy* 196
produce* 28
productivity* 210
profane* 49
proffer 141
proficient* 177
profile 44
profiteer* 141
profligate* 63
profound 20
profuse* 60
progenitor 248
progeny 200
prognosis 151
prognosticate 227
prohibitive 80
projectile* 45
projection 129
projector* 148
proliferate* 68
prolific* 5
prolix* 191
prolixity* 210
prologue* 75

prolong* 89
promenade 28
prominent* 180
promissory 279
promote* 73
prompt 183
promulgate* 63
prone* 51
prong 268
pronounced 10
proofread 215
propagate* 62
propagation* 125
propel* 107
propeller 143
propensity* 210
prophecy* 193
prophet* 166
prophetic 8
propitiate* 64
propitious* 158
proposal* 105
proposition* 131
proprietary 202
propriety* 206
propulsion* 123
prop 137
prorogue 229
prosaic* 5
proscribe* 23
prose* 58
prosecute* 74
prosecution* 131

proselytize 84
prospect 165
prosperity* 209
prosperous 160
prostrate 70
protagonist* 187
protean* 117
protest* 186
protocol* 110
prototype 52
protract* 164
protrude 219
protuberance* 25
protuberant* 174
provenance 25
provender 140
proverbially 258
provident* 176
providential 102
provincial* 101
provisional* 104
provision 123
provisory 204
proviso 272
provocation* 125
prowess 154
prowl 111
proximate* 66
prude* 30
prudence* 26
prudent 176
prudish* 93
prune* 51

pry*	205	puncture*	55	quaff*	84
psalm	238	pundit*	169	quagmire	226
pseudonym*	116	pungent*	177	quail	108
psyche	35	puny	201	quaint*	181
psychology	196	purblind	217	qualified*	12
puberty	261	purchase*	56	qualm*	151,238
publicize*	82	purgative	79	quandary*	201
pucker*	143	purgatory	204	quantum	116
puckish	93	purge*	35	quarantine*	50
pudding	267	purify*	195	quarry*	205
puddle*	43	purity*	209	quartet	168
pudgy	277	purlieu*	189	quash	93
puerile	45	purloin	122	quasi	269
puffery	259	purported	16	quaver*	146
pugilism	114	purport	255	quay	192
pugilist*	187	purse	227	queasy	260
pugnacious*	156	pursue	76	queer	245
puissance*	25	purvey	195	quell*	109
puissant	174	pushy	278	quench*	91
pulchritude	30	pusillanimous	159	querulous*	159
pullet*	167	putative	230	query	259
pulley*	194	putrefy	257	quest	186
pullulate	228	putrid	217	queue	75
pulp*	137	putsch	268	quibble*	40
pulpit	252	putter	274	quicksilver	274
pulsate	229	pygmy	258	quiescent	175
pulsation	242	pylon*	132	quill*	110
pulse*	57	pyre*	56	quintessence	219
pulverize*	83	pyromania	213	quip	244
pummel	237	python	272	quirk*	98
pun*	134	quack*	97	quisling*	87
punch*	91	quadrangle	223	quiver*	146
punctilious*	157	quadruped	216	quixotic*	9

词
汇
索
引

339

quondam	270	rampant*	173	ravine	51
quota*	3	rampart*	184	ravish*	234
quote	74	ramp	273	ravishing*	86
quotidian*	117	ramshackle	45	raze*	82
rabble	40	rancid*	17	razor*	149
rabid*	17	rancor*	147	reactant*	174
rabies	150	random	113	reactionary*	202
racketeer	245	ranger*	142	readily*	198
rack	269	rankle*	45	ready*	193
raconteur*	149	ransom*	113	reagent*	176
racy	192	rant*	173	realign*	120
radish	268	rapacious*	156	realm	113
radius*	155	rapid*	150	ream	112
raffish	93	rapport*	185	reap*	136
raffle	43	rapprochement*	178	reaper*	143
raff	267	rapscallion	241	rebarbative	230
rafter*	144	rapt*	183	rebate	60
rag*	85	raptorial	269	rebellious*	157
rage*	32	rarefaction*	129	rebuff*	84
ragged	11	raspy*	201	rebuke*	36
ragtime	48	rasp	245	rebus	154
raid	17	ratification*	125	rebuttal*	106
rail*	108	ratify	257	recalcitrant*	174
raillery	259	ratiocination*	126	recall*	109
raisin	122	ration*	127	recant*	171
rake	264	rational*	104	recantation*	128
rakish	93	rattle*	47	recapitulate	65
rally	199	raucous*	155	recast*	185
ram*	112	ravage	33	recede*	29
ramble*	42	rave*	77	receipt*	183
rambunctious	158	ravel*	108	receptacle*	42
ramify	195	ravening	268	receptive*	80
rampage*	32	ravenous*	160	recession	124

recessive*	78	redolent*	178	reign	120
recess	152	redoubtable*	39	reimburse*	59
recherche	264	redress*	153	rein*	121
recipe*	52	redundancy*	193	reincarnate	228
recipient	177	redundant*	172	reinforce*	27
reciprocal	100	reed*	11	reinstate*	71
reciprocate*	62	reedy	257	reiterate*	69
recital*	105	reek	97	rejoice*	24
reckon	243	reel	107	rejoinder	245
reclaim	112	refectory*	204	rejoin	241
recline	225	referee*	31	rejuvenate*	66
recluse*	60	refinery*	203	relapse	59
recoil	108	reflect*	165	relate*	64
recollection*	129	refraction	129	relaxation*	128
recombine*	49	refractory*	204	release*	56
recompense*	58	refrain*	121	relegate*	62
reconcile*	44	refresh*	93	relent*	178
recondite*	72	refugee	31	relenting*	89
reconnaissance	25	refulgent*	176	relentless	152
reconnoiter	247	refurbish*	93	relevance*	26
reconstitute*	75	refute*	74	reliance	24
recourse*	59	regale*	36	relic*	5
recruit*	171	regal	235	relieved	16
rectangle*	44	regent	253	religion*	123
rectify*	196	regime*	47	relinquish*	94
rectitude*	31	regiment	254	relish	93
recumbent*	175	regress*	153	remainder*	140
recuperate*	69	regressive	78	remains	151
recusant	276	regulate*	65	remand	263
redeem*	112	regurgitate	266	reminder	141
redemptive	80	rehabilitate	71	reminisce*	27
redirect*	165	rehearsal*	105	remission	241
redistribution*	131	rehearse*	59	remiss	154

词
汇
索
引

remittance	219	repertoire*	53	rescission*	124
remittent	254	repine*	50	rescript	254
remit	252	replenish	94	rescue	75
remnant*	173	replete	72	resent*	180
remonstrance	219	replica*	213	resentment*	179
remonstrate	229	reportage	220	reserve	81
remorse*	59	reportorial*	102	reshuffle	222
remove*	81	repose*	58	reside*	29
remunerate	229	repository	260	resident*	176
remunerative	79	reprehend	19	residual	106
renal	270	reprehensible	41	residue	75
renascent	253	repressed*	14	resignation*	126
rend*	20	reprieve	77	resigned*	13
render*	140	reprimand	19	resilience*	26
rendering	88	reprisal	105	resilient	177
rendezvous	162	reprise	57	resin	122
rendition	242	reproach*	90	resonant*	173
renegade*	28	reprobate	61	resort	185
renege*	34	reproof*	84	resound*	20
renounce*	27	reprove*	81	resourceful*	111
renovate*	72	reptile	45	respiration*	127
renown*	134	reptilian	117	respite*	73
rent*	180	repudiate*	63	resplendent*	176
renunciate	227	repugnance	25	respondent	176
reparable*	39	repugnant*	173	response*	58
reparation*	127	repulse	57	responsive*	78
repartee	31	repulsion*	123	responsiveness	153
repatriate*	64	reputation*	128	restitution*	132
repeal*	100	repute*	74	restive*	81
repel*	107	request*	186	restiveness*	153
repellent*	178	requisite	73	restless*	152
repent*	254	requite*	73	restorative	230
repercussion*	124	rescind*	20	restore*	54

restored*	13	revelry	203	rife*	31
restrain*	121	revenge*	34	riffle	222
restraint*	181	revenue	76	riffraff	231
resume*	48	reverberate	68	rifle*	43
resurgence	26	revere*	53	rift*	168
resurge	220	reverie*	36	rigid*	17
resurrect*	165	reverse*	59	rigmarole	224
resuscitate	71	reversion	241	rigor*	147
retail	108	revert	184	rig	85
retain*	121	revile	45	rile	45
retainer	143	revise*	57	rill	270
retaliate*	63	revitalize*	82	rind*	20
retaliation	125	revive*	81	ringlet*	167
retard*	21	revolt*	171	rinse	226
retch	268	revue	76	riotous	161
retention	242	revulsion	241	riot	182
retentive	230	reward*	21	ripen*	119
reticent*	175	rewarding	86	ripple*	46
reticulation	241	rhapsody	257	rip	244
retinue	76	rhetoric*	7	risque	266
retiring	88	rheumatism	271	rite*	73
retort*	185	rheum	271	ritual*	106
retouch*	92	rhinestone*	51	ritzy	279
retrace	23	rhubarb	4	rival*	106
retract*	164	rhyme*	48	rivalry	203
retreat*	163	rhythmic*	6	riven*	120
retrenchment	254	rib*	4	rivet*	168
retrench	91	ribald*	18	riveting	89
retribution*	131	rickety	206	rive	77
retrieve*	77	riddle*	43	rivulet	167
retroactive	230	rider	140	robe	23
revealing*	86	ridge*	33	robust	188
revelation*	126	ridicule*	47	rocker	274

rococo	272	ruminant	173	salient*	177
roe*	52	ruminate	228	saliferous	250
roil*	109	rumple*	46	saliva*	3
roister	247	rumpus	275	sally	278
rollicking	232	rung*	90	salmon*	132
rookie*	35	runic*	6	salubrious*	158
roster*	145	rupture	56	salutary*	203
rostrum*	116	rural*	105	salutation*	128
rosy	260	ruse	60	salute*	74
rotate*	71	rustic	9	salvage	33
rote	229	rustler	246	salve*	81
rotten*	120	rustle	224	sampler*	143
rotunda	262	ruthlessness*	153	sanatorium	239
rotund	217	sabotage	33	sanctify	196
roughen*	119	saboteur	149	sanctimonious	157
roulette	266	saccharin*	122	sanction*	130
roundabout	255	saccharine	225	sandal*	100
rout	255	sack	234	sane*	49
rove	230	sacrament	253	sangfroid	216
rowdy	257	sacred*	13	sanguine*	50
royalty*	211	sacrifice*	24	sanitary	259
rubble	221	sacrilege	33	sanitize	267
rubicund	20	sacrilegious	157	sanity*	208
rucksack	234	sadden*	118	sap*	136
ruckus	275	saddle*	43	sapient	177
ruck	234	sadistic	215	sapling	232
rudder*	140	safe*	220	sapphire	53
ruddy	257	safeguard	21	sarcastic*	9
rudimentary	202	saga	213	sardine	265
rue*	76	sagacious	156	sardonic	215
ruffian*	117	sage*	32	sartorial*	102
ruffle	43	sag	267	sash*	93
rumble	222	saintly*	199	satanic	214

sate*	70	scare	225	scram	270
sated	216	scarf*	85	scrap*	136
satiated	14	scarp	245	scrape	225
satiny	258	scar	245	scrappy*	201
satiny	278	scathe	221	scrawl	111
satire*	53	scathing*	86	screed	215
satirize*	83	scatter*	145	screw*	189
saturate*	70	scenario	135	screwdriver	146
saturated	15	sceptical	235	scribble*	40
saturnine*	50	schematic	7	scrimp	273
saucy	277	schematize	83	script*	183
saunter*	145	scheme*	47	scripture*	55
savage	33	schism	114	scroll*	110
savant*	175	school*	110	scrub	5
savvy	211	scintillate	228	scruffy	277
sawdust*	188	scion	123	scrumptious	250
scabbard*	21	scission	241	scruple	46
scabrous	250	scissor*	148	scrutable	40
scab	214	scoff	84	scrutinize*	83
scad*	10	scoop	137	scud	218
scads*	248	scooter	247	scuff	84
scaffold*	18	scope*	52	sculpt*	183
scalding	86	scorch*	91	sculptor*	148
scald	217	scorching	232	scurrilous	159
scale*	36	score*	54	scurry*	205
scalpel*	107	scorn*	133	scurvy*	211
scamper	246	scorpion*	123	scutter	247
scamp	273	scotch*	92	scuttle	224
scam	270	scourge	35	scythe*	35
scandal*	100	scour	248	seafaring	232
scant*	172	scowl*	111	seam*	112
scan	239	scraggly	278	seamy*	199
scarcity*	207	scramble	222	sear	138

seasoned	13	sensation*	127	servile*	45
seasoning*	87	sensible*	41	servitude	31
secede*	29	sensitive*	80	setback	96
seclude	219	sensitivity*	210	settle*	47
secrete*	72	sensitization*	129	settled*	12
secretive*	80	sensitize	231	sever*	146
sect	251	sensual	237	severe*	53
secular	139	sententious	250	sewage	264
secure	54	sentient*	177	sewer*	146
securities*	150	sentiment*	179	sextant*	175
sedate*	62	sentinel	107	shabby	257
sedative*	78	sentry	260	shackle	45
sedentary*	202	separate	68	shack	234
sediment*	179	septic*	9	shale	36
sedition	242	sepulchral	105	shambles	150
seditious	250	sequacious	250	shamble	264
sedulity*	208	sequela	213	sham	112
sedulous*	159	sequential*	102	shanty	261
seedling	87	sequester*	145	shard*	21
seemly*	199	sequestrate	229	shattered*	13
seep*	136	sere*	53	shaving*	150
seethe*	35	serenade	219	shawl	238
segment*	179	serendipity	261	sheaf	231
seine*	49	serene*	49	shear*	138
seismic	6	serfdom	238	sheathe	35
self-abasement	254	serial*	102	sheath	95
self-absorbed	215	sermon*	132	shed*	11
self-assertion	242	sermonize	231	sheen	240
semblance*	25	serpentine	225	sheer	141
seminal*	103	serrate*	70	shell*	109
seminary*	202	serrated*	15	shelter*	144
senile	223	serried*	12	shelve*	81
senility	279	serviceable*	37	sheriff*	84

shibboleth	234	sibilant*	173	sinister	247
shield*	18	sibling	86	sinuous*	162
shiftiness	153	sibyl*	111	sip*	137
shiftless	152	sideline	265	siren	119
shilly-shally	278	sidereal*	101	sissy	279
shimmer	246	sideshow*	190	sizzler	246
shingle	44	sidesplitting	232	skein	240
shipshape*	52	sidestep*	136	skeleton*	133
shipwright	252	sidle	222	sketchy*	197
shirk*	98	siege	33	skew*	189
shoal	104	siesta	262	skewer	146
shoddy*	193	sift*	168	skiff*	84
shoot	183	signal*	103	skillet*	167
shoplift*	168	signatory	260	skim*	113
shopworn	134	signature	226	skimp*	137
shoulder*	140	significant	171	skinflint*	181
shove*	81	signify*	195	skirmish*	94
showy	261	sill*	110	skirt	184
shred	216	silt*	171	skit*	170
shrewd*	22	silversmith*	95	skittish	234
shriek*	97	simian	239	skullduggery	259
shrine*	50	simile	223	skunk	235
shrink*	98	simmer	274	skyrocket	252
shrivel	237	simonize	267	skyscraper*	143
shroud*	22	simper*	144	slab*	4
shrub*	5	simpleton	133	slacken*	119
shrug*	90	simulate*	65	slack	96
shuck*	97	simultaneous*	155	slag*	85
shudder*	140	sincere	53	slake*	36
shuffle	222	sinecure*	54	slander*	140
shun*	134	sinew*	189	slanderous*	160
shunt	182	singe*	34	slant	173
shuttle	224	singularity	209	slapdash	233

slapstick	269	sluggard*	21	snitch*	92
slate*	65	slug	268	snivel	270
slattern	272	sluice	24	snob*	214
slaughter	144	slumber*	139	snobbish*	93
slaver*	247	slump	245	snooze	267
slay	256	slur*	149	snowdrift*	168
sleazy	261	slurp*	138	snub*	4
sledgehammer	246	sly	199	snuff	267
sledge	220	smarmy	200	snug*	90
sleight	252	smart*	184	snuggle	223
sleigh	92	smattering	88	soak*	96
slew*	189	smear*	138	soar*	139
slice*	24	smirch	233	sober*	139
slick*	97	smirk*	98	sobriety*	206
slight*	169	smite	266	sociable	221
sling	232	smooth	95	sock*	97
slink	269	smother*	142	sod*	21
slippage*	32	smudge*	33	sodden*	118
slippery*	203	smug*	90	soggy*	196
slipshod*	21	smuggle*	44	soigne	265
slither*	142	smut	276	soil*	109
slit	252	snag	267	sojourn	243
sliver*	146	snappish	233	solace*	23
slobber	245	snappy	259	solder*	140
slog	268	snare*	52	solemn*	122
sloppy*	201	snarl	110	solemnity*	209
slosh	269	snatch*	91	solicit*	169
sloth*	95	sneaking	86	solicitous*	161
slot	183	sneer*	141	solicitude*	30
slouch	92	snicker	246	solidarity*	209
slough*	92	snide*	29	solidify*	195
sloven	240	snip*	137	solitary*	202
slue	229	snipe	265	solitude*	30

solo*	135	spark*	98	spindly*	198
soluble*	42	sparring*	88	spineless	152
solvent*	181	sparse*	59	spiny*	200
somatic*	7	spartan	118	spire	53
somber*	139	spasmodic	214	spiritual*	106
somnolent	253	spat*	163	spite*	73
sonata*	3	spate*	68	spitfire	266
sonnet*	167	spatial	102	splashy	258
sonorous	251	spatter	274	spleen*	118
soot*	183	spatula*	2	splendor*	147
soothe*	35	spawn	134	splice*	24
sophism*	114	spear*	138	splint*	181
sophisticated	14	specialized	16	split*	170
sophistication	125	specialize	82	splurge	35
sophistry* 4	205	specifics*	150	spoil*	109
soporific*	5	specimen	119	spoilsport	276
sopping	88	specious*	156	spoke*	36
sop	137	speck	97	spoliation	272
sorcery	203	spectacular	139	spongy*	196
sordid *	17	spectator*	148	spontaneity*	207
soulful	270	specter	144	spontaneous*	155
sour	274	spectral	105	spoof	84
souse	227	spectrum*	116	spool	237
souvenir*	147	speculate	65	spoor	248
sovereignty	211	speculative	79	sporadic*	5
sovereign	120	speleology	257	sport*	185
sow*	190	spell	109	sportive	267
spacious	250	spendthrift	168	spout	255
spackle	45	spew	277	sprain	121
spangle	223	sphagnum	271	sprawling	87
spank	98	spiel	270	sprawl	238
span	118	spike	36	spree	264
sparing	88	spin*	122	sprightly	199

sprig	85	stain*	121	steed	263
sprint	254	stake*	36	steep*	136
sprout	188	stalemate	66	steeple	224
spruce	28	stale	37	steerage	264
spunk	235	stalk*	97	steer	141
spurious	158	stall*	109	stellar	138
spurn	243	stalwart*	184	stem	112
spurt	276	stammer	143	stench	91
spur	149	stamp*	137	stencil	108
squabble	40	stampede	264	stentorian*	118
squab	262	stance	25	stereotype*	52
squalid*	17	stanch*	91	sterile	45
squall	109	standstill	237	sterilize*	83
squalor*	147	stanza*	3	stern*	133
squander*	140	staple*	46	stethoscope*	52
square*	53	starchy	197	stickler*	143
squash	93	stargaze	267	sticky	278
squat*	164	stark*	98	stiff*	84
squeak	269	startle*	46	stifle*	43
squeal	269	star-crossed	216	stigma*	2
squeamish	233	stash	233	stigmatize*	83
squeeze*	82	stasis*	151	stilted	15
squelch*	91	stately	278	stimulant*	173
squint	182	static*	8	stimulus	155
squire	266	stationary	202	sting*	89
squirrel*	107	statuary*	203	stinginess*	153
squirt	276	stature	55	stingy*	196
stab	214	status	163	stint*	182
staccato	136	statute*	75	stipple*	46
stagger	246	statutory	205	stipulate*	65
stagnant*	173	staunch	268	stipulation*	126
stagy	257	steadfast*	185	stir*	147
staid*	17	stealth*	95	stitch*	92

stock*	97	striated*	14	subcelestial	269
stockade*	28	stricken	271	subdue*	75
stocky*	198	stricture*	55	subdued	16
stodge	264	stride*	29	subject*	164
stodgy*	196	strident*	176	subjective	80
stoic*	6	strife	31	subjugate*	63
stoke*	36	striking	86	sublimate	228
stolid*	17	stringent	176	sublime*	47
stomach*	90	strip*	137	subliminal*	103
stonewall*	109	strive*	77	submission*	124
stooge	264	stroke*	36	submit*	170
stoop	245	stroll*	110	suborn*	133
stopple	265	strut*	189	subpoena*	3
stouthearted	216	stubborn*	133	subreption	272
stout	189	stubby	277	subscribe	218
stowaway	192	studied*	12	subsequent	181
straggle	223	studio	244	subside	29
straightforward	21	stud	263	subsidiary	201
strait*	169	stuffy*	195	subsidy*	194
straiten	271	stultify	196	subsistence	27
strand*	19	stunning	87	subsist	255
stranded	11	stunt*	182	substance*	25
strangulation	241	stun	243	substantial	102
strap	273	stupefy	257	substantiate*	64
stratagem*	112	stupendous	249	substantive*	80
stratify*	196	stupor*	148	substitute*	75
stratum*	116	sturdy*	194	substratum	239
stray	192	stutter*	146	subsume*	48
streak*	96	stygian*	117	subterfuge	35
stream*	112	stylus	155	subterranean*	117
stretch*	92	stymie*	35	subtle*	46
strew	189	suavity	279	subtract*	164
striate*	64	subaltern	272	subvention	242

subversive*	78	superimpose*	58	survive*	81
subvert*	184	superintend*	20	susceptibility*	208
succinct*	166	superiority*	209	susceptible	41
succor	147	superlative	230	suspect	165
succumb	4	supernova	3	suspend*	20
suckle	265	supersede*	29	suspense	58
suffice*	23	superstition	242	suspicion*	122
sufficient*	177	supervise	57	suspicious*	156
suffocate*	61	supine *	50	sustain*	121
suffrage	32	supplant*	173	sustained*	13
suffragist	186	supple*	46	sustenance*	25
suffuse*	60	supplement	178	suture*	56
suggestive*	81	suppliant	172	svelte	73
suitcase*	56	supplicant*	172	swagger	142
sulky	198	supplicate*	61	swallow*	190
sullen*	119	supremacist	276	swamp*	137
sully	258	supremacy	192	swank	235
sultry	205	supreme*	47	swarm	238
summarily*	198	surcharge	34	swarthy	258
summary	202	surfeit*	170	swathe	264
summation	126	surgeon	122	swath	269
summon*	132	surge	35	sway	192
sumptuous	162	surly*	199	swear	245
sunder*	141	surmise*	57	swell*	109
sundry	259	surmount*	182	sweltering	88
superannuated	216	surpass*	152	swerve*	81
superb	4	surplus*	155	swift*	168
supercilious*	157	surrealism	114	swig	267
supererogatory	279	surrender*	140	swill*	110
superficial*	101	surreptitious*	158	swindle*	43
superficiality*	207	surrogate	63	swine*	51
superfluity*	210	surveillance	218	swing*	89
superfluous*	162	surveyor*	149	swipe	225

swirl*	110	tally	199	tauten*	120
swoop	273	talon*	132	tautological	235
sybarite	73	tambourine*	50	tawdry	203
sybaritic	8	tame*	47	taxing	89
sycophant*	172	tamper	143	taxonomist	187
syllabus*	154	tamp	137	tear*	138
symbiosis	151	tangential*	102	tease	56
symmetry*	205	tangible*	41	technocrat	164
symphony*	200	tangle	44	tedious*	157
symposium	239	tango*	135	tedium*	115
synchronous*	160	tangy	196	teem	238
syncretize	267	tantalize	82	teeter	144
syndrome	48	tantamount	182	teetotal*	237
synergic*	5	tantrum	116	telethon	271
synopsis*	151	tan	118	telling	87
synoptic	9	taper	143	temerity*	209
synthesis*	151	tapestry*	205	temper*	143
syringe*	34	tardy	194	tempest*	186
tablet	275	tare*	53	tempestuous*	162
table	39	tariff*	84	tempo*	135
taboo	135	tarnish*	94	temporal	105
tacit*	169	tarn	272	temporize	83
taciturn*	134	tarpaulin	122	temptation*	128
tack	234	tarry	260	temp	137
tackiness*	153	tart*	184	tenable*	38
tackle*	45	tasty*	211	tenacious	156
tact*	164	tation*	128	tenacity*	206
tactic*	8	tattered	216	tenant	173
tactile	45	tatter	274	tend*	20
tadpole*	46	tattle	265	tendentious*	158
tag	85	tattoo	272	tender	140
taking	86	tatty	211	tendinous	250
talisman	118	taut*	188	tenet	167

tenor	147	thermos	275	timbre*	53
tensile	223	thesis*	151	timely*	198
tension*	123	thespian	240	timeworn	243
tentative	79	thicket*	166	timid*	17
tenuous*	162	thick-skinned	216	timidity*	207
tenure	54	thorn*	134	timorous*	161
tepid*	18	thorny	258	tinder*	141
terminal*	104	thrall	237	tined*	13
terminate*	67	thrash	233	tinge	220
termination*	126	threadbare	52	tinker	143
terminology	197	thread	10	tinkle	265
terminus*	155	threat*	163	tint*	182
termite*	72	threescore	266	tipple	224
terrace*	23	thresh	233	tirade*	28
terrain	121	thrifty	260	tire*	53
terrestrial*	102	thrive*	77	tissue*	76
terse*	59	throes	248	titanic	6
tertiary	278	throne*	51	titular*	139
testament	178	throng	89	toady*	193
testator	148	throttle	224	toil*	109
testify*	196	throwback	96	tolerance*	25
testimony*	200	thrust*	188	toll	110
testiness*	153	thug	268	tombstone*	51
testy	211	thump	273	tome	265
tether	142	thwart*	184	tongs*	150
texture*	56	tickler	143	tonic	6
thatch	91	ticklish*	93	tonsorial	102
thaw	189	tidy*	194	tony	278
thematic	7	tiff*	84	toothsome	265
theocracy*	192	tightfisted	16	topple*	46
theoretical	100	till	270	topsy-turvy	261
therapeutic*	10	tilt*	171	torment*	179
thermal	103	timber*	139	tornado*	134

torpedo	244	traipse	266	trawl	238
torpid*	18	trait*	169	treacherous*	160
torpor*	148	traitor*	148	treachery	259
torque*	76	trajectory	204	tread*	215
torrent*	180	trammel	237	treadle	264
torrential	102	trample	46	treason	132
torrid*	216	tramp	244	treasurer	247
torso	244	trance	25	treatise*	57
tortuous*	162	tranquility	208	treaty*	206
torture	226	transaction	129	trek	234
toss*	154	transcend*	19	tremendous	155
totalitarian	117	transcendental	105	tremor*	147
totem*	112	transcendent	176	tremulous	250
totter*	146	transcribe*	22	trenchant*	172
touching	232	transfer*	141	trench	233
touchstone	225	transfigure	54	trend*	20
touchy*	197	transfuse	227	trepidation*	125
toupee*	31	transgress*	153	trespass*	152
tournament	178	transgression*	124	tresses	248
tourniquet*	168	transience*	26	tribulation	241
tousle	224	transient*	177	tribunal*	104
tout*	188	transition*	130	tributary	259
toxic*	10	transitory*	204	tribute*	74
toxin*	122	translucent	175	trickery	259
toy*	201	transmit*	170	trickle*	45
to-do	272	transmute*	74	trident	253
traceable	37	transparent*	180	trifle	43
track	97	transplantation	128	trigger	142
tractability*	207	transport*	185	trilogy*	196
tractable*	39	transpose*	58	trim*	113
tract	164	trapeze*	82	trinket*	166
traduce	219	traverse*	59	trio*	135
tragedy	193	travesty*	211	tripod*	21

trite*	73	turf	267	umpire*	53
triumph*	92	turgid*	17	unaffected*	15
trivia*	213	turmoil	109	unanimous*	159
trivial*	103	turncoat	163	unassuming	87
troll	270	turpitude*	30	unbecoming*	87
trophy*	197	turquoise*	57	unbend*	19
trough	268	turret*	167	unbidden	240
trounce	264	tusk*	99	unbosom	271
troupe*	52	tussle	46	unbridled	215
trowel*	108	tutelage	220	uncanny	200
truancy	193	tutelary	279	uncommitted	16
truant	253	tutor*	148	unconscionable	38
truce*	28	tuxedo*	134	unconscious	157
truculent*	178	twaddle	222	uncooperative	230
trudge*	33	tweak	269	uncouth	95
truism	239	twee	264	unctuous*	162
trumpery	259	twig*	85	underbid*	17
trumpet*	167	twinge	34	undercut	188
truncate*	61	tycoon	243	underdog*	90
trunk*	98	typhoon	243	underestimated	14
truss	154	typographical	99	undergird*	22
trustworthy*	198	typo	135	underhanded	11
tryst	276	tyranny*	200	underling*	87
tubby	277	tyrant	174	underlying	89
tuber*	139	tyro*	135	undermine*	50
tumble	264	ubiquitous*	161	underplay	191
tumid	216	ugly*	198	underrate*	70
tumult	171	ulcerate	229	underscore*	54
tundra	213	ulcer	139	understate*	71
tun	272	ulterior	248	understated	15
turbulent*	178	ultimate	66	understatement*	179
tureen	240	ultramundane	224	understudy	194
tureen	271	umbrage	32	underutilized	17

underwrite	73	univocal	100	unspoiled*	12
undeserved*	16	unjustified	12	unspotted*	16
undesirable	39	unjustly*	199	unstinting*	89
undirected*	15	unkempt	183	unsubstantiated*	14
undisputable	221	unleash*	92	untapped	13
undulate	228	unmitigated	14	unthreatening*	87
unearth*	95	unmoved	16	untimely*	198
unearthly*	198	unnoticed*	10	untold	19
unenlightened	13	unobtrusive*	78	untoward*	21
unexceptionable	38	unpalatable*	39	untutored	13
unexceptional	236	unprecedented	16	unwarranted	15
unfailing	87	unpremeditated	15	unwieldy*	194
unfasten*	120	unprepossessing*	88	unwitting*	89
unfeigned*	13	unpretentious*	158	unwonted	16
unflappable*	39	unprincipled*	12	unworldly	198
unfold*	18	unproductive*	80	upbraid*	17
unfounded*	11	unprovoked	12	upfront	254
unfrock	269	unqualified	12	upgrade	28
ungainly*	199	unravel*	108	upheaval	106
ungrudging*	86	unregenerate*	69	uphold*	19
unguarded	215	unregulated	14	uppercase	266
unguent*	181	unremitting	89	upright*	169
unicorn*	133	unrepentant*	174	uproar*	139
unidimensional	104	unrequited	15	uproarious	158
unification*	125	unreserved*	16	upstage*	33
uniform	114	unscathed	12	upstart	255
unify*	195	unscented*	16	upsurge	220
unilateral	236	unscrupulous*	159	upswing	89
unimpassioned*	13	unscrupulousness*	153	uptight	252
unimpeachable	37	unseemly*	199	urchin	241
uninitiated	14	unsettle*	47	urgent*	177
unique	76	unsettling	87	ursine	225
unison	243	unsound	20	ustere*	53

usurp*	138	vanquish*	94	veracity*	206
usury*	205	vantage	32	verbal*	99
utensil	237	vapid*	18	verbatim	238
utilitarian	117	vaporization	129	verbiage*	32
utilize*	83	vaporize*	83	verbose*	58
utopia*	1	vaporous*	161	verboten	271
utopian*	117	variance*	24	verdant*	172
utter*	146	variegate*	62	verdict*	165
uxorious	250	variegation*	125	verdigris	151
vaccinate*	66	varnish*	94	verdure	266
vaccine*	49	vascular	139	verge	220
vacillate*	64	vault*	171	verified*	12
vacuous*	161	vaunting*	89	verify*	195
vagabond	217	veer*	141	verisimilar*	138
vagary*	201	vegetate	229	veritable*	40
vagrancy*	193	vehicle*	42	vermin	241
vagrant	174	veil	108	vernacular*	139
vague*	75	velocity*	207	vernal	236
vain*	121	velvety	279	versant	276
valediction*	129	venal*	103	versatile*	45
valedictory	204	vendetta*	3	verse*	59
valetudinarian	240	vendor	147	versemonger	246
valiant*	172	veneer	141	vertex	191
validate*	62	venerate*	69	vertical	100
valor*	248	vengeance	24	vertigo*	135
valorous*	161	vengeful*	111	verve*	81
valve*	81	venial	101	vessel*	108
vampire	226	venom*	113	vestige*	34
vandalism	114	ventilate*	64	vestigial*	101
vandalize	82	ventral	236	vestment	179
vanguard	218	ventriloquist	187	vesture	226
vanilla*	2	vent	181	vest	276
vanity*	208	veracious*	156	veteran	118

veterinary	202	vintner*	143	volatile*	45
veto	136	violate*	65	volition*	130
vex*	191	violet*	167	volley	194
vexation*	129	virago	244	voluble*	42
viability*	207	viral*	105	voluminous*	160
viable	38	virile	223	voluptuous	162
viaduct	166	virility	260	vomit	252
viands	248	virtual	106	voracious*	156
viand	263	virtuosity*	210	voracity	206
vibrancy*	193	virtuoso*	135	votary	203
vibrant	174	virtuous*	162	voucher	274
vibrate*	68	virulent*	178	vouch	92
vicar*	138	virus*	162	vulgar*	138
vicarious*	158	visage	220	vulnerable*	39
vicinity	208	visceral	236	vulpine	225
vicious*	156	viscid*	17	vulture*	55
vicissitude	220	viscous*	155	vying	89
vicissitudinous	160	visionary	202	wacky	278
victimize	83	vista*	3	waddle*	43
vie	36	vital*	105	wade	219
vigilant*	173	vitalize*	82	waffle*	43
vigilante	266	vitiate*	64	waft*	168
vigil	270	vitreous	250	wage	33
vigorous*	161	vitrify	195	waggish	93
vile*	45	vitriolic	5	wag	85
vilify*	195	vituperate	69	wail	237
villainous	250	vituperative*	79	waive	230
vim	238	vivacious*	156	wallop	245
vindicate*	61	vivid	18	wallow	256
vindication	241	vocalist*	187	walrus*	162
vindictive*	80	vocation	125	wanderlust*	188
vinegared	216	vogue	76	wand	263
vintage	264	void	17	wane	49

wangle	223	wend	263	wince	27
want*	175	wheedle*	43	windbag	85
wanton	243	wheeze	267	windfall	237
wan	118	whelm*	238	winding	86
warble	222	whelp	244	windshield	263
warden	240	whet*	166	windy	194
wardrobe*	23	whiff	84	wink*	98
warehouse*	60	whim*	113	winkle	223
warmonger*	142	whimper	274	winning	232
warp*	137	whimsical*	100	winnow*	190
warrant*	174	whimsy	206	winsome	48
warranted*	15	whine*	49	wiretap	244
warranty	211	whirlpool*	110	wiry	279
wary*	203	whisper*	144	wispy	278
waspish	233	whistle	47	wistful*	111
waste*	74	whittle*	47	wit*	171
wastrel*	107	whit	252	witch	233
watershed	12	wholesome*	48	withdraw*	189
waver*	146	whoop	273	wither*	142
wax	191	whorl	270	withhold*	19
waylay	256	wick*	97	withstand	19
wean*	117	wicked*	12	witness*	153
wearisome	48	wield*	18	witticism	114
weary	201	wig*	231	wizardry	259
weasel	107	wiggle	223	wizened	13
weather*	142	wigwag	267	wizen	240
weather	246	wile	223	wobble	40
weed*	11	wile	265	woe	52
weird	218	willful*	111	wont	254
weld*	18	willowy	212	woo*	135
well-groomed*	12	willow	190	woodcut*	255
welsh	234	wilt	171	worship*	136
welter*	144	wily*	198	wraith	234

wrangler	143	xenophobe*	23	yielding*	86
wrangle	223	xenophobia	213	yokel*	107
wrath	234	xerophyte	75	yoke	36
wreak	234	yacht*	168	yowl	270
wreathe	221	yahoo	272	yummy	278
wreckage	220	yank	269	zany	278
wrench*	91	yap	273	zealotry*	205
wrest	276	yarn*	133	zenith*	95
wretched	11	yawn	134	zephyr	149
wrinkle*	46	yaw	256	zest*	186
wrist*	187	yearn*	133	zesty*	261
writ*	170	yeast*	185	zigzag	85
wroth	269	yelp	273	zone*	51
wrought*	169	yen	271	zoom	270
wry*	205	yeoman	240		

读者反馈表

尊敬的读者：

　　您好！非常感谢您对**新东方大愚图书**的信赖与支持，希望您抽出宝贵的时间填写这份反馈表，以便帮助我们改进工作，今后能为您提供更优秀的图书。谢谢！

　　为了答谢您对我们的支持，我们每月将对反馈的信息进行随机抽奖活动，届时将有 20 名幸运读者可免费获赠**《新东方英语》**期刊一份。我们定期会在新东方大愚图书的网站 www. dogwood. com. cn 公布获奖者名单并及时寄出奖品，敬请关注！

来信请寄：

　　北京市海淀区海淀中街 6 号新东方大厦 750 室

　　北京新东方大愚文化传播有限公司

　　　　　　　　图书部收

　　邮编：100080　　　　E-mail：club@dogwood. com. cn

姓名：_____　年龄：_____　职业：_____　教育背景：_____

邮编：_____　通讯地址：_____

联系电话：_____　E-mail：_____

您所购买的书籍的名称是：_____

1. **您是通过何种渠道得知本书的（可多选）：**

　　□书店　□新东方网站　□大愚网站　□朋友推荐

　　□老师推荐　□其他_____

2. 您是从何处购买到此书的？
   □书店　□邮购　□图书销售网站　□其他＿＿＿＿＿＿＿＿

3. 影响您购买此书的原因（可多选）：
   □封面设计　　□书评广告　　□正文内容　□图书价格
   □新东方品牌　□新东方名师　□其他＿＿＿＿＿＿＿＿

4. 您对本书的封面设计满意程度：
   □很满意　□比较满意　□一般　□不满意
   改进建议＿＿＿＿＿＿＿＿＿＿＿＿＿＿＿＿＿＿＿＿＿

5. 您对本书的印刷质量满意程度：
   □很满意　□比较满意　□一般　□不满意　□很不满意
   改进建议＿＿＿＿＿＿＿＿＿＿＿＿＿＿＿＿＿＿＿＿＿

6. 您认为本书的内文在哪些方面还需改进？
   □结构编排　□难易程度　□内容丰富性　□内文版式

7. 本书最令您满意的地方：□内文　□封面　□价格　□纸张

8. 您对本书的推荐率：
   □没有　□1人　□1－3人　□3－5人　□5人以上

9. 您目前最希望我们为您出版的图书名称是：＿＿＿＿＿＿＿

10. 您在学习英语过程中最需要哪些方面的帮助？（可多选）
    □词汇　□听力　□口语　□阅读　□写作　□翻译　□其他

11. 您最喜欢的英语图书品牌：＿＿＿＿＿＿＿＿＿＿＿＿＿
    理由如下（可多选）：□版式漂亮　□内容实用　□难度适宜
    □价格适中　□对考试有帮助　□其他＿＿＿＿＿＿＿＿＿

12. 看到"新东方"三个字，您首先想到什么？＿＿＿＿＿＿＿

13. 您的其他意见和建议（可另附页）：＿＿＿＿＿＿＿＿＿

14. 填表时间：＿＿＿＿＿＿年＿＿＿＿＿月＿＿＿日